D0265416

L'OPOSSUM ROSE

DU MÊME AUTEUR

La Transformation des papillons
Terra Nova, 2015

Federico **AXAT**

L'OPOSSUM ROSE

Roman traduit de l'espagnol par Isabelle Gugnon

calmann-lévy

Titre original (Argentine) :
LA ULTIMA SALIDA

Couverture :
Maquette : Departamento de Arte y Diseño. Área Editorial Grupo Planeta
Adaptation : Rémi Pépin, 2016
Photographie de couverture : © Martin Waldbauer

ISBN 978-2-7021-5901-9
ISSN 2115-2640

À mes parents,
Luz L. Di Pirro et Raúl E. Axat

Le doigt sur l'acier,
Le pistolet s'alourdissait
Il sentait son cœur battre,
Battre, battre,
Battre, battre, ô mon amour

U2, *Exit*

PREMIÈRE PARTIE

CHAPITRE 1

Ted McKay allait se tirer une balle dans le crâne lorsque la sonnette retentit. Avec insistance.

Il attendit. Impossible de presser la détente avec quelqu'un à la porte.

Qui que tu sois, va-t'en.

Mais le visiteur insistait.

— Ouvrez ! Je sais que vous m'entendez ! hurla-t-il.

La voix résonna dans son bureau, si clairement, curieusement, que Ted douta un court instant de sa réalité.

Il regarda autour de lui comme pour chercher une preuve de ce cri dans la pièce déserte – ses livres de comptes, la reproduction du tableau de Monet, le bureau et, pour finir, la lettre où il expliquait tout à Holly.

— Ouvrez-moi, s'il vous plaît !

À quelques centimètres de sa tête, le Browning était de plus en plus lourd. Si l'inconnu entendait le coup partir et appelait la police, son plan tomberait à l'eau. Holly et les filles étaient à Disney World et il ne voulait pas qu'elles apprennent la nouvelle de sa mort aussi loin de chez elles. C'était hors de question.

Au carillon de la sonnette s'ajouta une série de coups.

— Allez, décidez-vous ! Je ne partirai pas d'ici tant que vous ne m'aurez pas ouvert !

Le pistolet trembla. Ted le posa sur sa cuisse droite, se passa la main gauche dans les cheveux sans cesser de pester contre l'inconnu. S'agissait-il d'un représentant ? Dans ce quartier cossu, on n'appréciait guère le porte-à-porte, surtout quand les vendeurs se montraient aussi insistants.

Les cris et les coups cessèrent quelques secondes. D'un geste lent, Ted en profita pour se braquer de nouveau l'arme sur la tempe.

Il se disait que l'homme avait peut-être renoncé et était parti, mais celui-ci continua de frapper et de l'appeler. Ted était bien décidé à ne pas lui ouvrir… il attendrait. Tôt ou tard, ce malappris finirait par se fatiguer.

C'est alors qu'un papier plié en deux sur le bureau attira son attention – un mot semblable à celui qu'il destinait à Holly, à la différence près qu'il ne portait pas le nom de sa femme. Avait-il été assez bête pour oublier de jeter des éléments de preuve ? Les cris redoublant derrière la porte donnant sur la rue, il se rassura en songeant que cette découverte inattendue était peut-être une bonne surprise. Il déplia le billet et le lut.

Ce qu'il vit lui glaça les sangs. C'était son écriture, mais il ne se rappelait pas être l'auteur de ces deux phrases :

OUVRE LA PORTE
C'EST TA DERNIÈRE CHANCE

Avait-il rédigé ces mots et complètement oublié quand et où ? S'agissait-il d'un jeu avec Cindy et Nadine ? La raison de cette note lui échappait… d'autant plus dans ce moment absurde, surtout avec un fou posté devant sa porte, prêt à l'enfoncer. Mais il y avait forcément une explication.

C'est ça, voile-toi la face.

Dans sa main droite, le Browning pesait une tonne.

— Ted, bon sang, ouvrez-moi !

Il sursauta, sur ses gardes. Cet homme venait-il de prononcer son nom ? Ted n'entretenait pas de relations étroites avec ses voisins, mais il était capable de reconnaître leurs voix et aucune ne ressemblait à celle de l'inconnu. Il se leva, posa le pistolet sur le bureau. Après tout, ce n'était pas la fin du monde, et qui que soit l'importun, il pourrait vite s'en débarrasser et retourner dans le bureau pour en finir une bonne fois pour toutes. Après avoir planifié son suicide pendant des semaines, pas question de reculer au dernier moment à cause d'un simple malotru.

Bien décidé, il s'empara d'un pot posé sur la table. Il était rempli de stylos, de trombones, de gommes usées et de quantité de babioles inutilisables. Il le renversa d'un geste vif et vit la clé qu'il y avait rangée moins de deux minutes plus tôt. Il la saisit entre deux doigts et l'examina, incrédule, comme s'il venait de retrouver un objet qu'il pensait ne plus jamais revoir, lui qui était maintenant censé être étendu dans son fauteuil inclinable, des traces de poudre flottant de sa main vers la lumière de la fenêtre.

Quand on a décidé de se supprimer – même si on y est fermement résolu –, la volonté est mise à rude épreuve au cours des minutes qui précèdent l'acte. Ted en avait bien conscience, et la perspective de devoir en repasser par là le révulsait.

Irrité, il gagna la porte de son cabinet de travail, introduisit la clé dans la serrure, ouvrit. Son agacement redoubla quand il vit, scotché de l'autre côté, légèrement au-dessus de ses yeux, le mot adressé à Holly :

Chérie, j'ai laissé un double de la clé sur le frigo. N'entre pas avec les filles. Je t'aime.

C'était sans doute cruel, mais il avait tout planifié dans les moindres détails. Il ne voulait pas qu'une des fillettes découvre son corps allongé derrière le bureau avec un trou dans la tête. Et puis mourir dans cette pièce avait un sens. Il avait sérieusement envisagé de se jeter dans le fleuve ou de quitter la ville pour se précipiter sous un train, mais il savait qu'aux yeux de ses proches l'incertitude de sa mort aurait été pire que tout. Surtout pour Holly. Elle aurait besoin de voir son corps de ses propres yeux, d'être sûre. Ce… *choc* serait nécessaire. Jeune et belle, elle pourrait ainsi refaire sa vie et s'en sortirait.

Salve de coups à la porte.

— J'arrive ! cria Ted.

Le visiteur cessa de frapper.

Ouvre la porte. C'est ta dernière chance.

Par la petite fenêtre à côté de l'entrée, il distingua une silhouette. Il traversa le salon sans se presser, dans une attitude presque provocante, en inspectant tout sur son passage, comme il l'avait fait plus tôt avec la clé du bureau : l'immense téléviseur, la table pour quinze personnes, les vases en porcelaine. Bien qu'à sa manière il ait déjà pris congé des objets qui faisaient partie de son quotidien, il eut l'impression de redevenir le « bon vieux et cher Teddy » en déambulant ainsi dans cette pièce comme un fantôme.

Il s'immobilisa. Était-ce là sa version de la *lumière au bout du tunnel* ?

Il éprouva un instant le besoin insensé de revenir sur ses pas pour voir si, derrière le bureau, il n'allait pas découvrir son propre corps. Il tendit un bras, promena ses doigts sur le dossier du canapé, sentit la fraîcheur du cuir. Trop réel pour être le fruit de son imagination, songea-t-il. Mais comment en être sûr ?

Il ouvrit la porte et, en regardant le jeune homme sur le seuil, comprit pourquoi, malgré ses manières, le bonhomme avait survécu à l'exercice de son métier de vendeur. Âgé d'environ vingt-cinq ans, il portait un impeccable pantalon blanc retenu par une ceinture en peau de serpent et un polo aux rayures horizontales multicolores. Il ressemblait davantage à un joueur de golf qu'à un représentant, même si la mallette en cuir usée qu'il avait à la main jurait avec sa tenue. Ses cheveux blonds lui couvraient les épaules, ses yeux bleus et son sourire obscène n'avaient rien à envier à ceux de Joe Black. Ted imagina Holly ou toute autre femme du quartier acheter sans broncher des articles à ce bellâtre.

— J'ignore ce que vous vendez, mais je ne suis pas intéressé, déclara-t-il.

Le sourire de son visiteur s'élargit.

— Oh, mais je n'ai aucune intention de vous vendre quoi que ce soit, riposta celui-ci, comme s'il s'agissait de la chose la plus ridicule au monde.

Ted jeta un coup d'œil derrière l'inconnu. Il ne vit pas de voiture stationnée le long de la voie, aucun véhicule non plus dans Sullivan Boulevard. Il ne faisait plus aussi chaud que dans l'après-midi, mais marcher longtemps sous le soleil aurait dû laisser des traces sur ce jeune homme à la beauté insolente et à l'allure irréprochable. Et puis, pourquoi se garer aussi loin ?

— N'ayez pas peur, le rassura le blond, à croire qu'il lisait dans ses pensées. Mon associé m'a déposé devant chez vous pour ne pas éveiller les soupçons de vos voisins.

La mention d'un complice ne perturba pas Ted. Mourir pendant un cambriolage serait peut-être plus convenable que de se tirer une balle dans le crâne.

— C'est que je suis occupé, allez-vous-en ! grogna-t-il en faisant mine de fermer la porte.

L'homme l'en empêcha. Son attitude n'avait rien d'hostile, bien au contraire. Une lueur de supplique brillait au fond de ses yeux.

— Je m'appelle Justin Lynch, monsieur McKay. Si vous me…

— Comment savez-vous mon nom ?

— Si vous me permettez d'entrer et de bavarder dix minutes avec vous, je vous le dirai.

Le silence s'installa. De toute évidence, Ted ne comptait pas le laisser entrer, mais il devait reconnaître que sa présence piquait sa curiosité. Pour finir, la raison s'imposa.

— Désolé, ce n'est pas le moment, dit-il.

— Vous vous trompez, je tombe…

Ted lui claqua la porte au nez. Les derniers mots de Lynch lui parvinrent, étouffés mais parfaitement intelligibles, depuis le seuil : « Je tombe à pic. » Ted ne bougea pas, dressa l'oreille comme s'il savait qu'ils n'en resteraient pas là.

Et ils n'en restèrent pas là. Lynch haussa le ton afin que son interlocuteur l'entende :

— Je sais ce que vous vous apprêtiez à faire avec le 9 mm posé sur votre bureau. Je vous promets de ne pas chercher à vous en dissuader.

Ted ouvrit.

CHAPITRE 2

Ted avait été extrêmement prévoyant dans la planification de son suicide. Il n'avait pas pris cette décision sur un coup de tête, mais avait au contraire tenu compte de tous les impondérables. Il n'était pas de ceux qui projettent de se supprimer avec maladresse, juste pour attirer l'attention. C'est du moins ce qu'il avait cru. Car comment expliquer que, malgré toutes ses précautions, Lynch ait été au courant ? Son visiteur au large sourire et aux traits parfaits avait été très précis en mentionnant le calibre de son arme et son emplacement. Si la logique voulait effectivement qu'il veuille mettre un terme à sa vie dans son bureau, cette supposition relevait cependant du hasard, et Lynch l'avait formulée sans l'ombre d'une hésitation.

Ils étaient assis autour de la table, l'un en face de l'autre. Ted éprouvait une sensation qu'il connaissait bien : le tremblement que cause une décharge d'adrénaline lorsqu'on est concentré à l'extrême et qu'on cherche à prendre l'avantage sur son adversaire. Même s'il n'avait pas joué aux échecs depuis des années, c'était cette impression unique qu'il revivait, et il trouvait ça très agréable.

— Travis vous a donc demandé de m'espionner, affirma-t-il.

Lynch avait posé sa mallette sur la table et s'apprêtait à l'ouvrir. Il interrompit son geste, consterné.

— Votre associé n'a rien à voir dans cette histoire, Ted. Ça ne vous dérange pas que je vous appelle par votre prénom ?

Ted haussa les épaules.

— Je ne vois pas de photos de vos filles, Nadine et Cindy, reprit Lynch, les yeux rivés sur le contenu de sa mallette où, à l'évidence, il cherchait quelque chose.

Il disait vrai. Ted avait retiré tous les clichés de la pièce. Un conseil : si tu veux t'ôter la vie, fais disparaître toutes les photos de tes proches. Il est plus simple de passer à l'acte sans être observé par ses êtres chers.

— Je vous interdis de parler de mes filles.

Lynch lui adressa un de ses fabuleux sourires et leva un instant les mains en l'air.

— J'essayais juste de gagner votre confiance en discutant un peu. Je les ai déjà vues en photo et je sais qu'en ce moment elles sont en Floride avec leur mère. Elles sont allées voir leurs grands-parents, c'est bien ça, n'est-ce pas ?

Le commentaire semblait extrait d'un film de mafieux : « On sait où est ta famille, alors ne joue pas au plus malin avec nous ! » Mais il y avait des accents de sincérité dans la voix de Lynch, comme s'il voulait à tout prix être aimable.

— Je vous ai fait entrer chez moi, je présume donc que je vous accorde ma confiance.

— J'en suis ravi.

— Que savez-vous d'autre sur ma famille ?

Lynch retira les mains de la mallette d'un geste détaché.

— Pas grand-chose, je le crains. Nous n'aimons pas trop nous immiscer. Je sais qu'elles rentrent vendredi, ce qui nous laisse trois jours pour nous occuper de nos affaires. C'est plus que suffisant.

— « Nos affaires » ?

— Tout à fait.

Lynch sortit deux minces dossiers qu'il posa sur un coin de la table avant de repousser sa mallette.

— Ted, avez-vous déjà songé à tuer quelqu'un ?

Le moins qu'on puisse dire, c'est que le type allait droit au but !

— Vous êtes flic ? Si c'est le cas, vous auriez dû me montrer votre plaque, dit Ted en se levant.

Il regarda les chemises cartonnées et pensa qu'elles devaient regorger de photos choquantes. On l'avait surveillé parce qu'on le soupçonnait d'avoir commis un meurtre. Sa tentative de suicide était un élément déterminant qui prouvait sa culpabilité, d'où l'insistance de Lynch à pénétrer chez lui. Était-ce un agent du FBI ?

— Non, je ne suis pas dans la police, Ted. Asseyez-vous, je vous prie.

— Sortez d'ici immédiatement ! ordonna Ted en lui montrant la porte, oubliant que Lynch connaissait le chemin.

— Vous voulez vraiment que je parte sans vous dire comment nous savons que vous avez l'intention de vous suicider ?

Cet homme était habile car, bien sûr, Ted mourait d'envie de le savoir.

— Je vous laisse cinq minutes, lui concéda Ted en restant debout.

— Très bien. Je ne serai pas long. Je travaille pour un groupe qui essaie de mettre en contact des personnes telles que vous avec des individus comme ceux-ci, déclara-t-il en posant une main sur ses dossiers. Avec votre permission, je vais ouvrir un de ces dossiers et nous y jetterons un coup œil. Vous comprendrez vite, vous êtes quelqu'un d'intelligent.

Lynch posa un des documents au milieu de la table, tourné vers Ted qui attendait, les mains sur les hanches.

Il examina la première page, la copie d'un rapport de police avec, d'un côté, les clichés de face et de profil d'un homme d'environ vingt-cinq ans. Il était bronzé et avait les cheveux bien peignés et gominés, lançait à la caméra un regard plein de défi, le menton légèrement relevé, ses yeux clairs écarquillés. Il était fiché sous le nom d'Edward Blaine.

— Blaine a été autrefois condamné pour des délits mineurs, reprit Lynch en passant à la page suivante. Plus tard, on l'a accusé d'avoir assassiné sa petite amie.

Ted ne s'était pas trompé : ces dossiers contenaient en effet des images difficilement soutenables. Celle qui s'étalait sous ses yeux montrait le corps d'une femme tuée violemment. Allongée dans l'espace réduit entre un lit et un placard, elle avait la poitrine marquée par sept coups de couteau.

— Elle s'appelait Amanda Herdman. Elle et Blaine se fréquentaient de temps en temps. Ce n'était pas une liaison régulière. Il lui procurait de la drogue à bas prix et, parfois, ils allaient un peu plus loin, mais d'après leurs amis respectifs, ils n'arrêtaient pas de se chamailler et de se réconcilier. Après avoir découvert son corps dans son appartement, la police est remontée jusqu'à Blaine, qui a déclaré qu'ils s'étaient disputés et qu'il lui avait fait une crise de jalousie, mais il s'est bien gardé d'avouer son crime. Vous voulez que je vous raconte la fin de l'histoire ? On n'a rien pu prouver et il a fallu le relâcher.

Ted s'était assis, incapable de détourner le regard des photographies. Lynch passa à la page suivante, aux plans détaillés de l'œil gonflé d'Amanda, des profondes entailles sur ses seins, de ses nombreuses ecchymoses.

— Il était innocent ? souffla Ted, perplexe.

— Non, ce salaud a pris soin de ne pas la frapper de ses poings et, bien sûr, on n'a pas retrouvé l'arme du crime. Il avait laissé ses empreintes partout dans l'appartement, sauf sur le corps.

— Pourtant, admettre qu'ils s'étaient disputés est en quelque sorte un aveu.

— Son avocat a fait valoir qu'il l'avait déclaré sous la contrainte, ce qui était en partie vrai, et il a pu le prouver. Il a été innocenté par l'heure indiquée dans le rapport du légiste, qui faisait remonter la mort entre 19 heures et 22 heures et, à ce moment-là, beaucoup de témoins ont déclaré avoir vu Blaine au Black Sombrero, un bar mal famé. Selon toute vraisemblance, il s'était arrangé pour que pas mal de gens le voient. Plus de trente témoins fiables l'ont attesté, et sa défense a même produit des vidéos du parking dans lesquelles il apparaissait.

Ted tourna les pages, examina d'autres clichés du cadavre d'Amanda Herdman et des copies de documents dont certains passages avaient été soulignés.

— Tout est donc clair pour vous, n'est-ce pas ?

Ted commençait en effet à comprendre.

— Qu'est-ce qui vous fait dire que c'est Blaine qui l'a assassinée ?

— L'organisation que je représente a des informateurs au sein des tribunaux. Je ne parle pas de délinquants, nous préférons ne pas traiter avec eux. Il s'agit d'avocats, de juges ou d'assistants qui savent quand une affaire sent mauvais. Nous nous chargeons alors de… « dissiper » les doutes. En ce qui concerne Blaine, l'explication est d'une simplicité enfantine, et il est certain qu'il a eu un sacré coup de chance. Nous avons contacté un expert pour lui demander comment un légiste pouvait se tromper aussi lourdement dans la détermination de l'heure d'un décès. D'après sa réponse, tout dépend de la température corporelle prise en compte au moment de la découverte du corps. On connaît la vitesse de refroidissement d'un cadavre et…

— Je connais le processus, le coupa Ted. Comme beaucoup de monde, je regarde *Les Experts*.

— Dans ce cas, je ne tournerai pas autour du pot, dit Lynch en riant. Nous avons compris en nous rendant sur la scène de crime. À l'heure qu'il est, l'appartement d'Amanda Herdman n'est toujours pas reloué, une teinturerie a ses locaux à l'étage du dessous et le tuyau de ventilation passe juste sous l'endroit où le corps a été découvert. Le cadavre bien au chaud, il a refroidi plus lentement que d'habitude.

— Ce type l'a donc tuée.

— Exact. Six à huit heures plus tôt. La mort n'est pas survenue dans la nuit, mais à midi, avant que Blaine n'entre dans le bar.

— Et il n'y a pas eu moyen de relancer l'enquête ?

— Non, l'audience avait déjà eu lieu et les juges avaient statué. Nous ne sommes pas là pour remettre en cause le système judiciaire. Nous préférons penser que, parfois, un salopard arrive à passer entre les mailles du filet. Malheureusement, l'inverse est également vrai. Mais bon, il ne s'agit pas d'établir des comparaisons, n'est-ce pas ?

Ted n'avait pas besoin d'en entendre davantage.

— Vous voulez que je tue Blaine, c'est ça ?

Lynch sourit en découvrant des dents parfaites.

— Vous voyez ? J'avais raison : vous êtes quelqu'un d'intelligent.

CHAPITRE 3

Ted s'arrêta devant le réfrigérateur. Un aimant en forme de pomme maintenait une photo de Holly qu'il avait oublié d'enlever. Les filles avaient collé des gommettes brillantes rectangulaires de tailles variées autour. Holly portait un bikini rouge – le préféré de Ted – et émergeait de la mer en courant. Elle riait, la tête tournée sur le côté, ses longs cheveux blonds au vent. Le cliché ayant été pris au moment précis où une de ses jambes disparaissait derrière l'autre genou, ce seul appui semblait défier les règles élémentaires de l'équilibre.

L'image était là depuis des années. À la contempler, Ted en oublia pourquoi il s'était rendu dans la cuisine. Il prit un coin du papier glacé entre deux doigts et tira dessus. C'est tout juste s'il n'entendit pas le rire de Holly, aussitôt suivi de pleurs entrecoupés de cris déchirants devant la porte du bureau… Comment pouvait-il lui faire une chose pareille?

Il ouvrit un tiroir au hasard et déposa la photo au milieu d'ustensiles dont il ignorait l'usage.

Il restait deux cannettes de bière qu'il saisit par le goulot avant de refermer la porte du réfrigérateur avec son pied, puis il attendit contre le plan de travail. Lynch était toujours dans le salon. Ted lui avait spontanément proposé un verre et maintenant, il le regrettait. Il avait besoin d'être seul pour réfléchir: lorsque le jeune homme lui avait parlé de commettre un meurtre, il avait ressenti d'inexplicables frémissements dans le corps. Sans aller jusqu'à partager les opinions de ceux qui estiment nécessaire de se faire justice soi-même, il pensait que le monde irait mieux si on le débarrassait d'individus tels que Blaine. L'assassinat ne le motivait guère. Il était du reste contre la peine de mort, c'est du moins ce qu'il affirmait quand on lui demandait son avis. Parfois, au champ de tir, pendant que la silhouette en carton se déplaçait et qu'il essayait de faire mouche au milieu du crâne, il rêvait d'abattre un « méchant », un type qui aurait commis des atrocités ou se serait livré à des actes abjects. Il hocha la tête. Sans être un vendeur au sens propre du terme, Lynch avait su appuyer là où il fallait pour que Ted considère son offre sérieusement.

Les yeux toujours rivés sur l'aimant en forme de pomme, il songea qu'il se concentrait plus facilement sans l'image de Holly. Les idées de Lynch étaient intéressantes, profondes, radicales, et Ted songeait que s'il supprimait un sale type, Holly et les filles verraient en lui un justicier et non un lâche.

Il regagna le salon et eut l'impression ridicule qu'il n'y trouverait personne, que Lynch serait parti ou, pire, qu'il était peut-être tout droit sorti de son imagination.

Mais le jeune homme blond était encore là, les deux dossiers devant lui. Il se leva pour prendre la cannette que Ted lui tendait, le remercia d'un signe de tête et but une grande rasade de bière.

— Comment avez-vous su ? lui demanda Ted en s'asseyant.

— Que vous vouliez vous suicider ?

Ted acquiesça.

— L'organisation a ses méthodes, Ted. Je ne crois pas qu'il soit prudent de vous les révéler.

— Il me semble que je mérite bien ça en échange de mes services.

Lynch s'accorda un temps de réflexion.

— Ça signifie que vous acceptez ?

— Non, ça ne signifie rien du tout. Pour le moment, j'aimerais juste que vous répondiez à ma question.

— C'est de bonne guerre, reconnut Lynch, qui but de nouveau au goulot et reposa la cannette sur la table. Nous avons deux méthodes de sélection. La première pour le plus grand nombre, mais avec le temps, nous avons compris que c'était aussi la moins efficace, malheureusement. C'est dommage, mais c'est comme ça. Des psychologues ralliés à notre cause nous informent de cas potentiels. C'est une violation de la règle de confidentialité, sans aucun doute, mais c'est ainsi que nous procédons. Cela dit, nous ne contraignons personne. Nous nous présentons, comme je viens de le faire chez vous, et nous faisons notre proposition. Si le candidat refuse, nous disparaissons sans laisser de traces. Je dois avouer qu'en ce qui vous concerne, mon entrée a été un peu plus intempestive que d'habitude. J'ai cru que... enfin... que j'étais arrivé trop tard.

— Vous me surveilliez ?

— Pas exactement. Quand je rends visite à un candidat, je jette toujours un coup d'œil chez lui. Nous savions que votre femme était en voyage avec vos filles, mais un membre de la famille ou un ami pouvait toujours surgir... Vous auriez aussi pu avoir un chien peu accueillant avec les inconnus. En faisant le tour de votre propriété pour m'assurer que tout allait bien, j'ai vu par la fenêtre de votre bureau que vous alliez passer à l'acte.

— Je comprends. Vous et votre organisation m'avez donc surveillé.

— Je suis désolé. Nous tâchons d'agir en toute discrétion.

— Et l'autre méthode ?

— Ah... Vous savez, Ted, beaucoup de gens nous apprécient et se sentent comme qui dirait *en dette* vis-à-vis de nous. Ils font partie de notre groupe, comme les psychologues. En général, ce sont des...

— Des personnes liées aux victimes, l'interrompit Ted en pointant un doigt sur les dossiers.

Lynch semblait préférer les insinuations aux affirmations directes. Contrarié, il grimaça un court instant.

— Vous avez raison, concéda-t-il enfin pour couper court à la discussion. Je vais vous révéler ce qu'il y a dans l'autre chemise, à présent.

Il écarta le dossier Blaine et ouvrit l'autre, beaucoup plus mince. En première page, Ted découvrit la photographie en couleur d'un quadragénaire debout sur le pont d'un bateau. Il portait un gilet de sauvetage et tenait une canne à pêche au bout de laquelle frétillait un poisson gigantesque.

— Qui est-ce ?

— Il s'appelle Wendell, vous avez peut-être entendu parler de lui, c'est un chef d'entreprise célèbre.

— Non, je ne le connais pas.

— Tant mieux.

Ted se concentra sur la page suivante. Le dossier contenait des feuillets dactylographiés, des plans et des adresses, très peu d'informations en comparaison avec l'autre, où étaient consignées les pièces de l'affaire Amanda Herdman.

— Qui a-t-il assassiné ? Sa femme ? demanda-t-il.

— Wendell n'est pas marié, répondit Lynch en souriant. Il n'a tué personne. Il n'est pas comme Blaine, mais comme vous.

Ted haussa les sourcils.

— Lui aussi compte mettre fin à ses jours, reprit Lynch. Comme vous, il imagine la douleur et l'incompréhension que cela susciterait chez ses proches. Je vous propose donc l'accord suivant : vous supprimez Blaine, vous rendez justice à la famille d'Amanda Herdman et lui apportez la paix, et pour vous remercier, nous vous permettons d'intégrer une chaîne dont Wendell n'est qu'un maillon. Vous serez le maillon suivant sur la liste.

Ted réfléchit quelques secondes afin d'être sûr de bien comprendre.

— Après avoir tué Blaine, je devrai donc assassiner Wendell ?

— Tout à fait. Il est déjà au courant et doit déjà vous attendre, tout comme vous attendrez plus tard que le maillon suivant se présente chez vous. Réfléchissez-y, Ted, et pensez que lorsque vos proches découvriront qu'un inconnu est entré chez vous pour vous abattre, l'impact ne sera pas le même qu'un suicide…

— Taisez-vous !

— Je sais que vous avez tout planifié, enchaîna Lynch en ignorant sa demande. S'ôter la vie vaut mieux que disparaître sans laisser de traces, mais nous vous offrons maintenant la possibilité d'être supprimé par un tiers, de sorte que votre famille se souviendra de vous comme d'une victime de la fatalité. Dites-vous que vos filles surmonteront plus facilement ce drame. Au cas où vous ne le sauriez pas, beaucoup d'enfants, surtout en bas âge, n'arrivent jamais à récup…

— Ça suffit ! J'ai compris.

— Et qu'avez-vous décidé ?

— Il faut que je réfléchisse. Wendell est innocent.

— Allons, Ted… J'ai l'habitude de mener ce genre de négociations. Vous avez déjà la réponse. Vous ne serez pas le seul à y trouver votre compte, vous aiderez Wendell, qui sait que vous allez lui rendre visite dans sa maison au bord du lac pour exécuter ses dernières volontés.

— Pourquoi ne pas vous en charger vous-même ?

Lynch ne cilla pas. Son sourire révéla que, comme il venait de le préciser, il n'en était pas à sa première tentative de persuasion auprès d'un « candidat ». Il avait réponse à tout. Son travail ressemblait à celui du représentant d'une compagnie téléphonique qui se contente d'appliquer des consignes prédéfinies.

— Dans cette histoire, nous sommes du bon côté, Ted. Nous pensons que tout homme qui a commis un meurtre doit mourir. Nous nous contentons de mettre en contact ceux qui ont réussi à tromper le système avec des individus prêts à donner leur vie pour une juste cause. Et nous vous avons choisi, vous. C'est votre chance et je crains que ce ne soit la dernière.

Ted baissa la tête et regarda fixement ses genoux. Le mot qu'il avait découvert sur son bureau dépassait d'une des poches de son pantalon. Il ne se rappelait pas l'y avoir glissé. Il tira sur le papier, qu'il déplia. Lynch ne remarqua rien. Il le scrutait, attendant qu'il se décide une bonne fois pour toutes.

C'est ta dernière chance, y lut-il.

Lynch venait en substance d'employer ces mots.

CHAPITRE 4

Edward Blaine vivait seul dans un quartier de la classe moyenne. Ses voisins le détestaient. Sa nature apathique et ses activités mystérieuses avaient contribué à envenimer ses relations déjà tendues et difficiles avec son entourage. Blaine était un rebut de la société, et ce salaud semblait s'en réjouir. Avec ses verres de lunettes à effet miroir et son sourire suffisant, il semblait défier tous ceux qu'il croisait. Les habitants du secteur avaient pourtant essayé de lui parler, d'abord sur le ton de la conciliation, puis de la menace, mais leurs tentatives avaient échoué. Tel un enfant rebelle – même s'il avait plus de trente ans –, il se montrait systématiquement désagréable quand on essayait de l'aborder, ne serait-ce que pour arrondir les angles. Il ne s'acquittait jamais de ses obligations, ne s'occupait ni de son jardin ni de son chien, Magnus, un terrible rottweiler qui passait des heures enchaîné, à aboyer après le premier venu. Il organisait des fêtes avec ses amis, faisait pétarader sa moto, mettait sa musique à fond, ce genre de choses. Bien souvent, quand il avait bu ou pris de la drogue, il ramenait des prostituées chez lui, puis les flanquait à la porte. À demi nues, les pauvres filles erraient alors sur le trottoir en attendant un taxi.

Quand leur bête noire fut publiquement accusée de meurtre, beaucoup exultèrent et proposèrent de témoigner pour dénoncer son comportement déplorable. Plus d'un regretta que Blaine ait tué la femme chez elle et non chez lui, ce qui leur aurait permis de l'enfoncer davantage et de s'arranger pour qu'il passe de nombreuses années derrière les barreaux. Tous étaient persuadés que Blaine avait tué la malheureuse et fêtèrent ce qu'ils considéraient comme un fait accompli : il allait être jugé et condamné pour l'assassinat d'Amanda Herdman. Leur rêve allait devenir réalité.

Mais le procureur avait dû le relâcher. Blaine avait un alibi en béton : des témoins avaient vu ce misérable dans un bar et il avait été filmé par plusieurs caméras de surveillance au moment du crime. Il n'était donc pas l'auteur du meurtre de sa petite amie, selon les autorités. Ses voisins pensaient le contraire, mais ignoraient comment ce sale type avait pu déjouer le système judiciaire. Peut-être avait-il un frère jumeau. En tout cas, il les avait tous trompés, et ils devaient désormais composer avec un salaud doublé d'un assassin. Certains avaient sérieusement envisagé de déménager.

Ted lut le rapport que Lynch lui avait remis avec une attention soutenue en mangeant un hamburger dans un fast-food, debout devant une table haute. Il songea que personne ne regretterait Edward Blaine. Il pourrait entrer chez lui par la grande porte sans trop s'inquiéter d'être vu – ses voisins ne parleraient pas. Il mémorisa toutes les informations dont il avait besoin et découvrit que l'assassin avait toujours un double de ses clés sous le paillasson. Quant au chien, il ne lui poserait aucun problème.

Il mit sur pied un plan assez simple en mordant à pleines dents dans son hamburger. Entre deux gorgées de Coca-Cola et quelques frites, il parvint à oublier ses soucis et s'en émerveilla. Les clichés du corps d'Amanda Herdman et certains détails scabreux du passé et du présent de Blaine lui donnaient vraiment envie de le tuer. Il venait enfin de comprendre ce que Lynch voulait dire quand il lui avait parlé des failles du système. Rectifier une erreur de la machine judiciaire avait quelque chose de revitalisant, et Ted en sentait le souffle vivifiant.

Une fois chez Blaine, il se cacha dans le placard de la chambre d'amis, au rez-de-chaussée, confortablement assis sur des caisses dont il avait changé la disposition. Au pied des étagères, au-dessus de sa tête, il vit briller dans l'obscurité un autocollant de Buzz l'Éclair et imagina l'enfant qui l'avait placardé là pour en apprécier l'éclat, enfermé dans cet espace clos, comme il le faisait à présent. Il ne put s'empêcher d'éprouver une pointe de nostalgie en songeant que le gamin avait oublié Buzz et l'avait ainsi condamné à rester seul dans le noir.

Blaine rentra quatre heures plus tard. Ted ayant inspecté la maison avant de trouver sa cachette, il pouvait, à chaque instant, se représenter les mouvements de l'assassin dans la pièce où il se déplaçait. Sans lâcher son téléphone, celui-ci bavardait en riant et pénétra chez lui par la porte du garage. Puis il se doucha, sans doute dans l'intention de passer sa soirée dehors. Ted ne s'en inquiéta pas... il patienterait. Passer une heure de plus ou de moins dans le placard ne le dérangeait pas. Par moments, il piquait du nez.

Il récapitula son plan, qui aurait déçu n'importe quel producteur hollywoodien. Il n'y aurait ni confrontation ni avertissement, encore moins de longues tirades vindicatives. Ted attendrait que Blaine s'endorme dans sa chambre, puis il le liquiderait sans lui laisser le temps de se réveiller. Ce serait un acte charitable de sa part.

À 21 h 30 – grâce à son portable, Ted avait une idée précise de l'heure –, Blaine s'installa au salon pour regarder la télévision et peut-être prendre un repas sur le pouce. De temps à autre, il insultait la participante à un jeu idiot de questions-réponses. Ce qui se passerait ensuite était incertain. Blaine pouvait partir en bordée – auquel cas Ted resterait peut-être encore des heures dans le placard –, accueillir des amis ou être un bon garçon et décider d'aller se coucher tôt. Un détail qui avait son importance vint toutefois compliquer la situation. Ted s'en aperçut avant Blaine et se mit aussitôt sur ses gardes. Il dressa l'oreille dans l'obscurité et tenta de faire abstraction des applaudissements enregistrés et de la voix criarde du présentateur. Dans le jardin devant la maison, Magnus poussait depuis un moment des gémissements déchirants.

Contrarié, Ted grimaça et hocha la tête. Il lui avait administré une dose insuffisante de calmants.

Tout à coup, le téléviseur se tut. Après un long silence, la porte qui donnait sur la rue s'ouvrit, puis claqua lorsque Blaine réintégra la maison. Il parlait au téléphone, si bas que Ted n'arrivait pas à comprendre ce qu'il disait. Il arpenta le salon, se rapprocha, sa voix devint plus nette et, à la grande déconvenue de Ted, il entra dans la chambre d'amis, alluma la lumière et referma derrière lui. Ted avait entrebâillé la porte du placard de quelques centimètres. Il était désormais trop tard pour la tirer vers lui sans trahir sa présence. À deux ou trois mètres de sa cachette, Blaine marchait nerveusement de l'autre côté du lit, attentif aux propos de son interlocuteur.

— Tu peux me croire, Tony, Magnus a été drogué. Il ne bouge presque plus. On lui a fait quelque chose. Si c'est un coup d'un de mes salauds de voisins, je vais m'occuper de son cas, et vite... Quoi ? Pardon ? Non, pas encore.

Puis il s'interrompit, s'assit sur le lit, dos au placard, et ajouta en baissant d'un ton :

— Tu as raison, Tony. Je vais m'assurer que tout est en ordre... Évidemment. Je te rappelle un peu plus tard. Salut.

Il quitta la pièce en laissant la lumière allumée.

Ted le vit à deux reprises marcher prudemment dans le couloir. À sa deuxième apparition, il crut voir briller quelque chose dans sa main droite. Ted allait bientôt être découvert, ce n'était plus qu'une question de temps. Il tira de son blouson le couteau avec lequel il avait l'intention de poignarder Blaine dans son sommeil. *Œil pour œil, dent pour dent*, songea-t-il.

Une dizaine de minutes plus tard, Blaine s'immobilisa sur le seuil, armé comme l'avait supposé Ted, qui s'imagina qu'en pénétrant dans la pièce, il avait examiné le placard et remarqué la porte anormalement ouverte et sa présence. Mais il n'en était rien. Blaine reprit sa place sur le lit et s'empara du téléphone pour rappeler son interlocuteur.

— Tony, c'est moi, dit-il. Tout est en ordre, je voulais que tu le saches. Demain, je mènerai l'enquête pour savoir qui a fait ça à Magnus. Là, je vais me coucher… je n'ai pas fermé l'œil depuis deux jours. Bien sûr… je t'ai dit que oui, ne t'inquiète pas. Salut.

Il ressortit. Et cette fois, il éteignit la lumière.

Ted garda le couteau à la main. Lui avait-on tendu un piège ? Pourquoi Blaine n'avait-il pas inspecté le placard ? Il s'imposa d'attendre au moins une demi-heure pour s'assurer que le maître des lieux dormait bien.

Ce délai passé, il poussa la porte avec une extrême lenteur, se dirigea vers le salon et le traversa pour se rendre au pied de l'escalier. De l'extérieur lui parvenait une lumière faible. Magnus avait cessé d'aboyer et peu de voitures passaient dans Eagle Street. Le moindre faux pas, le moindre bruit risquait de mettre Blaine en alerte. Ted monta les marches en prenant soin de poser les pieds tout près du mur. Le bois n'émit pas un seul grincement. Il avait accompli le plus dur, songea-t-il. Ensuite, ce serait facile : le sol de l'étage était couvert de moquette.

La chambre de Blaine se trouvait au bout d'un couloir étroit. En penchant la tête, Ted distingua la silhouette, reconnaissable entre mille, de l'assassin sous son drap blanc. Grâce aux lueurs qui pénétraient par la fenêtre, il put avancer sans se cogner aux meubles. Les doigts crispés sur le manche du couteau, il décrivait un arc de cercle quand une voix s'éleva dans son dos.

— Ne bouge pas ou je te fais sauter la cervelle.

Il sentit le canon d'une arme sur sa nuque et fut aveuglé par la lumière électrique. Une fois habitué à cette clarté soudaine, il s'aperçut que ce qu'il avait pris pour un corps étendu sur le lit n'était qu'un oreiller.

Saisis ta chance, retourne-toi, larde-le de coups de couteau. S'il te tire dessus, tu auras ce que tu voulais, n'est-ce pas ? Ton cerveau se moque du type de balle qui le pulvérisera…

C'est ta dernière chance. Le billet était toujours dans la poche de son pantalon.

— Jette ton couteau, ordonna Blaine. Très bien. Lève les mains et ne te retourne pas.

Contrairement à ses prévisions, tout indiquait qu'ils allaient tout de même échanger des répliques dignes d'un film hollywoodien.

Ted garda son calme. Si Blaine n'avait pas tiré, c'est qu'il avait des doutes. Il devait s'interroger sur l'identité de l'individu qui avait tenté de le tuer. En plus, il n'avait pas besoin d'un cadavre sur les bras, et qui plus est chez lui, sans compter que le coup de feu risquait d'attirer l'attention des voisins. Ted s'étonna qu'autant de pensées se bousculent dans sa tête alors que les circonstances ne s'y prêtaient guère. Il avait l'impression d'être un super-héros. Plongé dans ces réflexions fort lucides, il songea qu'il n'avait pas envie de mourir de la main de cet individu. Lui qui avait une arme braquée sur la nuque et tournait le dos à son agresseur – bref, sans défense –, trouvait déplacé que ce soit justement Blaine qui en finisse avec lui. Il avait accepté les conditions de Lynch et savait qu'un inconnu le supprimerait afin d'alléger la peine de ses proches, mais… Blaine ? Son instinct de survie lui conseilla de lutter.

— Tu m'as vu, pas vrai ? lança Ted d'une voix ferme. Quand tu es entré dans la chambre, il y a un moment, en parlant au téléphone… tu m'as vu.

— Qui t'a envoyé ?

— Qu'est-ce qui te fait croire que je n'agis pas seul ?

— Si tu ne travailles pas pour quelqu'un, dis-le et je te colle tout de suite une balle. Si tu exécutes des ordres, tu vivras un peu plus longtemps, mais au final, tu ne ressortiras pas d'ici vivant.

— Dans tous les cas je suis perdant, souffla Ted en pivotant très lentement.

— Je t'ai dit de ne pas te retourner !

Ted s'immobilisa.

— Désolé, mais il faut que tu voies mon visage. Toi et moi, on s'est déjà rencontrés.

— Je ne reconnais pas ta voix, dit Blaine après une hésitation.

— Je sais. Mais quand tu me verras, tu comprendras, tu peux me faire confiance.

Il était cuit. Le poisson avait mordu à l'hameçon, il ne restait plus qu'à le sortir de l'eau. Intrigué, Blaine s'interrogeait sans trouver de réponse et avait envie de découvrir les traits de Ted.

— Parfait. Retourne-toi. Doucement. Garde les mains en l'air.

Ted s'exécuta sans hâte. Il calcula l'instant précis où, lorsqu'il aurait décrit un demi-cercle sur lui-même, ses bras seraient alignés au point de se confondre dans le champ de vision de Blaine. Un truc d'une simplicité enfantine. Et Blaine regarda fixement son visage qui tournait plus lentement que le reste de son corps. Pendant la fraction de seconde où il lui révélait ses traits, son bras invisible plongeant très vite dans la poche de son blouson, Ted s'empara du Browning. Blaine ne s'aperçut de la manœuvre qu'au moment où Ted faisait volte-face, l'arme à hauteur de poitrine, pour lui tirer dessus sans l'ombre d'une hésitation. Le bras fléchi, il se trouvait dans une position inconfortable et le tir était compliqué, mais il toucha Blaine au milieu du front. Le coup de feu ébranla le calme nocturne. *Cette balle était pour moi*, songea Ted tandis que son adversaire s'écroulait comme une marionnette.

Il avait glissé au fond de sa poche une photo d'Amanda Herdman. Il la posa sur le torse de Blaine, qui tressaillit quelques secondes avant de rester immobile. Debout à côté de lui, Ted attendit qu'il ait poussé son dernier soupir.

Un bruit dans le salon lui fit tendre l'oreille, mais il n'était pas certain de ce qu'il avait entendu. Il glissa le Browning dans sa ceinture, ramassa son couteau, atteignit le bout du couloir et la rampe de l'escalier, se pencha avec discrétion pour avoir une vue d'ensemble sur le salon. Ce qu'il vit l'impressionna tellement qu'il n'eut même pas le réflexe de reculer : au beau milieu de la grande pièce se tenait un Noir. Très fin, il portait un pantalon gris et une blouse de laboratoire. Un large sourire aux lèvres, il observait Ted comme s'il savait qu'il allait apparaître à cet instant.

— Bonjour, Ted, lui lança-t-il d'une voix grave en levant une main à la paume rosée.

Ted ne s'étonna pas qu'il sache son nom. Dernièrement, c'était plutôt monnaie courante. Il descendit l'escalier sans le lâcher des yeux.

— Vous travaillez pour eux ? demanda-t-il.

La main sur la rampe, il ne jugea pas utile de prendre son Browning. Quelque chose lui disait que l'homme ne constituait pas une menace.

Dehors régnait le plus grand calme – il était encore trop tôt pour que la police arrive. Les aboiements de Magnus avaient redoublé, il sentait la présence d'étrangers dans la maison. Savait-il que son maître était mort ? Un chien pouvait-il flairer le sang d'aussi loin ? Possible. Puis, gagné par la fatigue, il ne hurla plus, mais poussa de petits gémissements.

— Qui êtes-vous ? insista Ted.

— Je m'appelle Roger, répondit l'homme en souriant.

— Roger ? C'est tout ? L'autre type m'a au moins donné son nom. (Il se passa le revers de sa main libre sur le front.) Écoutez, je ne sais pas ce que vous faites ici, mais la police est en route. Il y a un mort à l'étage et, dans le jardin, un rottweiler plutôt énervé. Moi, je me tire.

Roger lui répondit par un sourire presque paternel.

— Vous avez entendu ce que j'ai dit ?

— Allons donc plutôt bavarder un peu dans ce salon.

Ted l'observa avec perplexité. Pourquoi était-il venu ? Pourquoi ne le lâchait-on pas d'une semelle ?

— Je n'arrive pas à y croire. Vous êtes timbré. Vous n'avez pas entendu le coup de feu ?

— C'était Blaine, n'est-ce pas ? lâcha Roger d'une voix mécanique.

— Qui d'autre voulez-vous que ce soit ?

— Vous lui avez tiré dessus ?

Ted garda le silence en songeant que l'inconnu avait forcément entendu le coup partir.

— Une chance que vous ayez eu ce flingue, dit Roger.

— Il vaut mieux être paré… en cas d'imprévu.

Ted se demanda pourquoi il restait planté là. L'homme avait une étrange façon de parler, ses phrases avaient une cadence hypnotique.

— Et vous avez aussi mis des gants, ajouta-t-il en lui montrant ses mains. Un couteau, une arme… Vous avez pris soin de donner des calmants au chien ? lui demanda-t-il en hochant la tête, admiratif.

— Vous vouliez que je le tue, n'est-ce pas ? s'énerva Ted.

— Vous n'avez pas oublié de laisser une photo sur le corps, cette fois ?

Cette fois ?

— Non, souffla Ted, résigné. (Après tout, il se fichait bien de savoir si cet homme l'avait espionné ou s'il était capable de lire dans le marc de café.) Si ça ne vous dérange pas, monsieur Roger, je vais y aller. Vous voulez bien ? Et je serais vous, je ferais la même chose.

Il s'apprêtait à partir quand il distingua quelque chose d'anormal. Par la petite fenêtre, il vit une silhouette traverser le jardin et se précipiter vers une voiture. Quand l'homme passa dans le halo d'un lampadaire, Ted distingua parfaitement un polo à rayures.

Lynch.

Le véhicule démarra en trombe et disparut.

Pourquoi le surveillait-on ?

Ted se tourna vers Roger, exigeant une réponse alors même qu'il n'avait pas formulé la moindre question. Le Noir haussa les épaules.

CHAPITRE 5

L'opossum s'était installé sur la table du jardin pour dévorer le membre amputé. Il gigotait tellement qu'il avait déclenché le détecteur de mouvement de la terrasse. Un cône de lumière permettait d'assister à ce spectacle effroyable depuis la maison.

Debout derrière une porte-fenêtre, incrédule, Ted regardait l'animal planter ses dents pointues dans la chair morte, et poser çà et là ses yeux pareils à des billes de verre, indifférents, tandis qu'il déchiquetait la peau rosée de la jambe de Holly. Car Ted en était sûr, c'était la jambe de Holly. Ses orteils ressemblaient à présent à des cerises éclatées et sanguinolentes. En dessous du genou, une coupure imparfaite laissait apparaître un amas de tendons et un os fracturé. Mais il savait que c'était la jambe de sa femme. Il n'avait pas besoin d'un grain de beauté ou d'autres signes distinctifs. Cette jambe, il l'avait caressée, il l'avait embrassée et y avait fait glisser des bas un nombre incalculable de fois, il l'aurait reconnue n'importe où, même en rêve. Et voilà que cette sale bestiole la mordillait! Ted frappa la vitre d'un coup de paume. L'opossum tourna aussitôt la tête, observa la silhouette postée derrière la fenêtre sans se sentir en danger pour autant. Un cercle violacé lui tachait la gueule comme un maquillage grotesque. Sa curiosité satisfaite, l'opossum continua de mordiller la jambe. Ted cogna de nouveau contre la vitre, mais l'animal ne lui prêta aucune attention.

C'est alors qu'il entendit l'océan. Sa maison était située à quelques kilomètres de l'Atlantique, pourtant, quand il appuya sur l'interrupteur qui permettait d'éclairer le jardin, il découvrit la mer juste devant lui. La pente arborée qu'il contemplait tous les matins en lisant le supplément économique du journal avait cédé la place à une masse d'eau grondante hérissée de crêtes d'écume. Holly était sur la plage, au milieu des géraniums, immobile telle une statue de cire. L'opossum lui avait dévoré une grande partie du mollet, faisant apparaître l'extrémité arrondie d'un os luisant. Elle portait son bikini rouge, celui que Ted préférait et, légèrement inclinée sur la gauche, avait levé les bras à l'horizontale. Ses cheveux flottaient autour de son visage, soutenus par des mains invisibles. Elle jubilait malgré sa jambe amputée.

Ted ouvrit la porte-fenêtre, obligeant l'opossum à reculer au bout de la table, inquiet de cette présence humaine, mais pas assez pour renoncer à sa pitance. Il attendit, tapi dans un angle, et montra les dents, prêt à s'enfuir au moindre signe d'alerte. Ted esquissa un geste menaçant qui se révéla inutile, puis chercha quelque chose à jeter sur la sale bête. Une boîte en bois qu'il reconnut aussitôt traînait à proximité du barbecue. Bien qu'il ne l'ait pas vue depuis son enfance, il ne fut pas surpris de la trouver là, dans sa maison d'adulte. Il s'approcha, la saisit comme une relique – ce qu'au demeurant elle était. Le couvercle et la partie inférieure étaient peints de telle sorte que, lorsqu'on ouvrait la boîte, elle formait un échiquier complet. À l'intérieur, chaque pièce était rangée séparément dans un petit casier garni de velours vert. Ted s'empara d'un fou et le lança. Son bras droit fouetta l'air, mais il n'atteignit pas sa cible. Comment avait-il pu rater cet animal puant à moins de deux mètres ? Il prit une autre pièce et fit une nouvelle tentative en imprimant plus de force que nécessaire à son bras. Ses lancers étaient déconcertants. Les projectiles décrivaient des trajectoires qui, toutes, déviaient de l'opossum au dernier moment. Ted ne s'avoua pas vaincu. Furieux, il lui lança l'un après l'autre de nombreux cailloux. Ayant visiblement compris que les lois de la physique s'étaient altérées en sa faveur, la bestiole regagna pesamment le centre de la table et poursuivit son festin. Sa queue blanche et épaisse serpentait comme une vipère derrière son corps poilu. Ted lança plus d'une centaine de pierres, rata systématiquement sa cible, puis il baissa les bras, laissa tomber la boîte par terre et constata que toutes les pièces étaient restées à leur place.

Il observa Holly. Il avait envie de lui dire qu'il était désolé, qu'il s'était acharné, en vain, à lui récupérer sa jambe. Quel genre d'époux était-il donc à être ainsi incapable de secourir sa famille ? Mal à l'aise, sur le point de fondre en larmes, il comprit soudain qu'il existait une issue à ses problèmes. Pourquoi n'y avait-il pas pensé avant ? Son bras droit s'alourdissait de plus en plus sous le poids du Browning. Il approcha l'arme de ses yeux et l'examina d'un air fasciné. Puis, avec une lenteur presque poétique, il visa l'opossum à deux mains, savourant d'avance le coup qui allait partir. Sentant peut-être sa fin arriver, l'animal avait redressé la tête. La balle le toucha au milieu du dos et le fit exploser comme un ballon rempli de sang et de viscères. Ted baissa le Browning, gagna la table, les yeux rivés sur la jambe de Holly qu'il saisit délicatement, à la manière d'un médecin s'apprêtant à faire une greffe d'organe. De près, il se rendit compte qu'un boulon était vissé à une extrémité. Il s'en doutait. Il songea que tout allait bien se passer. Il lui suffirait de rejoindre Holly et de lui remettre sa jambe en place. Il allait être un bon mari.

Il descendit les deux marches qui menaient à la terrasse et leva les yeux. Holly était toujours là, mais un gigantesque cadre jaune s'élevait entre eux deux. La partie la plus basse se trouvant à un demi-mètre du sol, Ted se dit qu'il l'enjamberait facilement, mais il s'arrêta juste devant. Derrière Holly, à une dizaine de mètres, l'océan se déchaînait. Ted éprouvait le besoin pressant de rendre sa jambe à sa femme et de la serrer contre lui. Il essaya de franchir le cadre, songeant à tort qu'il n'y parviendrait pas. Il savait que tant qu'il ne toucherait pas le bois, il n'aurait pas de problèmes. Mais le cadre jaune en cachait un autre, de couleur verte. Il renouvela l'opération, leva les yeux et vit Holly qui l'attendait une dizaine de mètres plus loin, dans la même position. Il traversa un autre cadre, puis encore deux autres, un rouge et un violet. Il n'avait même pas besoin de les regarder pour les enjamber, il le faisait presque sans s'en rendre compte, en regardant droit devant lui, en direction de Holly et d'un nouveau cadre jaune, suivi d'un autre, bleu ciel. « J'arrive, mon amour », murmura-t-il après avoir avancé. Il se tenait à présent devant un cadre d'un noir d'encre. « Holly… » Il s'était mis à courir, à franchir les cadres qui se multipliaient en une suite constante, l'un après l'autre, comme un athlète sautant des haies lors d'une compétition, toujours plus de haies, Holly, toujours plus, Holly…

Le dernier cadre l'engloutit pour l'expédier ailleurs. Il cria.

Il était assis sur le canapé.

Dans un sursaut, il s'empressa de toucher sa jambe. Elle était bien là. Avait-il rêvé qu'il lui manquait une jambe ? C'était de moins en moins clair dans son esprit. Il scruta la pièce plongée dans la pénombre, examina son tee-shirt froissé et son jean trop serré. Il se leva et, sans trop savoir pourquoi, gagna la porte-fenêtre qui s'ouvrait sur un des côtés de la maison. Il resta là un long moment, à regarder la colline qui se perdait au loin. Quand il s'approcha de la vitre, le détecteur de mouvements se déclencha, un faisceau lumineux éclaira la table et les chaises de jardin. Ted eut alors l'étrange vision d'une jambe féminine. Avait-il rêvé qu'on avait amputé sa femme ? Il sourit et nota ce détail dans un carnet pour lui en parler quand il l'appellerait dans l'après-midi. Il se demanda quelle heure il pouvait bien être. Certainement moins de 7 heures car il ne faisait pas encore jour. D'instinct, il baissa les yeux sur son poignet, mais il n'avait pas mis sa montre.

Un souvenir lui traversa alors l'esprit, transperçant le miséricordieux voile d'oubli censé l'envelopper. Il se tourna brusquement vers la base du barbecue. L'échiquier avait disparu, mais son image était encore très nette. Plus encore que la jambe arrachée de Holly qu'il avait vue dans son cauchemar, cette boîte lui glaça le sang dans les veines.

CHAPITRE 6

S'il différait son suicide, autant reprendre sa routine, ce qui impliquait de voir Laura Hill, sa thérapeute. En un sens, il s'en réjouissait car leur relation s'était améliorée avec le temps. Ce qu'il considérait au départ comme de simples consultations prescrites par son médecin lui avait apporté par la suite beaucoup de plaisir. Ted n'aurait jamais accepté de suivre une thérapie si le docteur Carmichael n'avait pas insisté. Il avait su le convaincre. « Pour surmonter ce genre de nouvelles, Ted, il faut être encadré », avait-il déclaré. *Un homme qui a une tumeur inopérable pensera tôt ou tard à se faire sauter la cervelle*, avait traduit Ted. En cela, le médecin ne se trompait pas.

Sa tumeur n'était pas à proprement parler « inopérable », mais les chances de la retirer semblaient aussi infimes que mettre un ballon dans un panier de basket à trente mètres. Le docteur Carmichael s'était gardé d'utiliser cette métaphore, il préférait teinter ses propos d'une lueur d'espoir. Analytique et pragmatique, Ted s'était livré à une interprétation plus sombre. Bien sûr, la décision lui appartenait et il pouvait soit risquer l'opération et espérer un miracle, soit ne rien faire du tout. Ted ne s'était pas appesanti sur le sujet. Il avait pris sa résolution longtemps avant d'avoir des migraines ou de connaître les résultats des examens que Carmichael lui avait communiqués en adoptant le ton qu'on réserve à l'annonce de nouvelles dévastatrices. Ted avait fait son choix en voyant Jack hocher la tête comme une marionnette sans fils à la fin de *Vol au-dessus d'un nid de coucou*, ou à un autre moment, peu importait. Il comptait vivre ses derniers mois avec dignité. Il s'était rendu au premier rendez-vous avec Laura Hill pour que le docteur Carmichael croie que les choses suivaient le cours prévu : comme tout bon médecin, il pensait qu'il fallait faire le maximum pour prolonger la vie humaine, même si le prix à payer imposait de mettre le ballon dans le panier à trente, cent voire mille mètres.

Laura Hill donnait l'impression d'avoir vingt ans et des poussières. Quand il l'avait rencontrée, Ted avait éprouvé de la compassion pour cette petite jeune fille qui faisait ses premiers pas dans la profession avec ses lunettes rectangulaires, ses cheveux attachés, ses manières affables et son sourire discret. Il s'était dit qu'en fait elle jouait à la psychothérapeute. Plus tard, il avait été stupéfié d'apprendre qu'elle avait passé le seuil de la trentaine. Il ignorait son âge exact, elle ne le lui avait jamais révélé.

Elle l'avait désarmé par sa beauté juvénile, son air candide et sa franchise lors de leur première conversation. Ted trouvait intéressante l'idée de déjouer les pièges qu'elle lui tendrait, car il était persuadé que, comme Carmichael, elle n'avait pas l'intention d'aborder avec lui les penchants suicidaires qui commençaient à peupler son esprit.

Il était à présent devant elle, et elle avait relevé ses cheveux en chignon.

— Bonjour, Ted. Alors, votre voyage en bateau avec votre associé a été annulé ?

— Oui. Merci de me recevoir.

— C'est dommage. Comment vous sentez-vous ?

Hier, j'ai tué un homme. Je suis allé chez lui, j'ai attendu dans un placard et je l'ai assassiné. Il ne laissera pas un grand vide derrière lui.

Il savoura sa phrase intérieurement, imagina Laura changer de tête s'il lui disait cela. En vérité, lui-même ne s'habituait pas à l'idée d'avoir tué un être humain, et le plaisir qu'il avait éprouvé à commettre ce crime le laissait perplexe.

— Hier, j'ai encore fait un cauchemar, répondit-il. Il y a eu un nouvel élément.

Il lui confiait souvent ses rêves, essentiellement parce qu'il les jugeait insignifiants. En général, il veillait à ne pas mentionner les détails révélateurs.

Le bureau se trouvait près de l'unique fenêtre du cabinet. Laura ne l'utilisait que rarement pendant les séances. Cette fois, elle s'était installée dans un fauteuil, en face de Ted et séparée de lui par une table basse sur laquelle était posé un gobelet en plastique rempli d'eau. Ted n'y touchait jamais.

— Décrivez-moi votre rêve.

— J'étais dans le salon et je regardais la terrasse. Sur la table, un opossum était en train de dévorer une des jambes de Holly. Elle n'était pas là, il n'y avait que sa jambe, je savais que c'était la sienne. Je me dépêchais de sortir pour le faire fuir en lui lançant quelque chose, et c'est à ce moment-là que j'ai vu par terre une boîte que j'ai tout de suite reconnue. Mon échiquier.

Si Laura avait été du genre à tout noter dans un carnet, elle n'aurait pas manqué de noircir les pages en entendant son patient s'exprimer d'une voix empreinte de gravité. Mais dotée d'une mémoire prodigieuse, elle n'écrivait jamais rien.

— Je lançais des pièces d'échecs sur l'opossum, mais je le ratais tout le temps. Inexplicablement, il les esquivait. Et les pièces ne s'épuisaient jamais. Ensuite, je voyais Holly dans le jardin, et il me semble que la mer était derrière elle. Le cerveau humain invente de drôles de choses, pas vrai ?

Ted oublia de préciser qu'il avait massacré l'opossum avec son Browning. Cela ressemblait un peu trop à la manière dont il se serait supprimé si Lynch ne l'avait pas interrompu, et il préférait garder ce genre de détails pour lui.

— Vous n'avez pas tué l'opossum ? demanda Laura en faisant preuve d'un sixième sens inquiétant, comme elle l'avait déjà montré à plusieurs occasions.

— Non.

Elle hocha la tête.

— Quand avez-vous fait un rêve lié aux échecs pour la dernière fois ?

— Jusque-là, je n'avais jamais rêvé d'échiquier.

Elle s'accorda un temps de réflexion pour trouver les mots justes.

— Ted, vous devez m'expliquer ce qui s'est passé à l'époque. J'aimerais savoir pourquoi un garçon comme vous, avec de si grandes dispositions pour les échecs, a décidé de tout abandonner du jour au lendemain. Vous n'avez jamais rejoué ?

— Pas sérieusement. J'ai appris à jouer à mes filles et fait quelques parties avec elles, mais maintenant, elles n'ont plus besoin de moi.

— Dites-moi pourquoi vous avez arrêté.

Ce n'était pas la première fois qu'elle tentait d'aborder le sujet. Ted lui avait opposé une certaine résistance et elle n'avait pas insisté, même si, au fond, ça ne le dérangeait pas de s'étendre sur son passé. Il se cala dans son siège.

— C'est mon père qui m'a appris à jouer. Quand j'avais sept ans, je le mettais facilement échec et mat. Il m'a emmené chez un vieux monsieur qui vivait à Windsor Locks, sa ville natale, et jouissait autrefois d'une petite notoriété. Il s'appelait Miller, je crois avoir déjà mentionné son nom au cours d'une de nos séances. Quand je l'ai rencontré, il m'a paru très vieux. Il avait les cheveux blancs, mi-longs, et le visage tout ridé. Nous n'avons pas beaucoup échangé cette première fois. Nous nous sommes assis devant un échiquier qu'il avait dans son garage, c'est là qu'il donnait des cours aux gamins du coin, et nous avons joué. Mon père nous observait. Nous avons fait quelques mouvements, pas plus de vingt, puis il a pris mon père à part et ils ont discuté pendant que je les attendais dans le garage. Je pensais que Miller allait lui dire que je n'avais aucun talent pour les échecs et qu'ensuite, mon père me ramènerait à la maison. Je m'étais trompé. Pendant huit ans, jusqu'à mon quinzième anniversaire, je suis allé chez Miller deux ou trois fois par semaine.

— C'est avec lui que vous pratiquiez ce rituel avec le fer à cheval, n'est-ce pas ?

Ted ne se rappelait pas avoir évoqué cette histoire, autre preuve inquiétante de la mémoire impressionnante de sa thérapeute.

— Oui. Miller est devenu mon maître. Nous passions des heures à nous exercer à toutes sortes de variantes sur des échiquiers différents.

Laura grimaça.

— J'ai bien peur de ne pas m'y connaître suffisamment en échecs pour comprendre.

— Aux échecs, il y a de nombreuses ouvertures. Elles portent en général le nom des joueurs qui les ont rendues célèbres. Il existe aussi ce qu'on appelle les variantes, qui sont des déclinaisons de ces ouvertures. Disons pour résumer qu'il y a un chemin principal et de petits sentiers. On étudie tout ça pendant l'apprentissage. Les échecs ne sont pas seulement un jeu de logique, ils font aussi appel à la mémoire. Avec Miller, on recréait des parties célèbres en analysant chaque coup. Rappelez-vous que j'étais un enfant. J'avais beau adorer les échecs, je ne tenais pas en place. Miller déployait mille ruses pour éviter que je me déconcentre. Il me racontait la vie des joueurs ou des parties mémorables, comme par exemple le troisième championnat du monde, en 1927, dont la finale s'était disputée à Buenos Aires, entre un Cubain, José Raúl Capablanca, et un Russe, Alexander Alekhine. Miller était fasciné par cette série de parties et m'a communiqué son enthousiasme. Capablanca était le champion, un type réputé imbattable au génie révolutionnaire. Alekhine apparaissait plutôt comme un provocateur, un élève studieux et méticuleux que peu de gens pensaient capable d'arracher la victoire. Mais vous voulez peut-être que j'écourte…

— Pas du tout. J'apprécie de vous voir revivre toute l'effervescence de votre jeunesse. Continuez, s'il vous plaît. Je veux connaître la fin de l'histoire de ce génie exceptionnel contre le provocateur méthodique. Allez-vous me traiter d'ignorante parce que je n'ai jamais entendu parler de cette finale ?

— Non, absolument pas ! s'exclama Ted en riant. Il s'agit d'échecs, qui plus est d'une partie qui s'est déroulée en 1927 ! Bon alors. En ce temps-là, les règles des championnats du monde n'étaient pas clairement définies. Il avait été décidé que le joueur qui remporterait six parties serait le nouveau champion, mais aux échecs, on fait souvent match nul, si bien que pour obtenir six victoires, ils ont dû jouer longtemps. Le titre a finalement été décroché au bout de trente-quatre parties. Ça a duré trois jours !

— Qui a gagné ?

— À la surprise générale, Alekhine le provocateur. Entre les deux joueurs, les rapports avaient toujours été houleux. Ça ne s'est pas arrangé par la suite. Alekhine n'a plus jamais voulu se mesurer à Capablanca pendant un championnat du monde. Il est mort dix ans plus tard. Le résultat avait surpris tout le monde, et c'est là que le fameux fer à cheval entre en scène. En arrivant à Buenos Aires, Alekhine aurait trouvé un fer à cheval dans la rue. Superstitieux, il savait que c'était un heureux présage. Il l'a dit à sa femme, qui était avec lui, et a décidé de le conserver comme porte-bonheur. Il a acheté un journal et l'a soigneusement enveloppé. « Il m'attendait », a-t-il déclaré à son épouse.

Emporté par ses propres paroles, Ted avait les yeux qui brillaient. Miller lui avait raconté cette anecdote des centaines de fois en l'enjolivant de nombreux détails véridiques. Le vieil homme possédait même un press-book de l'époque, avec certaines coupures extraites de journaux argentins qu'il s'était procurés. Il les avait traduites et retranscrites de sa petite écriture appliquée.

— Miller avait accroché un fer à cheval sur un des murs du garage, reprit Ted, le regard vague, comme s'il voyait réellement l'objet. Il affirmait l'avoir acheté à une vente aux enchères où on le présentait comme étant celui qu'Alekhine avait trouvé à Buenos Aires. Quand j'ai commencé à participer à mes premières compétitions au niveau national, il décrochait le fer, l'enveloppait dans du papier journal pour qu'on l'emporte avec nous. Mon père était au volant, mais il ignorait tout du fer à cheval. C'était notre secret, à nous et à personne d'autre. Je m'en sortais plutôt bien dans les tournois. De retour chez Miller, on remettait le fer à cheval à sa place, comme pour accomplir une sorte de rituel.

— Vous parlez de Miller avec fierté. C'est quelqu'un qui a compté pour vous.

— Ça oui. Pendant toutes ces années, mon père faisait le trajet jusque chez lui, ce qui représentait plus d'une heure de route. Les trois heures passées en sa compagnie filaient à toute allure. Mon père était représentant et en profitait pour faire du porte-à-porte dans le quartier. À la maison, ce n'était pas rose : la folie de ma mère s'aggravait et j'avais du mal à supporter leurs disputes. Aller à Windsor Locks me permettait de m'échapper, dans tous les sens du terme.

— Qu'est devenu Miller ?

— Il devait avoir un peu moins de soixante-dix ans quand j'ai fait sa connaissance. Huit ans plus tard, il en avait donc presque quatre-vingts. Moi, je n'en avais que quinze. Seuls les échecs apaisaient mon esprit rebelle. Hors du garage de Miller, j'étais un adolescent impulsif et bagarreur. J'avais deux facettes complètement différentes et j'ignore au final laquelle l'aurait emporté sur l'autre. J'étais un gamin intolérant qui détestait ses parents et n'adressait pratiquement jamais la parole à son père. À l'école, mon caractère contestataire m'attirait des ennuis, mais j'appréciais la tranquillité des après-midi passés en compagnie de Miller, à écouter ses histoires et à analyser des parties d'échecs.

Il marqua une pause. Il ne s'était jamais étendu aussi longuement sur cette page de sa vie, pas même avec Holly, à qui il n'avait à aucun moment révélé ce qu'il s'apprêtait à confier à Laura Hill.

— Le jour de la mort de Miller, j'étais à côté de lui, murmura-t-il après avoir avalé sa salive. Une ou deux fois par mois, nous jouions aux échecs ensemble, et j'étais alors presque son égal. C'était à son tour de déplacer un pion. Il adoptait toujours la même posture pour réfléchir : les coudes sur la table, le menton calé sur ses poings serrés. Moi, j'avais toujours les mains sous la table, légèrement penché en avant. Nous étions donc comme ça quand, tout à coup, Miller s'est écroulé sur l'échiquier, les bras ballants, et sa tête lourde comme une sphère d'acier a éparpillé toutes les pièces. J'ai eu une peur effroyable. Miller était veuf, son fils venait le voir de temps en temps, mais là, nous étions seuls dans la maison. En état de choc, je n'osais ni m'approcher de lui ni le secouer pour le faire réagir et voir ce qui lui était arrivé. Ça n'aurait pas changé grand-chose, il venait de faire une crise cardiaque foudroyante. Je suis resté un long moment pétrifié, debout près de la table, la respiration agitée… Pour finir, je suis allé chercher de l'aide. J'aurais pu frapper à la porte de n'importe quel voisin mais, comme un idiot, je m'étais mis en tête de trouver mon père. Au coin de la rue, j'ai tourné à droite sans cesser de courir… et le hasard a voulu que j'aperçoive sa voiture garée à environ deux cents mètres de là. Il devait vendre une encyclopédie, des cours par correspondance ou je ne sais quoi d'autre. Vous me voyez venir avec la suite, n'est-ce pas, Laura ?

— Je crois, oui.

— En entrant dans cette maison, j'ai compris que si mon père m'avait emmené chez Miller pendant toutes ces années, ce n'était pas pour que je me perfectionne aux échecs, ni même pour fuir ma mère. C'était pour d'autres raisons. La femme qui habitait là était sa première petite amie. Plus tard, il a essayé de me l'expliquer.

— Qu'avez-vous vu, Ted ?

— Je n'ai rien vu du tout, ils étaient dans une chambre. Mais je les ai entendus. Je suis resté au salon sans faire de bruit, assis sur une chaise, devant le téléviseur éteint. Je les entendais rire. Je pensais à Miller, à son corps inerte dans le garage, et une idée horrible m'a traversé l'esprit, je m'en souviens parfaitement. J'espérais qu'il était mort, parce que dans le cas contraire, je n'aurais de toute façon jamais remis les pieds dans cette ville. Tout ça à cause de mon père. Je le détestais plus que jamais.

La sonnerie du téléphone les fit sursauter. En général, Laura refusait qu'on la dérange pendant les séances.

— Désolée, Ted, mais je dois prendre cet appel.

Elle se leva et se dirigea vers le bureau.

Il acquiesça.

Laura décrocha et écouta son interlocuteur un court instant. Ted la trouva tendue, puis ses traits se relâchèrent et elle lui adressa un sourire.

— Oui, bien sûr, pas de problème. Vous avez mon autorisation.

Elle raccrocha.

— Mon fils est scout, lui expliqua-t-elle. Il a oublié de me faire signer un papier pour une excursion. Ils sont gentils de m'avoir appelée, déclara-t-elle en se réinstallant dans son fauteuil. Je suis vraiment désolée, Ted.

— Ce n'est pas grave. J'avais presque terminé. Je n'ai plus jamais reparlé de ça à mon père, qui était toujours absent. Je ne le supportais plus. Je restais à la maison et me disputais avec ma mère. Après, ils ont divorcé et j'ai définitivement arrêté de jouer aux échecs.

CHAPITRE 7

Ted s'agenouilla derrière des arbustes. Il venait de parcourir plus d'un kilomètre à pied dans une forêt infestée de moustiques. Il hocha la tête, concentré sur ce qui se passait de l'autre côté.

Quelqu'un sifflait une mélodie, accompagné par le chant des oiseaux. Ted aperçut un lac et un homme dans un canot. Wendell attendait calmement le destin qu'il s'était fixé. Immobile, il tenait une canne à pêche.

Ted écrasa un moustique en claquant des mains, puis s'assit dos au lac pour inspecter les lieux. À cet instant, dans les rayons de lumière qui filtraient à travers les sapins, il découvrit à quelques mètres de lui la forme bien reconnaissable d'un fer à cheval. Il n'eut même pas à se lever, il lui suffit de ramper pour l'atteindre. Il le prit à deux mains, émerveillé de sa ressemblance avec celui de Miller (au fond, il savait que c'était le sien).

Que faisait cet objet au beau milieu de la forêt ? Il l'observa longuement, puis le glissa dans la poche de son pantalon.

Au bout du chemin s'élevait la maison de campagne de Wendell, une construction moderne faite de blocs de béton superposés et de grandes baies vitrées. D'un côté, un sentier couvert de lattes de bois descendait jusqu'à la rive du lac où il se transformait en un étroit ponton de plusieurs mètres de long. Ted hésitait quant à la suite des opérations. Dès qu'il aurait fini de pêcher, Wendell amarrerait son canot au quai et remonterait le chemin de bois jusqu'à la villa. L'attendre à l'intérieur lui semblait la solution la plus logique. Au moins n'aurait-il plus à supporter l'assaut des moustiques. Il projeta un bras vers l'avant, serra le poing et découvrit avec satisfaction qu'il ne contenait rien.

Il remonta le chemin sans se soucier d'être vu. La maison moderne était de plus en plus imposante à mesure qu'il s'en approchait. Devant, il remarqua un coupé Lamborghini décapotable. Il ne put s'empêcher de jeter un coup d'œil au bolide de ses rêves. Il commençait à trouver Wendell sympathique. Quand il se pencha pour regarder à l'intérieur, le poids du Browning dans sa poche de veste lui rappela la gravité de l'acte qu'il s'apprêtait à commettre. Il ferma sa veste sans la boutonner. La chaleur était suffocante, mais il se sentait plus en sécurité l'arme à la main. Il se releva en remarquant un reflet dans la vitre. Au début, il pensa qu'il s'agissait d'un des voyants du tableau de bord, mais lorsqu'il changea de position, il distingua derrière lui des lumières à demi cachées dans le feuillage des arbres. Plus haut, une caméra de surveillance était braquée sur lui. Il y repéra une petite lueur rouge et fut parcouru d'un frisson. Le dossier que lui avait remis Lynch ne mentionnait aucun système de sécurité. Le jeune homme ne lui avait pas davantage parlé d'une alarme. Ce n'était pourtant pas le genre de détails susceptibles d'échapper à l'organisation.

La lumière rouge continuant de clignoter, Ted se demanda s'il y avait quelqu'un derrière la caméra ou si elle fonctionnait en circuit fermé. Si tel était le cas, Lynch n'avait pas dû juger bon de lui en parler. Évidemment, lui et ses acolytes se chargeraient d'effacer les images. Soulagé, il détourna le regard, puis gagna la porte principale en supposant qu'elle serait ouverte. Un tapis rectangulaire sans doute importé d'Inde étouffa ses premiers pas. La maison était conforme à ses prévisions : un vaste espace avec des terrasses et des passerelles élevées où le blanc dominait, avec des rampes alliant le métal et le verre. Plutôt que dans une maison de campagne, il avait l'impression de se trouver dans le hall de réception d'un consortium. Deux escaliers aux marches en bois patiné et plusieurs piliers ronds et fins semblaient léviter. Ted se dirigea sans hâte vers la droite, là où une grande table en verre sombre semblait n'avoir jamais servi. Il comprit vite que le meilleur endroit où attendre Wendell était la cuisine, située au-delà d'une arcade.

Il s'y rendit avec l'impression très nette d'être observé. Il s'arrêta, regarda de part et d'autre sans voir de caméras, même s'il supposait qu'il y en avait toujours. À l'autre bout de la salle trônaient un écran de télé gigantesque et des fauteuils en cuir devant une cheminée au manteau couvert de photographies. Il observa les lieux, méfiant, puis se calma et marcha jusqu'à l'arcade d'un pas mal assuré. Quelque chose clochait, mais quoi ?

Tu t'apprêtes à tuer quelqu'un ?

Oui.

Il hocha la tête.

Un autre homme.

Une fois dans la cuisine, il sortit le Browning de sa poche de veste. Le poids de l'arme le réconfortait. Par la grande baie qui donnait sur le lac, il verrait Wendell arriver. Il s'approcha, concentré sur l'étendue d'eau et l'endroit où il avait vu le canot quelques instants auparavant, mais celui-ci avait disparu. Inquiet, il chercha au-delà de la rangée d'arbres sans déceler la moindre présence. Wendell était de retour.

Il arpenta la pièce en se tapotant le front avec la crosse du Browning. Combien de temps lui restait-il à vivre ? Ted avait beau se dire qu'une mort rapide était souhaitable, l'imminence de son geste se manifesta par une série de réactions physiques irrépressibles. Il n'était plus aussi sûr de lui. Et si Wendell n'attendait pas sa visite ? Si, comme pour la caméra de surveillance, les choses n'étaient pas telles que Lynch les lui avait décrites ? Il s'immobilisa et, d'un geste vif, pointa son arme sur un calendrier punaisé au mur avec la photo d'un plongeur explorant un massif corallien. Il visa le quinze du mois. *Allez, ne flanche pas.* Le canon tremblait, même quand il tenait l'arme à deux mains.

— Vas-y, murmura-t-il.

Le bruit du moteur devenait de plus en plus assourdissant. Wendell atteignit le ponton – il pourrait le voir par la baie. Mais avant, il voulait retrouver son calme. Il ne bougerait pas tant qu'il ne l'aurait pas recouvré. Malgré l'air conditionné, il était de nouveau en nage. La sueur perlait à ses tempes, il avait les mains moites. Il agita les doigts, se plaça comme sur un champ de tir, ferma les paupières.

Wendell a autant besoin de cette balle que toi.

Il rouvrit les yeux, s'écarta de la baie, retourna à la cuisine à l'instant même où le moteur s'arrêtait en hoquetant. Il accorda deux minutes à Wendell pour arriver jusqu'à la porte, vérifia qu'il avait bien ôté le cran de sécurité de l'arme. Lorsque le maître des lieux refermerait la porte, Ted apparaîtrait en brandissant le Browning, puis s'avancerait de un ou deux pas pour ne pas rater son coup, et tirerait. Si le type le suppliait, il renoncerait à le tuer.

— Allons, Wendell, ouvre la porte.

Une minute plus tard, il entendit des pas sur le chemin de lattes.

Allez, Wendell…

La porte se ferma.

Trois, deux, un.

Ted se précipita hors de la cuisine et contourna la table en levant son arme.

Wendell se tenait sur le seuil et lui tournait le dos. Il accrochait sa veste au portemanteau. Il se retourna en entendant du bruit. Les traits sans doute altérés par la surprise, il garda le silence. Un cercle parfait se dessina sur son front, puis il s'effondra au sol.

Habitué en temps normal à se servir d'un silencieux, Ted serra les dents à cause de la détonation. Il s'approcha lentement du corps. Wendell gisait sur le tapis, les bras en croix, le visage encore empreint de stupéfaction. Mais il avait l'air de reposer en paix. Ted savait qu'il avait tiré proprement et que la balle lui avait immédiatement pulvérisé le cerveau, et presque sans douleur.

Il allait sortir quand la sonnerie d'un portable monta de la veste de Wendell. La mélodie étant la même que la sienne, il paniqua. Il se baissa et sortit l'iPhone de sa poche. Il faillit laisser échapper un cri d'horreur en découvrant le prénom « Lolly » sur l'écran. C'était le surnom qu'il donnait à sa femme au début de leur relation. Drôle de coïncidence... Mais le plus grave, c'est que Wendell n'avait en principe ni femme ni petite amie... Lynch avait affirmé qu'il était seul au monde !

La sonnerie s'arrêta.

Qui était Lolly ? Pourquoi Lynch n'avait-il pas mentionné son existence ?

Comme par miracle, il eut bientôt la réponse à ses questions. L'appareil vibra légèrement dans sa paume. C'était un texto de Lolly :

> Nous arrivons.
> La pêche est finie pour aujourd'hui.
> ☺

« Nous arrivons ? »

Ted laissa tomber le portable comme s'il avait reçu une décharge électrique. L'appareil tomba sur le torse de Wendell.

— Qui est Lolly ? Réfléchis, réfléchis, réfléchis.

C'est alors qu'il comprit, ou crut comprendre. Il en fut soulagé.

Wendell s'apprêtait à organiser une petite fête intime, et ses invitées étaient en route. Sans s'attarder davantage sur cette pensée, Ted prit le portable et tapa le message suivant :

> Rendez-vous annulé, je suis occupé, désolé.

On lui répondit aussitôt.

> Très drôle.
> Tu sais que je déteste pianoter sur le portable quand je conduis. On se voit dans deux minutes, chéri.

« Chéri... »

Wendell avait donc quelqu'un dans sa vie. Lynch n'était pas du genre à oublier un détail aussi important.

La tache de sang s'étalait sur le tapis, formant une auréole rougeâtre autour de la tête.

— Merde.

Lolly avait écrit qu'elle serait là dans deux minutes.

Lolly Holly.

C'était peut-être juste une façon de parler, ou alors... Ted mit le portable de Wendell dans une de ses poches et fit de même avec le Browning. Il devait partir, et vite. Auparavant, il cacherait le corps et retarderait ainsi le moment où la femme appellerait les services de police. Ensuite, il disparaîtrait. S'il réussissait, cela ne changerait au final pas grand-chose pour lui. Ne pas avoir été informé de la présence de cette femme l'agaçait, mais c'était précisément pour cela que Lynch ne lui en avait pas parlé. Wendell voulait mourir, tout comme lui. Il avait dû mesurer l'impact d'un suicide sur ses proches, de même que lui, Ted, avait pris en compte le chagrin de Holly et des filles...

Lolly Holly.

Assez ! Il fallait qu'il se débarrasse du corps. Allait-il le cacher dans la maison ou à l'extérieur ? Le choix était difficile dans la mesure où il ignorait de combien de temps il disposait. Il regarda autour de lui, espérant peut-être que la solution lui viendrait tout naturellement, puis il s'interrompit comme si quelqu'un lui collait le canon d'une arme dans le dos.

Il venait de comprendre ce qui déraillait. Il avait oublié un détail qui ne cadrait pas avec l'homme étendu sans vie à ses pieds. À l'autre bout de la grande salle, il avait remarqué des photos. Il se rendit d'un pas vif du côté de la cheminée, contourna les fauteuils et dévala les marches entre les différents niveaux. Une fois à trois ou quatre mètres de la cheminée, il s'arrêta. Il n'avait pas envie de les regarder de plus près, mais ce qu'il distingua lui suffisait : Wendell et une femme enlacés dans un canot ; Wendell à cheval

(Ted palpa le fer au fond de sa poche) ; deux petites filles qui avaient plus ou moins l'âge des siennes. Pris de vertige, il s'appuya contre une colonne. La maison tournoyait.

Nous arrivons.

Wendell avait donc deux filles ! Lynch lui avait menti !

Il entendit un bruit de moteur. Pendant une dizaine de secondes, il observa tour à tour les clichés, le corps de Wendell et la porte principale. Pétrifié, il sentait la situation lui échapper. Il gagna le hall et tira légèrement les rideaux. Une fourgonnette roulait lentement sur le chemin de terre battue. Elle s'arrêta à côté de la Lamborghini. Tout allait trop vite. *Va-t'en !* Mais il était incapable de faire un pas. Trois portières s'ouvrirent en même temps. Lolly descendit de voiture, suivie de deux fillettes vêtues de robes à fleurs et portant des sacs à dos. Elles se dirigèrent rapidement vers la porte. *Papa, on est là !*

Ted se frotta les yeux. Son imagination lui jouait probablement de vilains tours.

CHAPITRE 8

Quand il avait décidé de se supprimer – l'idée s'était concrétisée à une vitesse surprenante –, Ted savait qu'il devrait s'en remettre à une personne de confiance pour régler ses affaires. Quelqu'un qui ne faisait pas partie du cercle de ses proches. Tout naturellement, le nom d'Arthur Robichaud lui était venu à l'esprit. Il ne l'avait pas vu depuis une éternité, et bien qu'ils aient été trois ans au lycée ensemble, ils n'avaient guère entretenu de relations. C'était la personne idéale. Sans compter qu'il dirigeait un des meilleurs cabinets d'avocats de Boston. Après leur premier rendez-vous, il comprit qu'un lien encore plus fort que la confidentialité entre l'avocat et son client les unissait. Il y avait chez Robichaud une propension sans doute inconsciente à quémander un peu de tendresse. Les hommes dans son genre, passés inaperçus pendant toute leur scolarité et ignorés par les élèves les plus populaires, n'aspirent qu'à occuper une place dans des groupes de deux ou trois personnes ou restent isolés, essayant de se convaincre qu'ils peuvent supporter une existence à l'écart, minée par les brimades des autres. Même si leur situation évolue par la suite, s'ils réussissent brillamment leur carrière ou parviennent à affiner leur corps de petits gros en fréquentant assidûment les gymnases, le sentiment d'échec perdure. Les loosers tels que Robichaud restent à jamais soumis face à des individus comme Ted McKay. Leur besoin d'être acceptés, de faire partie du club prend chez eux la forme d'un virus latent, comme au bon vieux temps, lorsqu'ils étaient prêts à tout pour qu'on leur accorde une seconde d'attention dans la cour de l'école.

Après ses mésaventures chez Wendell, Ted avait contacté Arthur Robichaud, qui lui avait ouvert vêtu d'un polo élégant, un Martini à la main.

— Ted ! Tu es venu !

Derrière l'avocat, plusieurs personnes le dévisagèrent. Les invités – des couples pour la plupart – étaient dispersés çà et là, certains debout devant le bar, d'autres installés dans des fauteuils. Robichaud avait rappelé à plusieurs reprises à Ted qu'il fêterait son anniversaire ce jour-là, mais celui-ci l'avait complètement oublié. Il ne s'en était guère soucié car, à cette date, il n'était plus censé être de ce monde.

— Arthur, il faut que je te parle. Seul à seul. C'est important.

Il n'eut pas besoin de préciser qu'il n'avait pas l'intention d'assister à sa soirée. Ses traits décomposés en disaient assez long sur son état.

— Bien sûr, entre.

Ted hésita. Les convives se doutaient qu'il n'était pas là pour les mêmes raisons qu'eux. Ils attendaient en silence, attentifs au moindre détail susceptible de leur révéler le motif de sa présence en ces lieux. Élégants, un verre à la main, ils donnaient l'impression de poser pour une marque d'alcool. Leur fierté d'appartenir à une classe sociale aisée suintait par tous leurs pores. D'emblée, Ted les détesta. En se concentrant davantage sur eux, il fut surpris de reconnaître beaucoup de ses anciens camarades de lycée. Dieu du ciel ! On aurait dit une fête de fin d'année !

Il franchit le seuil et esquissa un sourire. Robichaud l'escorta sans dissimuler un orgueil enfantin. Il fêtait ses trente-huit ans – l'âge de Ted –, mais avait perdu ses cheveux depuis bien longtemps. Rondouillard, il essayait de masquer sa mâchoire minuscule sous un bouc qui encadrait sa bouche et ressemblait à de la limaille de fer. Il avait renoncé aux lunettes à verres épais qui le caractérisaient au lycée, mais il était si admiratif et révérencieux que Ted eut l'impression de retrouver l'élève d'autrefois. Ted McKay s'était déplacé jusque chez lui le jour de son anniversaire!

Après avoir salué l'assistance, Ted le suivit dans son bureau, à l'autre bout de la maison. En chemin, Robichaud lui présenta sa femme, nerveuse car elle avait certainement entendu souvent parler de Ted. Il lui serra distraitement la main et oublia son prénom à l'instant même où elle le lui dit.

— Qu'est-ce qui se passe, Ted? Tu as l'air inquiet, lui lança l'avocat.

Ils prirent place dans deux fauteuils en cuir, à côté d'une bibliothèque bien fournie. La pièce n'était pas particulièrement grande, mais décorée avec un certain faste. Les yeux rivés sur la fenêtre, derrière son ancien camarade d'école, Ted regardait des enfants courir dans le jardin qui s'étendait à l'arrière de la maison. Suspendu à un arbre, un pneu faisait office de balançoire. *Voilà un détail qui ne s'accorde pas du tout avec ton intérieur luxueux, Arthur.*

— Ted? Tu es sûr que ça va?

Il n'arrivait pas à détourner le regard du pneu. Était-ce parce qu'il détonnait dans cet environnement?

— Oui, ça va. Mais j'ai besoin de ton aide.

Robichaud se cala dans son fauteuil. Ted crut de nouveau déceler l'expression d'une gratitude primaire.

— Tout ce que tu voudras, Ted.

— Je vais de nouveau faire appel à tes services, mais là, il ne s'agit plus de mon testament. C'est beaucoup plus compliqué. À partir de maintenant, tu es mon avocat et tout ce que je te dirai restera confidentiel.

Robichaud ne cilla pas et Ted s'en réjouit. Il préférait, et de loin, traiter avec l'avocat adulte qu'avec l'enfant froussard du lycée.

— Je t'écoute.

— Je viens d'assassiner un homme.

Un silence s'installa entre eux quelques secondes au cours desquelles ils n'entendirent plus que le bruit des conversations dans le salon. Robichaud porta malgré lui l'index entre ses sourcils, comme pour replacer des lunettes qu'il avait cessé de porter.

— Tu as eu un accident ?

— Pas exactement. Je n'ai pas l'intention d'entrer dans les détails, Arthur, en tout cas pas maintenant. Je peux juste te dire que tu sauras tout dans quarante-huit heures.

Robichaud fronça les sourcils.

Ted n'était plus certain de voir en lui un allié. L'avocat l'observait comme s'il était devenu fou. Ted se pencha et posa une main sur les genoux de son ancien camarade, qui baissa les yeux, incrédule.

— Arthur, je sais que tout ça doit te paraître insensé, mais tu dois me faire confiance.

— Je ne peux pas te conseiller si je ne sais pas ce qui se passe.

Ted hocha la tête. Il voulait en dire le moins possible, mais comprenait qu'il n'obtiendrait pas le soutien de Robichaud s'il ne lui apportait pas d'éléments concrets. Jusqu'à quel point pouvait-il se livrer à lui ? Il n'avait pas eu le temps de mesurer les risques auxquels il s'exposait en allant le trouver. En vérité, il n'avait eu le temps de rien. Depuis qu'il avait quitté précipitamment la maison de Wendell, des pensées chaotiques se bousculaient dans sa tête. Il songeait en permanence aux fillettes de cet homme, les voyait marcher, toutes contentes, vers la porte d'entrée, avec leurs cheveux blonds et leur sac à dos rose. Ted s'était échappé par une porte latérale sans attendre qu'elles découvrent le corps de leur père sur le tapis du vestibule, mais il avait imaginé la scène à de multiples reprises. Elle se déroulait dans son esprit comme un film interminable. Plus tard, alors qu'il traversait la forêt en hâte, à croire qu'une horde de chiens le poursuivait, le spectacle qu'il avait imaginé avait subi de légères modifications. Ce n'était plus les filles de Wendell qui regardaient l'orifice parfait de la balle entre les sourcils de leur père, mais Cindy et Nadine. Infliger cette épreuve horrible à ses enfants ? Lui avait-il fallu tuer un homme pour se représenter le mal qu'il causerait à ses propres filles ?

— Ted, tu es sûr que ça va ?

C'était la deuxième fois qu'Arthur lui posait la question en moins d'une minute.

La tête entre les mains, Ted regardait fixement le sol. Il ne se souvenait plus s'il était resté longtemps dans cette position. Robichaud l'étudiait, réellement soucieux.

— Je vais bien, Arthur. J'ai quelque chose à te demander.

— Dis-moi.

— J'ai besoin de retrouver quelqu'un. Il s'appelle Justin Lynch et a une vingtaine d'années. Il est fort probable qu'il soit avocat, ou exerce une profession de ce genre.

— Cet homme est impliqué dans... l' « incident », ou il est... ?

— Oui, il est lié à cette affaire, mais je ne peux pas te dire pourquoi.

— Tu as regardé sur le Net ? Ça semble idiot, mais on y trouve bien plus d'informations qu'on ne croit.

— Il n'y a rien sur lui, mentit Ted. Tu auras peut-être plus de chance que moi. Tu pourrais demander à un de tes collaborateurs de se renseigner.

— Bien sûr. Dès demain, je mets mon équipe sur le coup.

— Il va falloir le faire maintenant, Arthur, reprit Ted après un silence.

Il avait parlé avec autorité, conscient d'activer ainsi des mécanismes cachés qui obligeraient Robichaud à s'exécuter. Son ancien camarade tenta de lui faire comprendre que c'était impossible pour le moment : il fêtait son anniversaire, la maison était pleine d'invités venus passer l'après-midi en sa compagnie. Mais Ted n'eut pas besoin d'insister. Arthur déclara qu'il allait passer quelques appels téléphoniques et faire jouer ses contacts afin d'obtenir des renseignements sur Lynch. Si le jeune homme était avocat ou détective, il le découvrirait vite.

— Je te suis vraiment reconnaissant, dit Ted en posant de nouveau sa main sur le genou d'Arthur.

— Pas de problème.

— Tu en as encore pour longtemps ? demanda la femme de Robichaud, qui venait d'ouvrir la porte en lançant un regard fulminant à son mari.

— Non, chérie, quelques minutes, pas plus.

Elle recula, puis referma derrière elle, mais ses reproches planaient encore dans la pièce.

— Norma est un amour, souffla Robichaud, comme pour s'excuser.

Ted eut un geste vague pour dire que cela n'avait aucune importance.

— Bon, je vais passer ces coups de fil tout de suite, proposa Robichaud. Si Justin Lynch est avocat et qu'il travaille dans les tribunaux de la région, je le saurai vite. Je vais aussi contacter des enquêteurs privés et mes collaborateurs. Certains sont d'ailleurs ici. Tu es sûr que c'est son vrai nom ?

— Non.

— Tu ne me facilites pas la tâche, Ted, se plaignit Robichaud en se grattant la tête. Demain, tu devras me fournir plus de détails. C'était de la légitime défense ? Dis-moi au moins ça.

— Désolé, je ne peux pas. Je te promets que tu sauras tout demain.

Robichaud hocha la tête.

— Va boire un verre avec les autres pendant que je m'occupe de ça et de Norma, qui va revenir m'enguirlander. Mais ne t'inquiète pas, je sais comment m'y prendre avec elle, s'empressa-t-il d'ajouter.

L'idée de rejoindre les convives de Robichaud ne réjouissait pas Ted. Il n'était pas d'humeur à se lancer dans des mondanités et aurait préféré rester à côté d'Arthur pendant qu'il passait ses appels, mais il comprenait que celui-ci avait besoin d'un peu d'intimité et n'insista pas.

CHAPITRE 9

Ted comptait s'isoler dans l'endroit le plus à l'écart de la maison et tuer le temps en regardant distraitement par la fenêtre, mais à peine avait-il quitté le bureau d'Arthur que Norma s'approcha de lui. Avec une amabilité forcée, elle lui proposa une bière et le conduisit auprès de deux couples qui discutaient autour d'une petite table, heureusement loin des têtes familières. Il se demanda vaguement pourquoi elle avait choisi ces convives en particulier.

Seules les femmes bavardaient, apparemment dans le plus grand secret, car dès que Ted s'approcha, elles se turent. Les hommes, qui se contentaient à l'évidence de participer à la conversation en acquiesçant, lui adressèrent un petit salut. Ted resta debout, préférant ne pas s'installer dans le fauteuil vide. Après l'avoir observé, il crut reconnaître le visage d'un de ses anciens camarades d'école sous la barbe noire et fournie qui le dissimulait en partie. Il se rappelait avoir vu ces yeux bleus dans les couloirs de l'école et y décela la même lueur fugace de soumission que celle qu'il avait surprise dans les pupilles de Robichaud quelques instants plus tôt. Mon Dieu ! N'y avait-il donc dans cette maison que des personnes qui avaient fait leur scolarité ensemble ? Il ressentit une pointe d'envie en pensant au club des laissés-pour-compte qui organisaient des fêtes alors que les élèves les plus populaires avaient cessé de se voir depuis des années.

— Il a été innocenté à cause de la température du sol, déclara l'épouse du barbu aux yeux bleus.

Cette phrase piqua la curiosité de Ted qui, après avoir porté la cannette de bière à ses lèvres, fit un pas en direction du groupe.

— Je ne comprends pas, dit l'autre femme.

— Explique-lui, Bobby.

Bobby Pendergast ! Tout lui revint en mémoire, comme si quelqu'un surgi du passé venait de lui décocher une flèche. Cet homme avait jadis été une sorte de petit génie qui avait toujours réponse à tout. Si Ted avait bonne mémoire, il sortait d'un collège spécialisé.

— Pendergast…, souffla Ted, davantage pour lui montrer qu'il se souvenait de lui que dans l'intention de s'immiscer dans leur conversation.

Les quatre visages se tournèrent vers lui, contrariés. Bobby hocha la tête en silence. *Ça te laisse sans voix, hein, Bobby ?* Ted s'installa dans le siège inoccupé. La perplexité que devait éprouver Bobby, qui ne le reconnaissait manifestement pas, fut atténuée par le fait que les autres continuaient de parler comme si de rien n'était.

— Ted McKay, dit-il en lui tendant la main.

Sorti de son embarras, Bobby fit à son tour les présentations.

— Je te présente Lancelot Firestar.

Ted était certain de ne jamais avoir entendu ce nom de sa vie. Il serra la main constellée de taches de rousseur de cet homme mince et roux, puis se tourna vers les femmes.

— Teresa et Tricia, reprit Bobby.

La main de Tricia avait la mollesse d'une éponge. Sans savoir pourquoi – à la différence de Bobby Pendergast, Ted n'avait pas besoin de tout comprendre –, il eut une pensée pour Wendell. Avait-on ôté son corps du tapis du vestibule ?

— Ted et moi étions à l'école ensemble, expliqua Bobby.

— Il y a un moment, vous parliez de cette affaire de meurtre…, commença Ted qui n'avait pas envie que la conversation dévie vers un autre sujet. Rassurez-vous, je ne vous espionnais pas, je vous ai entendues par hasard.

Tricia fronça les sourcils l'espace d'une seconde, puis se rappela.

— Ah, ça ! Bien sûr ! Le meurtrier s'en est tiré. Maintenant, la famille de la victime avance une théorie selon laquelle il serait coupable, mais c'est trop tard. Je trouve incroyable que tu ne sois pas au courant, Teresa.

— Je n'ai pas regardé la télé.

— Tu ne prends jamais la peine de t'informer. En tout cas, il a été blanchi. Je crois que c'est un Latino.

Elle avait prononcé ce mot d'un ton méprisant, puis rougit légèrement en se rappelant qu'il y avait un inconnu parmi eux. Mais Ted avait envie d'en savoir plus. Il y alla donc d'une mine de circonstance et acquiesça d'un air résigné, comme si ni lui ni aucun des convives réunis autour de la table n'étaient pas aussi des descendants d'immigrants venus un jour tenter leur chance aux États-Unis.

— Comment a-t-il réussi à les berner ? demanda Teresa.

Ted avait l'estomac noué. Lynch lui avait dit que c'était son organisation qui avait fait cette découverte. S'il lui avait menti sur ce point, il l'avait sans doute également abusé sur le reste. Il redoutait ce qui allait suivre.

— Je te l'ai déjà dit : à cause de la température du sol, répéta Tricia comme si elle révélait un secret. Il y avait une teinturerie à l'étage en dessous.

Ted se sentit défaillir.

— Je ne comprends pas, dit Teresa.

Son mari hocha la tête, puis leva les yeux au ciel, laissant entendre par là qu'il n'était pas surpris que sa femme ne comprenne rien à rien.

— Tu n'es pas obligé de prendre cet air offusqué, lui balança Teresa sans le regarder.

Lancelot leva les mains en l'air en signe de capitulation.

— L'heure de la mort a été établie en fonction de la température du corps, reprit Bobby d'un ton docte.

— Le type avait un alibi parfait, l'interrompit Teresa. À l'heure supposée de la mort de cette pauvre fille, il était dans un bar, ce qui a été confirmé par tout un tas de témoins. C'est pour ça qu'on l'a libéré.

Ted suivait la conversation comme si elle se déroulait dans une autre dimension. Ses pires craintes venaient de se confirmer. Jusqu'à quel point Lynch s'était-il fichu de lui ? La question le hanta jusqu'à ce que Bobby Pendergast ait fini de raconter son histoire.

— Les proches de la victime ont engagé un expert pour avoir plus de détails. Le sol de son appartement était chaud parce que le tuyau de ventilation de la teinturerie passait juste en dessous. La température du corps a donc baissé moins vite que d'habitude, ce qui a conduit les légistes à se tromper dans la DHM.

— Arrête de parler chinois, Bobby !

— Excuse-moi mon cœur. C'est la détermination de l'heure de la mort.

— Quelqu'un parmi vous se rappelle-t-il le nom du meurtrier ? demanda Ted.

Les Pendergast se consultèrent du regard.

— Ramírez, répondit Tricia sans hésiter.

— Non, ce n'est pas ça, affirma Bobby. Et ce n'est pas un Latino. Tu confonds avec une autre affaire, chérie. Il s'appelle Blaine. Edward Blaine.

— Tu te trompes.

— Je ne crois pas.

— Il s'appelle Ramírez, Bobby, et je te le prouverai dès qu'on sera à la maison. Ne me contredis pas quand tu sais que j'ai raison.

Il baissa les yeux et acquiesça en silence.

Edward Blaine.

Pourquoi Lynch s'était-il attribué une expertise qui avait été rendue publique ? Lui et l'organisation s'étaient peut-être chargés de la faire parvenir à la famille, mais tout bien réfléchi, cela n'avait aucun sens. Ted en avait assez de se contenter des explications les moins plausibles pour justifier ce qui était survenu dans les dernières vingt-quatre heures. La vérité coulait de source : Lynch s'était moqué de lui.

Qui est l'homme que tu as tué ?

Il s'affala dans son fauteuil et regarda par la fenêtre à quelques mètres de lui. Pourquoi Arthur tardait-il tant à revenir ?

CHAPITRE 10

Ce qui se passait dehors était plus intéressant que la conversation entre les Pendergast et les Firestar, qui échangeaient à présent des potins sur leurs nouveaux voisins. Ted trouvait impoli de se lever et d'aller voir ce qui se passait ailleurs. Il s'était contenté de se tourner vers la fenêtre d'un air contrarié. Dans leur grand jardin bien entretenu, les Robichaud avaient installé des barres, une balançoire à bascule et un carrousel qui était à présent le centre de toutes les attentions. Un garçon ressemblant comme deux gouttes d'eau à Norma le faisait tourner à vive allure. Deux petites filles s'agrippaient à leurs sièges métalliques et lui criaient d'arrêter en riant. « Arrête, arrête ! » Leurs voix fluettes et légèrement étouffées parvenaient aux oreilles de Ted. D'autres enfants, plus jeunes, attendaient leur tour en sautant et en pestant contre Timothy, le fils de la maison, qui de ses bras agiles allait de plus en plus vite, méthodique et concentré. Une des filles le suppliait de la laisser descendre, mais sa gaieté révélait qu'elle prenait beaucoup de plaisir à ce jeu. Contrairement à son père, qui au même âge avait un caractère fuyant et se montrait craintif vis-à-vis de ses camarades, le petit garçon ne connaîtrait pas de problèmes relationnels à l'avenir.

Le carrousel s'immobilisa enfin. Les deux filles mirent pied à terre en vacillant, à la grande joie de Timothy, qui dirigeait toujours les opérations. S'il avait le tournis, il le cachait bien et attendait les prochaines victimes de sa force et de l'accélération centripète. Il remplissait à merveille sa fonction de maître du carrousel. Un garçon et une fille plus jeunes s'installèrent sur les sièges, de chaque côté de Timothy, qui leur donna des instructions. Ted était trop loin pour les comprendre. À mesure qu'il parlait, les deux gamins cessèrent de sourire, frémissant comme s'ils s'apprêtaient à faire un tour sur de dangereuses montagnes russes.

De son fauteuil, Ted voyait se balancer au bout de l'arbre le pneu qui l'avait déjà intrigué dans le bureau de Robichaud. Comparé au reste du jardin, ce cercle de vieux caoutchouc ne semblait pas à sa place. Ted ne connaissait guère la maîtresse de maison, mais il avait remarqué qu'elle accueillait bien ses invités et se souciait des apparences. Visible de toutes les fenêtres du salon, le pneu jurait avec la décoration luxueuse de la maison. Il oscillait doucement. Non loin de l'arbre, deux femmes sans doute là pour surveiller les enfants donnaient l'impression d'être davantage absorbées par leur conversation animée que par les jeux des gamins. Ted ne distinguait que leur profil, car elles étaient tournées l'une vers l'autre. Une fillette âgée tout au plus de un an ne cessait de tomber et de se relever.

Ted regardait tour à tour le pneu oscillant et la petite fille, qui portait une robe blanche à pois rouges et marchait maladroitement, s'agrippant au banc ou agitant ses petites mains dans le vide pour progresser avec maladresse et finir immanquablement dans l'herbe. Elle riait toute seule et parlait à sa mère, même si celle-ci ne l'entendait pas. Le pneu semblait bouger davantage. Était-ce possible ? Personne ne l'avait poussé. La fillette se concentra sur une fleur minuscule qu'elle étudia un long moment, agenouillée à côté, en remuant les lèvres, peut-être pour demander la permission de la cueillir. Elle finit par saisir délicatement la tige fragile entre ses doigts et l'apporta à sa mère, qui lui accorda quelques secondes d'attention avant de prendre la fleur. Sa fille aurait pu lui donner un bâton de dynamite allumé qu'elle l'aurait accepté de la même manière, en souriant. *Merci !* Heureuse, la gamine tira sur sa robe et repartit vers de nouvelles aventures. Le pneu bougeait vraiment de manière anormale. Seule une forte rafale aurait pu lui imprimer de tels mouvements. Pourtant, de là où il se tenait, Ted pouvait constater qu'il n'y avait pas de vent. Il ne quittait pas le pneu des yeux et remarqua que quelque chose y était suspendu, qui ne s'y trouvait pas auparavant. Il crut tout d'abord qu'il s'agissait d'un serpent, puis la tête d'un opossum émergea à l'arrière. Sa queue se balançait de l'autre côté. Il regardait fixement Ted, qui sursauta. Tricia Pendergast lui lança un regard noir. Ted feignit d'avoir été surpris par la vibration de son portable, qu'il tira de sa poche pour l'y remettre aussitôt. Il se tourna de nouveau vers le pneu et ses yeux croisèrent ceux de l'animal nauséabond.

Des scènes de son rêve l'assaillirent tandis que l'opossum mordillait le pneu de ses dents pointues, les yeux rivés sur la maison.

La fillette s'approchait dangereusement du rongeur, ses petits bras tendus vers l'avant, prête à une nouvelle chute qui tardait à survenir. Comme monté sur ressorts, Ted bondit vers la fenêtre et s'arrêta, conscient que les autres s'étaient tus et le regardaient. La moitié du corps de l'opossum sortait du pneu, l'animal se tenant en appui sur ses pattes avant aux griffes abominablement longues. Ted eut l'impression que la fillette l'avait vu. Elle s'arrêta à deux mètres de lui, avança d'un pas mal assuré, indécise. *Allez, dépêche-toi... retourne auprès de ta mère.* Ces bestioles sont terriblement dangereuses : elles sont porteuses de maladies et peuvent se montrer agressives ; la petite fille risquait de confondre l'opossum avec un chat ou un autre animal inoffensif, et de vouloir s'approcher de lui pour le caresser. Après quelques hésitations, elle rassembla tout son courage et s'élança vers le pneu. *Mon Dieu !* Ted frappa violemment la vitre de sa paume de main.

— Attention ! cria-t-il.

Dans le salon, tous les convives se turent brusquement. Les plus rapides gagnèrent les fenêtres, deux ou trois se plaçant derrière Ted. Les autres restèrent assis, interrogeant leurs voisins du regard sans comprendre ce qui se passait. Norma sortit de la cuisine en courant pour en savoir davantage. Dehors, les deux femmes discutaient toujours sur le banc et les enfants n'avaient pas entendu la mise en garde de Ted. La fillette non plus. Vacillante, elle parcourait le dernier mètre qui la séparait de l'opossum. Ted essaya d'ouvrir la fenêtre, mais deux crans de sécurité l'empêchèrent d'actionner la poignée.

— Qu'est-ce qu'il y a ? demanda un homme posté derrière une autre fenêtre.

— La petite fille ! répondit Ted sans le regarder. Un énorme opossum se cache dans le pneu !

Très vite, la panique gagna les invités. Les femmes assises dans les fauteuils se levèrent et gesticulèrent en hurlant.

— Quelle horreur ! C'est impossible !

— Je ne le vois pas ! s'exclama l'une d'elles.

Il n'y a pourtant pas des dizaines de pneus, dehors, madame !

D'autres mains frappèrent contre les vitres, réussissant enfin à attirer l'attention des deux mères bavardes, qui regardèrent en même temps vers la maison et découvrirent, alarmées, des dizaines de visages effrayés. Était-il arrivé quelque chose de grave ? Ni l'une ni l'autre ne semblaient comprendre. Heureusement, leurs exclamations détournèrent la fillette de son objectif, les mains à un demi-mètre du pneu.

Ted parvint enfin à ouvrir la fenêtre.

— La petite ! hurla-t-il. Il y a un opossum à l'intérieur du pneu !

Mue par l'instinct maternel, une des femmes se leva et courut vers l'enfant.

— Rose !

Quelques hommes quittèrent le salon et se précipitèrent dehors. Celui qui ouvrait la marche était armé d'un balai. La femme saisit avec force Rose par la taille, la prit dans ses bras, pivota et s'éloigna du pneu comme s'il était sur le point d'exploser.

Les trois fenêtres étaient à présent ouvertes, toute l'assemblée assistait à la scène. L'opossum s'était recroquevillé à l'intérieur du pneu, acculé. Pour s'échapper, il lui faudrait sortir de sa cachette. Ted se demanda si un balai suffirait à l'arrêter.

— Eh, vous! cria un des chasseurs improvisés aux enfants groupés autour du carrousel. Montez tous là-dedans!

Ils étaient huit pour quatre sièges, mais parvinrent à se tasser. Ce n'était pas une vaine précaution. S'il se sentait menacé dans sa fuite, l'opossum risquait de mordre quelques mollets. Les deux femmes se hissèrent à leur tour sur le banc avec Rose. Seuls les quatre hommes foulaient le gazon, comme pour une battue.

— Steve…, dit celui qui brandissait le balai, tu ne voudrais pas aller nous chercher quelque chose de plus efficace? Une pelle, par exemple?

L'homme situé à l'arrière s'éloigna, les trois autres poursuivirent leur avancée. Les enfants sur le carrousel, les deux femmes du haut de leur banc, les observateurs aux fenêtres, tout le monde assistait au spectacle en retenant sa respiration. L'individu au balai s'arrêta à trois mètres du pneu, se baissa légèrement et, prenant le manche à sa base, tendit le bras le plus haut possible.

— Attends que Steve revienne! lui cria une femme depuis la maison.

Il secoua la tête. Le pneu était immobile.

Quand il le poussa délicatement du bout du manche, il décrivit de petits cercles. Steve ne revint pas avec une pelle, mais avec une batte de base-ball. Tous approuvèrent le choix de cette nouvelle arme. L'homme au balai pria Steve de s'approcher par l'autre côté pendant qu'il introduisait le manche dans le pneu pour chasser l'animal.

Ils tournèrent autour du pneu en y plantant le balai à plusieurs reprises. L'opossum s'était probablement tapi à l'intérieur, auquel cas il n'y aurait pas moyen de le faire sortir. Ils s'avancèrent peu à peu pour y voir de plus près.

Et ne découvrirent aucun opossum.

L'homme au balai souleva le pneu à deux mains pour le montrer aux autres, à la manière d'un magicien qui expose au public le fond du haut-de-forme où se trouvait une colombe quelques instants plus tôt. Tous les regards passèrent du pneu à Ted. Les enfants, toujours debout sur le carrousel, observaient avec incrédulité l'inconnu visiblement responsable de toute cette agitation. Les adultes aussi. Ceux qui étaient près de lui dans le salon s'écartèrent en silence, à croire que son délire était contagieux.

Ted avait à peine conscience de toutes ces réactions. Il avait encore les yeux rivés sur le pneu. Il avait vu l'opossum, qui n'avait pas pu s'enfuir sans qu'on le remarque. Il n'avait baissé la tête qu'une seule fois, pour débloquer la fenêtre, mais à cet instant, d'autres personnes observaient la scène par la fenêtre. Il se retourna. Un silence sépulcral régnait dans la pièce. Les invités attendaient peut-être une explication de sa part. Lancelot et Teresa affichaient leur désapprobation, Bobby Pendergast paraissait déçu. Norma le fusilla du regard. Arthur Robichaud, lui – il était enfin sorti de son bureau, sans doute alerté par le bruit –, s'avança vers Ted et lui posa une main sur l'épaule. Ted n'eut aucune réaction.

— On a eu de la chance avec Lynch, lui dit-il.

Au début, Ted ne comprit pas de qui il parlait.

— Il est avocat et a son propre cabinet, ajouta Arthur en lui tendant une carte. Mes contacts m'ont donné son adresse et son téléphone. J'espère que ça te sera utile. Appelle-moi plus tard pour me dire comment ça s'est passé. Bon. Maintenant, il vaudrait mieux que tu t'en ailles.

Ted était d'accord avec lui.

CHAPITRE 11

L'immeuble qui abritait le bureau de Lynch se trouvait en banlieue. C'était une imposante construction en brique entourée d'un parking et d'impasses dangereuses encombrées de poubelles jamais collectées et de carcasses de voitures abandonnées. À 7 heures du matin, il n'y avait pas un chat. Il ne vit qu'une seule fenêtre éclairée, au septième étage ; le cabinet de Lynch était au cinquième. De son portable, Ted composa le numéro inscrit sur la carte et écouta pour la deuxième fois une femme d'un certain âge lui annoncer d'un ton las que la réception ouvrait de 7 à 16 heures et qu'il pouvait laisser un message après le signal sonore. Ted s'en garda bien et raccrocha. De si bon matin, il ne s'attendait pas à croiser Lynch, mais il avait tenté le coup en se disant qu'il aimait peut-être travailler en dehors des horaires.

Tandis que le jour se levait en laissant de longues traînées roses au-delà de cet affreux bloc, Ted échafauda le plan qu'il projetait de mettre en œuvre dès le lendemain. De retour chez lui, certains détails attirèrent son attention. La porte qui donnait sur la rue était entrebâillée et, quand il entra, il fut accueilli par un désordre innommable. Dans ce fatras de livres, d'oreillers éventrés et de tiroirs renversés, il perçut une méchanceté qui le fit enrager. Les intrus ne s'étaient pas contentés de chercher, ils s'étaient acharnés à tout détruire sur leur passage. Des débris de bibelots jonchaient le sol, ils avaient massacré l'écran du téléviseur, des taches de nourriture maculaient les murs… Ted se massa le crâne sans oser traverser le champ de bataille qui avait été le cadre de son quotidien. Il gagna le bureau comme un automate. On s'y était livré à une fouille encore plus agressive et complète : la totalité des livres était par terre, l'ordinateur réduit à un tas de tôle futuriste, les tiroirs de son bureau éparpillés dans tous les coins. Curieusement, la reproduction du tableau de Monet était encore à sa place. Ted s'en approcha et décrocha le cadre comme tant d'autres fois. Il examina le coffre-fort en songeant qu'une cachette aussi évidente pouvait peut-être passer inaperçue pour un cambrioleur pressé, mais que les vandales qui avaient saccagé sa maison l'avaient forcément repérée. Dans la serrure à combinaison, un trou d'un demi-centimètre confirma ses doutes. Il tira sur la poignée et ouvrit le coffre. Les quelques économies qu'il y conservait en cas d'urgence avaient disparu, contrairement aux dossiers de Lynch, parfaitement empilés, comme par provocation. En consultant celui de Wendell, il constata qu'il n'en restait que quelques pages. Les autres s'étaient volatilisées.

Les informations mensongères.

Qui as-tu assassiné ?

— Ils ont oublié quelque chose, déclara Ted à voix haute.

Il était presque certain que ses visiteurs n'avaient caché aucun micro chez lui, mais dans son for intérieur, il espéra qu'on l'écoutait.

Demain, je réglerai mes comptes avec Lynch.

Peu lui importait que celui-ci ait été engagé par l'organisation pour n'y jouer qu'un rôle secondaire. Après avoir réfléchi à la question, Ted pressentait que c'était fort probable. D'un autre côté, il ne s'expliquait pas pourquoi l'élégant avocat lui avait donné son vrai nom alors qu'il aurait pu se présenter sous une fausse identité. Ils avaient dû se dire qu'il chercherait à se renseigner sur l'homme qui avait frappé à sa porte afin de lui proposer un contrat aussi insolite. Dans ce cas, quelle meilleure tactique

que de laisser une trace réelle ? Si Ted avait enquêté sur le jeune homme en faisant appel à Robichaud ou par un autre moyen, il aurait facilement trouvé Lynch, ce qui aurait donné une crédibilité à tout le reste.

Dans le couloir, alors qu'il se dirigeait vers le salon, il s'arrêta un instant au pied de l'escalier et observa le palier d'un œil contrarié. Il savait qu'il serait éprouvant d'inspecter sa chambre et celle de ses filles, mais il devait s'y résoudre pour évaluer les dégâts. *Plus tard*, songea-t-il en se dirigeant vers le canapé. Il écarta d'un geste agacé les objets qui l'encombraient : une boîte de pizza vide, des bibelots, une lampe et deux coussins, puis s'écroula, exténué, et repassa dans sa tête la liste de ce qu'il avait à faire, à laquelle s'ajoutait à présent le rangement et le nettoyage de la maison. Il serait bien assez difficile pour Holly de découvrir son corps, aussi lui épargnerait-il d'affronter son suicide dans ce capharnaüm. Il sourit à cette pensée absurde, sortit son portable de sa poche et promena un doigt sur l'écran, qui s'éclaira. Il lui avait parlé pour la dernière fois le mardi matin en refoulant ses larmes et, d'un ton faussement détendu, lui avait annoncé qu'il allait profiter des dernières journées avant son retour pour aller pêcher avec Travis, son associé. Holly lui avait adressé de brefs reproches à ce sujet – Ted avait refusé de les accompagner à Disney World en prétextant des réunions de travail bien entendu imaginaires. Il lui avait rétorqué qu'après un seul rendez-vous avec son client, il avait conclu un accord qu'ils avaient cru au départ beaucoup plus difficile à décrocher. Holly s'était plainte, puis avait déclaré que cela lui permettrait de passer plus de temps avec son amant de Floride. Cindy, qui avait entendu son commentaire, avait protesté et exigé de parler à son père. Nadine avait ensuite pris le téléphone, mécontente du comportement de sa sœur, *qui ne rendait vraiment pas service à maman*, et lui avait fait un rapport détaillé de leurs activités de la journée. Ted avait pris plaisir à l'écouter.

Holly était à portée de sa main. Il fit défiler les noms de ses contacts et attendit. L'écran perdit en luminosité au point de s'assombrir complètement, mais il leva le pouce et y porta deux petits coups pour l'activer de nouveau, car il avait très envie de parler à sa femme.

La voix de Holly lui fit l'effet d'une bouffée d'air frais alors qu'il commençait à suffoquer.

— Alors, cette petite croisière ?

— Finalement, les filles qui devaient nous accompagner ont annulé au dernier moment.

— Elles ont dû voir tes dernières photos avec Travis et ça les a découragées ! s'exclama Holly en riant.

Elle marqua une pause. Ted n'avait pas allumé les lumières et dehors, le jour commençait à décliner. Comparée au désordre qui régnait dans la maison, la voix cristalline de Holly offrait un contraste saisissant.

Mon Dieu, comme j'aimerais que tu sois là !

— Ça va, chérie ? demanda Ted.

— Oui. Aujourd'hui, on a eu une journée torride. Elles ne l'avoueront jamais, mais tes filles commencent à en avoir assez de cette chaleur étouffante.

— C'est faux ! s'écria Cindy.

— Leur père doit leur manquer, souffla Ted en regrettant aussitôt d'avoir prononcé ces mots.

— Je ne pense pas. Elles ne parlent presque jamais de toi.

— Elle ment, papa !

— Travis et moi avons préféré rentrer aujourd'hui, annonça Ted. Je n'aurais pas supporté ses ronflements une nuit de plus dans une cabine de deux mètres carrés.

— Nous, on va bientôt dîner. Les filles ne veulent pas sortir de l'hôtel et m'ont demandé de commander des plats au room service, comme dans les films. En fait, elles tiennent surtout à rester là où il y a de l'air conditionné.

— Maman ?

C'était Nadine.

— Qu'est-ce qu'il y a ?

Ted entendit Holly discuter avec les filles, puis elle reprit le combiné.

— On vient de nous apporter nos plats, on se rappellera plus tard, d'accord ?

— Bons hamburgers ! dit Ted, qui n'avait même pas besoin de demander ce qu'elles avaient choisi.

— Bye bye, Ted. Les filles, dites au revoir à votre père…

— Salut, papa !

Ted répondit, mais il n'y avait plus personne au bout du fil. Le bras qui tenait le téléphone s'affaissa. Une fois encore, il n'avait pas pris convenablement congé de Holly, ne lui avait pas dit combien il l'aimait, ne serait-ce que pour qu'elle s'en souvienne plus tard, quand elle découvrirait son corps étendu dans son bureau, une balle dans le front. Il s'interrogea. Était-ce un nouveau message du destin ?

Le salon était plongé dans la pénombre.

CHAPITRE 12

Il ne dormit que quelques heures, d'un sommeil entrecoupé de cauchemars, se doucha dans la salle de bains du rez-de-chaussée et enfila les mêmes vêtements que la veille. À 5 heures du matin, il était déjà dans la cuisine et cherchait quelque chose à se mettre sous la dent. En principe, le rituel du petit déjeuner s'accompagnait de la voix de Jack Wilson, mais ce jour-là, il craignait de ne pas apprécier les commentaires du présentateur du journal de Canal 4 : le meurtre de Wendell ferait la une de tous les médias et, aux premières heures de la matinée, les journalistes se focaliseraient sans doute sur ses proches. Il pressa cependant le bouton de la télécommande avec résignation. Quand le téléviseur fut allumé, il se rappela que ses visiteurs l'avaient endommagé. Une tache grise de la taille d'un ballon de football lui cacha le visage d'une présentatrice au décolleté suffisamment suggestif pour qu'on en déduise qu'il ne s'agissait pas de Jack Wilson. Dans la partie inférieure de l'image, une bande passante informait les téléspectateurs que la personne qui s'exprimait à présent était l'officier de police arrivé le premier sur les lieux du crime.

– ... je patrouillais dans le quartier quand le commissariat central a diffusé le message radio. Je suis né dans le coin et j'y vis toujours, je sais donc parfaitement comment accéder au lac. En moins de dix minutes, j'étais sur place.

Ted fut distrait par des mouvements dans le salon. Du coin de l'œil, il distingua une forme sombre qui aussitôt se cacha derrière un meuble renversé.

— Est-il vrai que le meurtrier a été filmé par les caméras de sécurité ?

Un lampadaire tomba dans un fracas assourdissant. Ted se raidit.

Espèce de sale bestiole !

— Eh bien, une enquête est en cours et… Tout ce que je sais, c'est que la propriété est équipée de caméras, mais au point où nous en sommes, je ne peux rien affirmer.

La bande passante indiquait à présent : *Le meurtrier filmé par les caméras de surveillance.*

Presque sans s'en rendre compte, Ted s'était approché du poste, captivé par la nouvelle mais également soucieux de ce qui se passait dans le salon où, sans le voir, il entendait l'opossum se déplacer au milieu des débris.

– … d'après le témoignage de l'officier de police Garrett, que nous venons d'écouter en exclusivité, le corps de Wendell a été découvert par sa femme et ses filles, poursuivit la présentatrice. Elles sont saines et sauves et ont été protégées par les vitres pare-balles du véhicule dans lequel elles se trouvaient. On ignore encore les mobiles de ce crime atroce…

Ted redoutait le pire.

– … une famille a été détruite : Holly, la femme de la victime, et Nadine et Cindy, ses filles, porteront toute leur vie le poids de ce jour funeste. Plus de détails sur ce drame dans quelques minutes grâce à nos envoyés spéciaux. Une grosse vague de chaleur est prévue aujourd'hui, reprit-elle après une courte pause. Le service météo nous informe que…

Holly, Nadine, Cindy…

CHAPITRE 13

Ce matin-là, Nina arriva au bureau avec un quart d'heure de retard. Elle avait acheté des *donuts* et espérait que Lynch prêterait davantage attention aux beignets qu'à son retard. Elle travaillait pour lui depuis six mois, mais était toujours incapable de prédire ses réactions. Lynch demeurait une énigme à ses yeux. Ses amies lui avaient garanti que, tôt ou tard, il essaierait de la séduire, mais il n'avait encore rien tenté, ce qui la déconcertait. Elle avait mis des décolletés provocants, adopté des poses suggestives, osé des commentaires subtils pour le mettre sur la voie… sans rien obtenir en retour. De quinze ans son aîné, Lynch ne manquait pas de charme et Nina avait plus que tout besoin dans sa vie d'un homme ayant les pieds sur terre.

Elle introduisit les clés dans la serrure et se baissa pour récupérer le carton de *donuts* qu'elle avait laissé par terre. En se relevant, elle vit une forme bouger dans l'ombre, sur sa droite, puis une silhouette d'homme se diriger vers elle. Une seconde plus tard, l'inconnu fondait sur elle, le bras tendu, armé d'un pistolet qui lui parut énorme.

— Entre, lui ordonna Ted. Pose ton paquet et ton sac sur le bureau. Très bien. Ne te retourne pas tout de suite. Fais ce que je te dis et il ne t'arrivera rien.

D'aussi loin qu'elle s'en souvienne, elle n'avait jamais eu de plus grande frayeur. L'homme agissait à visage découvert, et elle savait ce que cela signifiait.

— Ne me tuez pas, le supplia-t-elle.
— Où est Lynch ?
— Je… je ne sais pas.
— Tu peux te retourner.
— Je préfère rester comme ça.

Ted ne se sentait vraiment pas à l'aise dans cette situation. Il s'attendait à trouver Lynch et c'était cette jeune fille, sans doute sa secrétaire, qui était apparue à sa place. Il avait dû être réactif, suivre son impulsion. Qu'était-il en train de faire ? Menacer une secrétaire avec un pistolet ? Elle était morte de peur alors qu'elle n'avait rien à voir dans cette histoire.

— Je vais baisser mon arme, souffla-t-il, plus calme. Si tu ne cries pas, je te donne ma parole que je ne te ferai pas de mal. Je veux juste parler avec ton patron. C'est une question de vie ou de mort.

Ces paroles semblèrent produire l'effet désiré sur la jeune fille, qui avait toujours les mains en l'air, la respiration hachée.

— Comment tu t'appelles ?
— Nina.
— Je te prie de m'excuser, Nina. Maintenant retourne-toi. Fais-moi confiance. Peu importe que tu voies mon visage. Ton patron et moi, nous nous connaissons.

Nina s'exécuta lentement. Elle ne pleurait pas, mais avait pourtant failli fondre en larmes. Elle ne détachait pas les yeux de Ted et se rendit compte qu'il avait effectivement baissé son arme.

— Désolé de m'être présenté de cette façon-là, reprit-il. C'était maladroit de ma part. (Elle hocha la tête, toujours apeurée.) Détends-toi. C'est ton bureau ?
— Oui.
— Assieds-toi. Moi, je vais m'installer sur cette chaise et nous allons attendre Lynch ensemble. Tu es d'accord ?

Il fit le tour du bureau avec une lenteur extrême avant de s'asseoir.

— Pose les mains sur la table, s'il te plaît.

Elle obtempéra.

— Tu travailles pour Lynch depuis longtemps ?

— Non, quelques mois seulement.

Il hocha la tête.

— Je vois. Les autres bureaux sont occupés ?

Elle hésita avant de répondre.

— Dis-moi la vérité, Nina.

— Il n'y a personne d'autre à l'étage.

— Tant mieux.

— Vous m'avez promis de...

— Je ne te ferai aucun mal. J'avoue que je n'aurais pas dû te brusquer, mais tu m'as surpris. Je ne sais pas pourquoi, je n'imaginais pas que Lynch avait une secrétaire. J'ai agi bêtement.

Elle garda le silence, puis :

— Si voulez un *donut*, lui proposa-t-elle en montrant le carton d'un mouvement du menton.

Ted ne put s'empêcher de sourire.

— Non merci. Lynch arrive donc en général vers 9 heures ?

Nina ne se rappelait pas lui avoir fourni ce type de détails, mais elle l'avait peut-être fait sans s'en rendre compte. Depuis quelques minutes, un tourbillon chaotique d'événements et d'émotions s'était formé dans sa tête.

— C'est ça, répondit-elle d'un ton sec.

Ted se pencha en arrière pour se caler sur le siège et fourra les mains dans les poches de la veste de sport qu'il avait choisie pour dissimuler le Browning, dont il palpa la crosse en fermant un instant les yeux et en se posant la même question que quelques instants auparavant : Qu'était-il en train de faire ?

CHAPITRE 14

Lynch vit le carton de *Dunkin' Donuts* sur la table de travail de Nina, s'approcha et d'un doigt souleva le couvercle pour en examiner le contenu d'un air désapprobateur. Il pensait que sa secrétaire était aux toilettes quand un bruit dans son bureau le fit sursauter. Lui avait-elle préparé un petit numéro de charme ? Il espéra que non, car dans ce cas, il devrait avoir une conversation désagréable avec elle et lui dire quelles étaient les limites à ne pas franchir. Il poussa la porte, la trouva assise à sa table, raide comme un piquet, les yeux écarquillés. Elle n'était pas nue, n'avait adopté aucune position provocante et, à en juger par la pâleur de son visage, ne se livrait à aucun jeu de séduction. Lynch remarqua que ses yeux étaient tournés vers un angle de la pièce, où un homme se tenait debout.

— Qu'est-ce qui se passe ici ? demanda Lynch.

Ted le regardait fixement sans pouvoir cacher son étonnement. Cet homme était bien Lynch, mais il semblait plus âgé que l'individu qui avait frappé à sa porte. De fines rides sillonnaient son front et il avait quelques cheveux blancs. Ted le trouvait toujours aussi séduisant, la maturité lui allait bien, mais il ne décelait plus aucune trace de son éclatante jeunesse. Il porta la main devant ses yeux un moment. Quand il les rouvrit, rien n'avait changé.

— Il est armé, l'informa Nina.

— Je n'ai pas l'intention de me servir de mon arme si nous pouvons parler comme deux personnes civilisées.

— Il vous a fait du mal?

— Non, répondit Nina.

— Assieds-toi, lui ordonna Ted.

Lynch fit le tour du bureau et se laissa tomber lourdement dans le siège à côté de Nina.

— Tu as vu les journaux télévisés ce matin? lança Ted, qui se dirigea vers la porte et la ferma en tournant délibérément le dos à ses otages.

— La question s'adresse à moi ou à Nina? ironisa Lynch.

— À compter de maintenant, c'est toi que j'interroge. Ta secrétaire est un dommage collatéral.

— Dans ce cas, laisse-la partir et réglons le problème entre nous, d'accord?

— On verra, dit Ted, adossé à la porte.

— Non, je n'ai pas vu les journaux télévisés.

— Wendell est mort, annonça Ted en étudiant l'expression de l'avocat, qui demeura impassible. Il a été assassiné.

— Pourquoi ne pas en discuter calmement, comme deux personnes bien élevées? proposa Lynch en observant Nina sur sa droite.

— C'est hors de question.

— Elle ne parlera pas, n'est-ce pas, Nina?

La jeune femme ne comprenait pas la moitié de ce qu'ils disaient, mais fit vigoureusement oui de la tête.

— Je ne dirai rien.

— Maintenant que vous avez pu constater que Ted et moi, nous nous connaissons, vous n'avez aucune raison de prévenir la police ou qui que ce soit d'autre. En attendant, Ted et moi allons régler nos affaires.

Ted s'accorda un temps de réflexion. De toute évidence, il ne pouvait pas aborder la mort de Wendell en présence de Nina. Il n'allait pas avouer un meurtre devant une parfaite inconnue.

— Rentre chez toi, lança-t-il soudain.

Comme montée sur ressorts, Nina se leva, s'empressa de contourner le bureau et s'arrêta devant Ted, qui ne s'était pas écarté de la porte. Agrippée à son sac, elle lui lança un regard suppliant. Ted observait Lynch, qui comprit ce qu'il attendait de lui.

— Nina, ne dites rien à personne, la pria-t-il. Ted et moi devons réellement parler d'un sujet grave.

Ted la laissa passer. Elle se hâta de franchir le seuil et fila sans même refermer derrière elle. Ted le fit à sa place.

— Maintenant, je veux toute la vérité, Lynch. Tu m'as tendu un piège, espèce de salaud.

— J'avoue avoir passé certains renseignements sous silence, mais crois-moi, c'était nécessaire.

Ted bondit en avant, posa les mains sur le bureau et approcha son visage de celui de Lynch.

— Nécessaire ? Tu as oublié de me dire que Wendell était marié et qu'il avait une femme et deux filles. Depuis que je le sais, je n'arrête pas de penser à elles comme à ma propre famille.

— Si je te l'avais dit, tu ne l'aurais jamais tué, lui renvoya Lynch froidement.

Ted glissa une main dans la poche de sa veste et en sortit le Browning.

— Et toi, Lynch, tu as une femme et des filles ? Fais attention à ce que tu vas répondre parce que je peux te faire sauter la cervelle tout de suite !

— Je t'en prie, Ted, baisse cette arme et laisse-moi t'expliquer.

— Tu n'as rien de plus à m'apprendre, enfoiré ! s'écria-t-il en secouant la tête. Tout est tellement confus…

— Que veux-tu dire ?

Ted remit son arme dans sa poche. Puis il prit une chaise près d'un meuble de classement et s'y assit lourdement.

— Allez parle, Lynch, et arrête ce petit jeu, s'il te plaît.

L'avocat acquiesça.

— Je t'ai donné mon vrai nom, Ted. Je savais que tôt ou tard, tu viendrais me rendre visite. Il est temps d'être franc avec toi.

Puis il se cala sur sa chaise avant de lâcher cette phrase dévastatrice :

— Wendell ne voulait pas se suicider.

Au moment où Lynch prononçait ces mots, Ted perçut des mouvements dans le tiroir inférieur du meuble de classement. D'instinct, il se tourna dans cette direction, mais le bruit avait cessé. Lynch ne semblait pas l'avoir entendu.

— Wendell et moi, nous nous sommes connus à l'université, on s'entendait bien. C'est à cette époque que l'organisation s'est créée. Wendell s'y est vite investi, il en est même devenu un pilier, mais rendre justice ne l'intéressait pas. Wendell était un assassin. Il a commis des meurtres pendant des années.

Ted fronça les sourcils.

— Cela ne fait pas très longtemps que j'ai appris ses activités parallèles, presque par hasard. Je crois que je m'en doutais, mais je refusais de l'admettre.

— Pourquoi ne l'as-tu pas dénoncé ?

— Tu as vu son train de vie ? Il avait beaucoup d'influence, des contacts. Il était bien conseillé. Il s'est déjà retrouvé dans de sales draps et chaque fois, il s'en est sorti. Tout ça pour te dire que ça n'aurait servi à rien de tenter quoi que ce soit contre lui.

— Tu ne m'as pas seulement menti pour sa femme et ses filles. Tu as aussi oublié de me signaler les caméras de surveillance.

— Je suis désolé.

— Désolé, c'est ça, répéta Ted d'un air résigné. Tu sais que tu as devant toi un homme qui n'a rien à perdre, n'est-ce pas ?

— Tu comprendras plus tard, tu verras.

— Et Blaine ? Tu t'es fichu de moi. Tout le monde sait que ce type est coupable. Si ton objectif était Wendell, pourquoi m'avoir envoyé tuer Blaine ?

De nouveaux bruits s'élevèrent du meuble de classement, plus forts qu'avant, comme si on frappait du poing à l'intérieur. Ted sursauta.

— Qu'est-ce que c'est que ça ?

— Quoi ?

Le cœur de Ted battait à tout rompre.

— Je peux te montrer quelque chose ? dit Lynch. Un dossier qui est justement rangé dans ce meuble.

Ted braqua l'arme sur l'avocat.

— Ouvre-le doucement.

— Bien sûr.

Lynch ouvrit le deuxième tiroir.

— Le voilà. Prends-le.

Ted s'exécuta et regagna sa chaise. Le dossier ressemblait à ceux que Lynch lui avait apportés chez lui. Il s'apprêtait à l'ouvrir, mais l'homme blond l'en empêcha.

— Avant, je dois t'expliquer quelque chose. Comme je te l'ai dit tout à l'heure, j'ai été informé des meurtres de Wendell assez tard. C'était mon ami, mais il est devenu trop dangereux. Maintenant, ouvre le dossier, ajouta-t-il après une courte pause.

Ted fit disparaître le Browning dans sa poche.

— Dis-moi plutôt ce qu'il contient, demanda-t-il sans oser toucher le dossier.

— Holly te trompe, lui assena Lynch sans préambule. Ce dossier contient des preuves irréfutables : photos, transcriptions de conversations téléphoniques, notes d'hôtel.

Ted esquissa une moue méprisante. Rien n'était moins sûr. Il tendit le bras pour ouvrir le dossier, puis se ravisa au dernier moment, le visage altéré.

— Holly a demandé le divorce, poursuivit Lynch. Entre vous, ça va mal depuis longtemps.

— C'est ridicule.

— Réfléchis un peu…

Ted imagina Holly dans la maison au bord du lac, vit les filles courir jusqu'à la porte en souriant, leur sac à dos sur les épaules. Les souvenirs de nombreux moments passés ces derniers mois en compagnie de sa femme se bousculèrent dans sa tête. Réflexion faite, c'était plutôt lui qui s'était montré fuyant et distant à cause de son travail et du reste. Il ne voulait pas consulter ce dossier.

— J'ai fait suivre Wendell et, par hasard, j'ai découvert sa relation avec Holly. C'est une histoire assez longue.

Dans le meuble, l'agitation reprit.

— Ça suffit ! cria Ted en se retournant.

Lynch le regarda, inquiet. Ted se leva. En deux enjambées, il atteignit le meuble et y flanqua un coup de pied.

— Silence !

Il regagna le bureau, furieux, abattit son poing sur le dossier, qui tomba par terre. Des feuilles imprimées et une photo s'en échappèrent. Saisi d'effroi, Ted s'agenouilla devant le cliché dont une partie seulement était visible. L'image avait été prise de l'extérieur d'un restaurant. Holly était dans la salle, de profil, légèrement penchée vers la table. La bouche ouverte, elle souriait et s'apprêtait à déguster la nourriture contenue dans une cuillère qu'on lui tendait. On ne distinguait que le bras de l'homme qui se tenait en face d'elle. Ted se leva, recula sans pouvoir détourner les yeux de la photo, puis se cogna contre le meuble de classement. Les coups reprirent de plus belle.

Il ouvrit le tiroir, étouffa un cri en portant les mains devant sa bouche.

— Qu'est-ce que tu as ? demanda Lynch.

L'opossum se hissa au bord du tiroir, flaira l'air du bureau comme il l'avait fait dans le pneu suspendu à l'arbre chez Robichaud. Les pattes avant dans le vide, il tomba maladroitement par terre.

Ted se précipita hors de la pièce en oubliant qu'il avait une arme à la main. Il essaya d'ouvrir toute une série de portes verrouillées, mais ne fit que buter contre les battants et revenir en arrière. Où était donc ce fichu ascenseur ? Les mains sur la tête, il arriva au bout du couloir et dévala presque en piqué un escalier très raide dont les marches rétrécissaient à mesure qu'il descendait. Il faillit tomber à deux reprises. L'étage inférieur était plongé dans le noir. Derrière les portes, il vit des tas de lettres piétinées. Il s'engouffra dans un bureau vide qui sentait le renfermé. Un vieux meuble de classement abandonné par ses propriétaires semblait l'observer de son œil unique, un trou laissé par un tiroir manquant. Ted s'y agrippa et s'écroula lourdement à côté. Il regardait fixement la porte – l'opossum, il le savait, allait le rejoindre d'un moment à l'autre.

DEUXIÈME PARTIE

CHAPITRE 1

Ted McKay allait se tirer une balle dans le crâne lorsque la sonnette retentit. Avec insistance.

Il ouvrit les yeux, aveuglé par la lumière du jour qui pénétrait par la fenêtre du bureau. Puis il entendit des coups frappés à la porte, puis la voix d'un visiteur qu'il n'était pas censé connaître.

Il se leva, sentit quelque chose de lourd dans une des poches de son pantalon et palpa la forme en demi-cercle bien reconnaissable du fer à cheval. Incrédule, il observa la pièce qu'il se rappelait avoir trouvée sens dessus dessous : là, le bureau bien rangé, là, les livres à leur place, là, l'ordinateur sur une petite table disposée sur le côté. Pendant que Lynch lui criait d'ouvrir (Ted savait que c'était lui), il appuya sur le bouton d'allumage de l'ordinateur comme s'il cherchait à se prouver que cette situation était bien réelle. Au terme d'infimes grésillements de leds, l'appareil se mit en marche. Il l'éteignit aussitôt, à la fois horrifié et contrarié, en appuyant sur le même bouton. Dans sa tête, il entendit Nadine le réprimander : *Il ne faut pas l'éteindre comme ça, papa, il faut passer par le menu. Maman m'a appris à le faire.* Il trembla en apercevant la lettre qu'il avait écrite à l'intention de Holly.

— Ouvrez-moi, s'il vous plaît !

Ted chercha sa clé dans le petit pot posé sur le bureau pendant que les cris redoublaient, précédant un ordre qu'il avait déjà entendu :

— Ted, bon sang, ouvrez-moi !

Pourquoi est-ce que je ne trouve pas bizarre que tu connaisses mon prénom, Lynch ?

Il ouvrit la porte, lut la note destinée à Holly :

Chérie, j'ai laissé un double de la clé sur le frigo. N'entre pas avec les filles. Je t'aime. Il avait à présent l'impression qu'elle avait été écrite par quelqu'un d'autre. Hanté par la photo de Holly dans ce restaurant, penchée vers la table pour avaler la bouchée que lui tendait son amant, il se demanda comment il pouvait se souvenir d'un événement qui n'était pas encore survenu.

— J'arrive ! cria-t-il.

Dans le salon, il reconnut la silhouette postée derrière la fenêtre. Il observa les objets avec un intérêt singulier, moins pour prendre congé d'un environnement qu'il ne reverrait plus que parce qu'il gardait de cette pièce une image dévastée.

Il ouvrit et découvrit Lynch – sa version joviale – et son sourire éclatant, son polo aux rayures multicolores et sa mallette usée qui détonnait avec le reste.

— J'ignore ce que vous proposez, mais je ne suis pas intéressé, déclara Ted en paraphrasant son autre moi.

— Oh, mais non, je n'ai aucune intention de vous vendre quoi que ce soit.

Au fil de leur échange, Ted estima que Lynch s'exprimait avec une trop grande spontanéité pour un homme qui répétait une scène déjà jouée. Il lui claqua de nouveau la porte au nez, mais cette fois, il n'attendit pas derrière le battant que Lynch lui révèle qu'il était au courant de ce qu'il s'apprêtait à faire. Il se précipita vers le réfrigérateur et regarda la photo de Holly sur la plage, figée dans sa course, entourée des gommettes collées par Cindy et Nadine. Il demeura là un instant, soulagé, promena un doigt sur le corps de sa femme comme s'il avait besoin du contact du papier glacé pour s'assurer que l'image existait bien.

Puis il glissa une main dans sa poche. Le fer à cheval était lui aussi bien réel. Alors qu'il le palpait sans le sortir, sa main effleura un bout de papier. Surpris, il sortit le mot qu'il avait lui-même écrit, tout froissé : *Ouvre la porte. C'est ta dernière chance.*

Il retourna ensuite au salon et accueillit le visiteur insistant. Toujours posté sur le pas de la porte, Lynch souriait au soleil de midi.

CHAPITRE 2

À genoux, Ted se prenait la tête à deux mains et se balançait doucement d'avant en arrière sans détacher les yeux de la photo de Holly sur la plage posée à quelques centimètres de ses pieds. Il devait comprendre.

C'est la tumeur…

Le docteur Carmichael lui avait dit que les migraines risquaient de revenir et qu'il aurait peut-être aussi des vertiges ou des hallucinations. Il ne rêvait pas, il le lui avait vraiment affirmé.

Oui, le docteur avait parlé d'hallucinations. Mais entre la situation qu'il endurait et voir un gnome courir dans le jardin, un arc-en-ciel dans les toilettes ou n'importe quelle autre crétinerie psychédélique, la différence était de taille.

Il s'obligea à se relever. Le poids du fer à cheval lui rappela qu'il y avait au moins un nouvel objet dans cette pièce. Il le sortit de sa poche et l'examina longuement. Il se rappelait parfaitement l'avoir ramassé sur le sentier qui menait à la maison de Wendell, et chaque détail de cette villa au bord du lac lui revint en mémoire avec beaucoup de précision. Le mot qu'il avait écrit était là, assez froissé pour lui prouver qu'il avait séjourné un certain temps au fond de sa poche.

Il s'accroupit un instant, posa le fer à cheval à côté de la photo – il déciderait plus tard s'il le prenait ou le laissait là où il était. Pour le moment, le plus urgent était de contacter Holly. En principe, il était convenu qu'il ne l'appellerait pas avant vendredi, quand elle rentrerait pour signer les papiers du divorce. Comment avait-il pu l'oublier ? Il lui avait dit qu'il aurait besoin de quelques jours pour que les avocats préparent le dossier, elle en avait profité pour rendre visite à ses parents avec les enfants, comme Ted l'avait prévu. Ils avaient eu une discussion amicale dans le salon et s'étaient dit au revoir calmement, comme si les bons Ted et Holly d'autrefois renaissaient de leurs cendres. Mais l'illusion n'avait duré que le temps d'une étreinte rapide et d'un petit sourire. Ce qui était survenu ces derniers mois avait fait table rase du passé sans qu'il soit possible de recoller les morceaux. Ted reconnaissait sa part de responsabilité. En vérité, presque tout était sa faute. Par la suite, il avoua à Laura Hill qu'il s'était trop investi dans son travail sans s'apercevoir qu'il s'éloignait, redevenait le Ted qu'il avait été dans son adolescence : le rebelle, l'incompris qu'il avait réussi à mater grâce à son amour pour sa famille. Il avait commencé à souffrir de migraines, était constamment de mauvaise humeur, au point que même les filles le considéraient avec méfiance. « Elles ont peur de moi, Laura, il n'y a rien de plus terrible que de voir la peur dans les yeux d'un enfant. J'ai l'impression que quelqu'un d'autre a pris le contrôle de mon corps. » Il avait consulté le docteur Carmichael – il souffrait de maux de tête de plus en plus violents et non plus une fois par jour, mais trois ou quatre. Il craignait le pire, une tumeur maligne. D'un autre côté, pouvoir justifier son comportement déplorable par une poignée de cellules mortes le soulageait.

Loin de l'affliger, la mauvaise nouvelle lui permit d'entrevoir clairement son destin. Et Laura lui fut d'un grand secours. Elle l'aida à se détacher de certaines vérités qui l'avaient longtemps tourmenté. Ses rapports avec ses filles et Holly s'améliorèrent, mais c'est alors que celle-ci demanda le divorce. « J'avais vraiment besoin qu'on puisse enfin discuter comme deux personnes civilisées. » Ils avaient eu une conversation pleine de respect. Elle souhaitait le lui annoncer elle-même plutôt que par l'intermédiaire de son avocat. Ils devaient mettre un point final à leur relation et rester en bons termes, comme au début. Ted était d'accord avec elle.

À présent, il comprenait mieux les motivations de Holly.

— Bonjour, Ted, lui dit-elle.

— Bonjour…

Chérie.

Il avait le cœur serré. À ses pieds, elle souriait sur la plage dans son bikini rouge, son préféré.

— Ça va ? reprit-elle.

— Oui. Désolé de te déranger sur ton portable.

— Ce n'est pas grave. Tu as un souci avec les papiers ?

— Non, le dossier sera bientôt prêt.

Elle garda le silence.

— Dis-moi… tu es bien chez tes parents, n'est-ce pas ?

Ou chez ton amant ?

— Je n'ai pas d'explications à te donner.

— Tu es avec nos filles, alors je crois tout au contraire avoir le droit de savoir.

Il regretta aussitôt d'avoir prononcé ces mots.

— Excuse-moi, souffla-t-il.

— Qu'est-ce que tu veux, Ted ? Je suis occupée.

Il était en pleine confusion. Si Holly le trompait, comme le lui avait dit Lynch, elle courait un danger certain car Wendell était un individu dangereux.

Tu ne connais pas Wendell.

— Fais attention à toi, Holly.

— Je fais toujours attention. Qu'est-ce que tu entends par là ? Y a-t-il quelque chose dont je ne serais pas au courant ?

Ted comprit qu'il devait trouver un prétexte pour justifier son appel.

— J'ai reçu d'étranges coups de fil à la maison et ça m'inquiète.

— Ah bon ? Quel genre de coups de fil ? Tu as prévenu la police ?

— Je ne pense pas que ce soit utile. Ils ont mentionné ton nom, c'est pour ça que je me suis fait du souci.

— Mon nom ?

Elle paraissait vraiment préoccupée.

— Ce n'est rien, mais tu comprendras qu'il fallait que je t'en parle.

— Oui, oui, bien sûr.

— Fais attention à toi, c'est tout.

— Oui, Ted. Merci.

Il ne put s'empêcher de sourire devant cette marque infime de reconnaissance.

— Au revoir, Holly.

— À vendredi, Ted.

CHAPITRE 3

— Aujourd'hui, j'ai failli mettre fin à mes jours, déclara Ted d'un ton neutre.

Assis dans son fauteuil habituel, à côté de Laura Hill, il étudia le verre d'eau au milieu de la table basse, puis releva la tête.

— Apparemment, ça ne vous préoccupe pas plus que ça, reprit-il en souriant timidement.

— Vous êtes là, répliqua-t-elle en lui rendant son sourire.

— J'ai passé une matinée complètement folle. Je ne sais pas par quoi commencer.

— On a le temps.

Ted était au cabinet depuis quelques minutes, si nerveux qu'il avait à peine regardé sa thérapeute.

— Vous avez dénoué vos cheveux.

Laura rougit et secoua la tête. Quelques mèches vinrent caresser ses joues – elles étaient d'un blond plus clair qu'avant.

— Hier, je suis allée chez le coiffeur. J'avais envie de changement.

Dans ses dernières hallucinations, la jeune femme avait toujours son chignon. À l'évidence, les tumeurs n'avaient cure des détails esthétiques.

Ce n'était pas une hallucination ! Lynch est vraiment passé te voir ce matin.

Le sourire de Ted s'évanouit. S'il lui fallait une preuve supplémentaire pour attester que les événements de ces derniers jours avaient bien eu lieu, elle était au fond de sa poche. Il avait trouvé le fer à cheval près de chez Wendell, un endroit qu'il se rappelait parfaitement, même s'il n'y était jamais allé auparavant.

— Que s'est-il passé ce matin, Ted ?

— J'étais dans mon bureau, un Browning sur la tempe quand, tout à coup, quelqu'un a frappé à ma porte de manière frénétique. C'est à ce moment-là que j'ai pris conscience de l'endroit où j'étais et de ce que je m'apprêtais à faire.

Laura affichait une expression indéchiffrable.

— Vous ne vous rappeliez pas avoir pris votre arme ?

— C'était même pire. Je ne me rappelais rien et encore maintenant, j'ai presque tout oublié de ce qui s'est passé ces derniers jours. Je n'ai que des images fragmentées, très confuses, parce que j'ai... c'est difficile à expliquer... j'ai d'autres souvenirs. Comme si je mélangeais tout à cause de cette tumeur.

— Décrivez-moi ce qui s'est passé ce matin. Vous étiez dans votre bureau, vous avez entendu frapper à la porte, et ensuite ?

— J'ai laissé une lettre que j'avais écrite pour Holly sur la table et un papier sur la porte du frigo pour lui conseiller de ne pas laisser les filles s'approcher. J'avais tout réglé jusque dans les moindres détails, mais j'en découvre toujours d'autres, des éléments du passé qui se révèlent à moi sans crier gare.

— Vous comptiez vraiment presser la détente ?

Il baissa la tête et se massa la tempe. Laura tendit une main pour serrer délicatement son épaule.

— Ted, restez avec moi, regardez-moi. Ce qui vous arrive... Qui a frappé à la porte ?

— Il s'appelle Lynch. Je pensais qu'il faisait du porte-à-porte et je voulais me débarrasser de lui, mais il m'a dit qu'il savait ce que j'allais faire dans mon bureau. Il avait vu mon arme, je ne me souviens plus trop des précisions qu'il m'a données, mais il parlait bien de mon Browning. Le plus incroyable, c'est que j'étais sûr d'avoir déjà vécu cet instant, je devinais toutes ses phrases, je savais d'avance ce qu'il allait me proposer. J'avais l'impression de revoir un film que je connaissais par cœur.

— Vous êtes certain que ce n'était pas la première fois que vous reviviez cette scène ?

— Non, c'est parce que je suis malade, Laura. D'après le docteur Carmichael, une tumeur présentant ces caractéristiques peut causer des hallucinations en comprimant certaines zones du cerveau et…

— Attendez, Ted. Nous en parlerons au docteur Carmichael au besoin, mais moi, j'aimerais savoir si vous avez vraiment pu croiser Lynch à un autre moment du passé, quand vous étiez plus jeune.

— C'est étrange que vous me posiez la question.

— Pourquoi ?

— Parce que dans mon imagination, j'ai revu Lynch quelques jours plus tard, et il paraissait avoir vieilli de dix ou quinze ans. Aussi vite que ça ! ajouta-t-il en claquant des doigts. Comme dans un rêve où les gens se métamorphosent en un clin d'œil.

Il hocha la tête et éclata de rire.

— Qu'est-ce qu'il y a ?

— Je me souviens d'avoir été ici même avec vous, poursuivit-il en regardant autour de lui. Vos cheveux étaient relevés, comme d'habitude, mais… c'est incroyable, je me souviens de détails insignifiants. Vous pensez que j'ai pu inventer toutes ces scènes ?

— Et de quoi parlions-nous pendant cette séance, Ted ?

Il fourra les mains dans sa poche et y palpa de nouveau le fer à cheval.

— Je vous expliquais pourquoi j'avais laissé tomber les échecs.

Laura Hill sembla étonnée.

— Qu'est-ce que vous avez dans cette poche ?

Il prit le fer à cheval par chaque extrémité, le lui montra et l'étudia longuement, comme s'il cherchait à résoudre un problème complexe.

— Miller vous l'a offert avant que vous arrêtiez de jouer aux échecs, n'est-ce pas ? lui demanda-t-elle à voix basse.

Il releva la tête, impressionné. Laura lui souriait gentiment.

— J'ai une excellente mémoire, que voulez-vous ? Quand vous m'avez parlé de Miller et de son porte-bonheur, j'ai compris que cet objet vous était très cher. J'ignorais que vous l'aviez sur vous.

— Oh, mais ce n'est pas celui de Miller. Il y ressemble, c'est vrai. Je l'ai trouvé… je ne sais plus où, j'ai oublié, dit-il en mentant.

Au bord du lac, près de chez Wendell !

— Vous venez de dire que cet homme, ce Lynch, vous avait fait une proposition. Laquelle ?

— Mon Dieu ! C'est tellement ahurissant… Il m'a dit qu'il était membre d'une organisation secrète qui recrutait des gens comme moi pour rendre justice et punir des assassins restés en liberté à cause d'une faille du système, ce genre de choses. En échange, ils me permettraient d'entrer dans une sorte de cercle de personnes suicidaires. Bien sûr, il n'a pas employé ces termes-là.

— Vos proches n'auraient donc pas à surmonter votre suicide ? lança Laura, admirative.

— Exact.

— Il faut avouer que c'est ingénieux. Effrayant aussi. C'était la première fois que vous entendiez parler de cette organisation ?

— Oui.

— Et quel homme deviez-vous tuer au nom de la justice ?

— Un certain Edward Blaine, innocenté après avoir tué sa petite amie.

— Je vois. J'ai découvert cette affaire en regardant le journal télévisé. La sœur de cette femme a demandé qu'il soit rejugé. Elle est persuadée qu'il y a eu une erreur.

L'image de Tricia Pendergast exposant les faits lui revint en mémoire.

— Apparemment, il y avait une teinturerie sous l'appartement de cette femme, et un tuyau de ventilation a empêché la température du corps de descendre.

— Et que faisiez-vous dans cette… vue de l'esprit, Ted ?

— Une « vue de l'esprit »… c'est ridicule.

— Je sais.

— Laura, vous croyez que ces souvenirs font réellement partie de mon passé ?

— Certains éléments, sans doute, mais concentrons-nous sur ce que vous vous rappelez. Quels sentiments vous inspirait Blaine ?

— J'avais envie de le tuer. Même si je trouve aujourd'hui que c'est absurde, ça me paraissait tout à fait logique dans cette réalité parallèle. Aussi raisonnable que de me suicider. Je suis donc allé chez lui, j'ai des souvenirs très nets de sa maison, je suis sûr que j'y suis allé. Je me suis caché dans un placard et j'ai attendu qu'il s'endorme, après quoi je l'ai tué.

— Comme ça ? De sang-froid ?

— Non. Blaine s'était aperçu de ma présence et il ne m'a pas facilité la tâche. Mais j'ai quand même réussi à le tuer.

— Et ensuite ?

— À partir de là, c'est devenu comme dans un rêve. Je suis allé chez l'autre homme que je devais assassiner, Wendell, qui était supposé m'attendre parce qu'il faisait partie du cercle. La maison était gigantesque, complètement isolée au milieu de la forêt, à côté d'un lac privé. Je l'ai attendu à l'intérieur et quand il est entré, je lui ai tiré dessus. A priori, Wendell n'était pas marié et n'avait pas d'enfants, Lynch ne m'en avait pas parlé, mais quelques minutes plus tard, j'ai vu arriver une femme et deux petites filles.

— Vous venez pourtant de dire qu'à votre connaissance, il n'était pas marié et n'avait pas d'enfants.

— C'est ce que je pensais. Lynch avait passé cette information sous silence parce qu'il savait que dans ces conditions, je n'aurais jamais accepté de commettre ce meurtre.

— Comment pouvez-vous en être certain ?

— Il me l'a avoué par la suite.

— Vous l'avez donc revu !

— Oui. Quand j'ai découvert qu'il m'avait menti, j'ai fait appel à un ancien camarade d'école, Arthur Robichaud, qui est avocat et que je n'avais pas vu depuis des années. C'était un garçon timide et solitaire. Mes copains et moi, on le persécutait, on lui infligeait des brimades, le genre de choses qui vous poursuivent toute une vie, j'imagine. En tout cas, je suis allé chez lui le jour où il fêtait son anniversaire. Il y avait d'autres anciens élèves, tous des loosers, comme Arthur, que j'ai eu du mal à reconnaître.

— Attendez, l'interrompit Laura. Plusieurs avocats travaillent avec vous. Pourquoi ne pas avoir fait appel à eux ?

— Arthur m'avait aidé à rédiger un testament.

En prononçant ces mots, Ted prit conscience que ce qu'il disait n'avait aucun sens. Dans ses « vues de l'esprit », il était sûr d'avoir eu recours aux services de Robichaud, lequel s'était d'ailleurs comporté avec lui comme s'ils s'étaient déjà revus, et pourtant...

— Robichaud vous a aidé à retrouver Lynch ?

— Qu'est-ce qu'il y a derrière tout ça, Laura ? demanda-t-il en enfouissant sa tête entre ses mains. J'ai l'impression de vivre un rêve éveillé. Quand je repense à cette fête d'anniversaire chez Robichaud... il y avait aussi un animal, un opossum, qui m'apparaissait constamment.

— Un « opossum » ? répéta la psychothérapeute en se redressant sur son siège.

— Oui. Je l'ai vu plusieurs fois : sur une table devant chez moi, mais je m'en souviens à peine ; dans le jardin d'Arthur, caché dans un vieux pneu, et au cabinet de Lynch.

— À son cabinet ?

— Il est sorti d'un meuble de classement, dit-il en hochant la tête. Ça semble stupide, mon Dieu ! s'exclama-t-il en riant. J'aimerais tellement que ce que je vous raconte soit un rêve.

— On n'a qu'à faire comme si c'était le cas, Ted. Dites-moi ce qui s'est passé dans le bureau de Lynch.

— Il avait vieilli. C'était un homme de mon âge ou même un peu plus vieux que moi. Je l'ai menacé et il a fini par m'avouer que, en effet, Wendell avait une femme et des filles. Il m'a aussi révélé quelque chose d'horrible.

— Quoi ?

— Que Wendell n'avait pas d'instincts suicidaires, qu'il était membre de l'organisation, dit-il, les yeux rivés sur le verre d'eau. Et qu'il s'était... écarté du droit chemin.

— Il tuait des gens pour son propre compte ?

Il eut une réaction de surprise. L'hypothèse de Laura paraissait insensée, mais elle ne se trompait pas.

— Oui. Et Lynch pensait qu'il fallait le stopper.

— Pourquoi vous avoir désigné ?

Il était temps d'aborder le cœur du problème. Si ce délire comportait une part de vérité, Ted craignait que ce soit l'infidélité de Holly. Le reste n'était peut-être que fioritures macabres de son inconscient pour masquer une réalité dévastatrice.

— Lynch avait suivi Wendell et découvert qu'il avait une maîtresse...

Il laissa sa phrase en suspens, les mains crispées sur le fer à cheval. Sans trop s'en rendre compte, il tirait de chaque côté, comme pour le redresser.

— Holly, n'est-ce pas ?

Il acquiesça en silence.

— Vous voulez un peu d'eau, Ted ?

— Non merci.

— Vous avez téléphoné à Holly aujourd'hui ?

— Oui, on a eu une conversation amicale. Je ne lui ai rien dit.

— Bon. Je crois qu'on va en rester là.

— Qu'est-ce que ça signifie, Laura ? souffla-t-il. Est-il possible que j'aie été au courant pour Holly ? En y réfléchissant, certains indices me...

— On en reparlera plus tard, Ted. Pour le moment, la séance est terminée.

— D'accord.

— J'aimerais qu'on se voie tous les jours, Ted.

— Parfait.

— Essayez de vous reposer.

Il se leva, imité par Laura.

— Ted ? (Il la regarda.) Ne sortez pas de chez vous, compris ?

— Oui.

Quelque chose lui revint alors en mémoire, un détail de cette réalité distordue.

— Votre fils est scout, n'est-ce pas ? demanda-t-il.

— C'est exact.

— Dans mon… rêve, vous aviez un problème à propos d'une autorisation pour une excursion. Quelqu'un vous téléphonait à ce sujet au milieu de notre séance.

Elle sourit, pointa un doigt sur le téléphone qui n'avait pas sonné une seule fois depuis qu'il avait pénétré dans son cabinet.

— Heureusement, il ne s'est rien passé de tout ça, dit-elle.

Ted gagna la porte en serrant toujours le fer à cheval dans ses mains.

— Carmichael avait raison de dire que la thérapie m'aiderait, déclara-t-il, plus pour lui-même qu'à l'intention de Laura Hill.

CHAPITRE 4

Ted fixait l'endroit où il avait trouvé le fer à cheval sur le chemin de terre battue, vers la maison de Wendell qui émergeait du feuillage des arbres un peu plus loin. Il leva la tête pour l'observer, persuadé de s'y être déjà rendu. Il savait que s'il s'en approchait, s'il entrait et parcourait les lieux, ses souvenirs se mêleraient à la réalité et il serait incapable de les dissocier.

Il avait promis à Laura Hill de rester chez lui, mais son besoin de savoir avait été plus fort que tout. Il ferma les yeux et inspira profondément à plusieurs reprises, s'appliquant à se remémorer les détails qu'il connaissait : le ponton privé, l'immense salon avec vue panoramique sur le lac, l'aire de jeu à l'arrière. À ceci près qu'il était supposé voir les lieux pour la première fois.

Mais non, tu es déjà venu ici ! Tu as assassiné Wendell. Quand tu as appris qu'il était l'amant de Holly, tu as perdu la raison et tu l'as tué. C'est aussi simple que cela. Ensuite, tu es devenu membre de ce club de dingues pour ne pas affronter la réalité.

Si les faits s'étaient déroulés ainsi, il n'allait pas tarder à le vérifier. Cent cinquante mètres le séparaient de la maison de Wendell. Il avait délibérément laissé le Browning chez lui. Dans sa main droite, il serrait le fer à cheval avec lequel il pourrait se défendre en cas de danger, mais qui lui servait surtout à se donner le courage nécessaire.

La Lamborghini étant garée au même endroit que dans son souvenir, il pensa trouver Wendell sur le lac, en train de pêcher tranquillement. Ses espoirs furent déçus. Il se tenait sur la rive, près du ponton, mais il eut beau scruter l'immense étendue d'eau, il ne vit pas le gilet de sauvetage orange du propriétaire du domaine. Il n'y avait aucune trace de sa présence. Il songea que Wendell était peut-être allé de l'autre côté. Au-dessus de lui, il remarqua une des nombreuses caméras de surveillance et lui adressa un sourire.

La porte d'entrée était fermée, autre changement par rapport à sa « visite » précédente. Il s'avança vers une des baies teintées, les mains en visière pour observer l'intérieur. Peu lui importait que Wendell l'aperçoive, bien au contraire. Il s'abîma dans la contemplation du tapis sur lequel sa victime s'était effondrée : rien ne permettait de conclure qu'un homme y avait agonisé en se vidant de son sang. C'était le genre de détail qui l'exaspérait. Il s'habituait peu à peu à l'idée de s'être rendu à cet endroit et de l'avoir oublié, mais quelle crédibilité donner à l'image du corps de Wendell étendu sur ce tapis ?

Il fit le tour de la maison afin de trouver un autre accès. Il aurait pu sonner ou frapper à la porte, mais il préférait inspecter un peu les lieux avant d'affronter Wendell. Si Lynch avait dit la vérité, cet homme était un dangereux assassin, et si le mari de sa maîtresse venait le trouver seul et désarmé, Ted imaginait déjà sa réaction. Il regretta un instant de ne pas avoir pris le Browning, même s'il s'agissait d'une décision mûrement réfléchie. Il n'était pas un tueur.

Pas de Wendell non plus de l'autre côté du lac ; son canot attendait, amarré au ponton. Ted longea l'arrière de la maison et tenta d'ouvrir l'immense garage qui pouvait abriter plusieurs véhicules. Là non plus, il n'eut pas de chance. Il envisageait de briser une vitre avec le fer à cheval quand son regard se posa sur l'aire de jeux aménagée le long d'une pente douce. Un joli château rose en bois peint s'y dressait, petit jouet qui devait coûter une fortune. Un sentier de gravillons blancs bordé de rochers permettait d'y accéder. Ted monta la côte et observa le château miniature. Haut d'environ deux mètres, une tour à chacun des quatre coins et des princesses des studios Disney ornant les murs : Belle, Tiana, Ariel… Il les connaissait toutes. Il ne résista pas à la tentation de s'approcher et de regarder par une des fenêtres. À l'intérieur, il découvrit une petite table en plastique et deux chaises.

— Qui êtes-vous ? demanda quelqu'un dans son dos.

Ted avait toujours le front plaqué contre la vitre quand il entendit la voix de Wendell, qu'il ne connaissait pas. Elle lui sembla cependant d'une familiarité étonnante, encore plus révélatrice que son aspect. Ted leva les mains pour lui faire comprendre qu'il n'était pas venu l'agresser et écarta la tête de la fenêtre.

— Je m'appelle Ted, annonça-t-il en se retournant.

Il n'avait pas besoin de le préciser, Wendell l'identifierait dès qu'il verrait son visage. Il savait peut-être même déjà qui était son visiteur et jouait avec lui.

Mais le maître des lieux haussa les sourcils d'un air déconcerté. Debout à la lisière de la forêt, il portait la tenue que Ted avait gardée en mémoire : un jean, une chemise à carreaux bleue et un gilet de sauvetage orange. Que faisait-il dans la forêt avec ce gilet ?

— Qu'est-ce que vous faites chez moi ? Vous êtes seul ? lui demanda-t-il, sincèrement étonné.

Ted songea à sa voix.

Pourquoi ai-je l'impression de l'avoir déjà entendue ?

— Oui, je suis seul.

Wendell paraissait réellement stupéfait. Par instants, il regardait autour de lui.

— C'est Lynch qui vous envoie ?

Ted sourit. Ils commençaient enfin à se comprendre.

— Vous savez, Ted, je ne sais pas d'où vous sortez. Si Lynch vous a chargé de me supprimer, c'est qu'il est vraiment stupide. Vous ne feriez pas de mal à une mouche.

Comme par enchantement, un pistolet apparut dans la main droite de Wendell. Concentré sur son visage, Ted ne l'avait pas vu.

— Je suis le mari de Holly, dit-il pour sa défense.

C'était la première chose qui lui était venue à l'esprit.

Les traits de Wendell se détendirent aussitôt. De sa main restée libre, il se massa le menton.

— Intéressant, dit-il. Entrez.

— Ici ? demanda Ted en désignant le château.

— Bien sûr. Je n'ai pas l'intention de vous laisser mettre un pied chez moi. Ceci n'est qu'une sécurité, précisa-t-il en agitant son arme. Si nous nous entendons, vous sortirez d'ici vivant. Je ne veux pas abîmer le château de mes filles.

La construction miniature comportait une porte à double battant qu'un enfant pouvait franchir sans se baisser, mais Ted dut s'accroupir. Le sol était recouvert d'un revêtement en caoutchouc. En plus de la table en plastique et des chaises, il remarqua une étagère sur laquelle était posé un service à thé. Wendell lui emboîta le pas et tous deux s'installèrent sur les chaises comme deux géants envahissants. Il faisait plus chaud qu'à l'extérieur et il n'y avait pas le moindre souffle d'air. Wendell posa son automatique sur la table.

— Toute cette histoire est ridicule, lança Ted.

— Alors comme ça, Holly est votre femme, récapitula Wendell, visiblement très intéressé. Et Lynch vous a envoyé ici pour me tuer. Laissez-moi deviner : il vous a dit que Holly et moi étions amants, n'est-ce pas ?

— Et d'autres choses encore.

— Je vois. Il faut que je sache tout ce qu'il vous a raconté sur moi, ajouta-t-il après un silence.

— Certainement pas.

— C'est bizarre, mais j'ai eu un instant l'impression de ne pas avoir d'arme.

Ted soupira. Il sentait battre ses tempes. Il était allé chez Wendell pour s'assurer qu'il ne l'avait pas assassiné, mais maintenant qu'il se tenait en face de lui, il ignorait quoi faire. Tout ce qu'il savait, c'était que si ce type était dangereux, il devait le vérifier pour le bien de Holly.

— Lynch m'a parlé de l'organisation dont le but est de remédier aux failles du système et de rendre justice. Il m'a dit que vous faisiez cavalier seul, que vous agissiez pour votre propre compte, sans respecter les règles. Et il m'a en effet demandé d'en finir avec vous.

Wendell hocha la tête, l'expression de son visage altérée par la colère.

— Quel salaud ! souffla-t-il pour lui-même.

— Pourquoi ?

— L'organisation n'existe pas, Ted. Je connais Lynch depuis l'université. Il est vrai qu'à l'époque, cette idée absurde lui est venue à l'esprit. Nous étions alors très liés, mais vingt ans se sont écoulés depuis, au cours desquels nous nous sommes vus de manière épisodique, même si notre amitié n'était plus aussi forte. Il y a quelques mois, il a voulu me faire chanter pour une vieille histoire qu'il est inutile que je vous détaille ici. C'était idiot de sa part et j'ai vite trouvé son talon d'Achille. Il est intelligent, mais n'a pas su surveiller ses arrières. Vous comprenez ?

— Non.

— C'est Lynch qui a une liaison avec votre femme, pas moi.

— Pardon ?

— J'ai engagé deux personnes pour le suivre. Elles ont découvert qu'il fréquentait une femme mariée et ont pris toute une série de photos. Je les lui ai envoyées en lui disant que la prochaine fois qu'il s'amuserait à ce petit jeu, j'irais plus loin. Depuis, je n'ai plus de ses nouvelles.

— Décrivez-moi ces photos.

— Pourquoi ?

— S'il vous plaît.

— Vous savez, je ne les ai pas trop regardées.

— Certaines ont-elles été prises dans un restaurant ?

— Oui, de l'extérieur, derrière une baie vitrée. Ils étaient face à face et il lui tendait sa cuillère.

Ted se rappela cette image qu'il n'avait pas vue entièrement. Si Wendell disait vrai, l'homme qui mangeait avec Holly était Lynch.

— Vous ne comprenez donc pas ? Lynch est allé vous chercher, il vous a berné avec toute cette histoire pour faire d'une pierre deux coups.

Son raisonnement se tenait, mais Ted n'avait pas envie d'y croire aveuglément. Il faisait confiance à Lynch, même si cela ne lui avait créé que des ennuis.

— Pourquoi veut-il votre mort ? demanda-t-il en cherchant une position plus confortable sur la petite chaise.

— Tout d'abord parce que je suis au courant de sa liaison, et puis Lynch a toujours été jaloux de moi, et ça ne s'est pas arrangé au fil des années. Son ressentiment à mon égard a ébranlé notre amitié au point de la briser. Regardez où je vis, la voiture que je conduis, ma famille. Je dirige une entreprise qui fait des millions de dollars de bénéfices par an. Vous avez dû voir le cabinet miteux où il travaille. Il s'occupe de femmes délaissées et d'autres affaires insignifiantes. On ne peut pas me reprocher de ne pas l'avoir aidé au début... mais pour chaque bonne décision que je prenais, lui s'enfonçait. Vous trouvez que ce n'est pas un motif suffisant pour souhaiter ma mort ? Mais comme ce lâche n'ose pas passer à l'acte, il a fait appel à vous et a inventé cette histoire d'organisation abracadabrantesque.

Ted réfléchit. Il n'avait toujours pas la réponse à certaines questions essentielles. Comment Lynch avait-il su qu'il projetait de se suicider ? Il trouvait incroyable qu'il ait pu créer de toutes pièces ce cercle de personnes suicidaires en quelques minutes à peine. Pour son suicide, il était probablement au courant depuis longtemps, mais comment l'avait-il appris ? Et pourquoi ne pas le laisser en finir avec sa vie pour vivre son idylle avec Holly ?

Tu ne voulais pas te suicider.

— À quoi pensez-vous ? lui demanda Wendell.

— Je nage en pleine confusion.

— C'est pourtant simple, je vous assure. Justin n'aurait jamais osé se planter en face de moi et presser la détente. Il n'a pas assez de cran pour ça. Il lui fallait quelqu'un comme vous et il vous avait sous la main. Ce qui m'étonne, c'est qu'il vous ait cru capable de le faire. Il est clair qu'il n'a pas misé sur le bon cheval.

Ted se sentit bêtement offensé. Dans son imagination, il avait tué Blaine et Wendell en vrai professionnel. Il avait même administré des calmants au chien du premier !

En réalité, Ted s'était malheureusement contenté d'abattre les silhouettes noires du champ de tir. Wendell avait raison : il était incapable de tuer qui que ce soit.

Une faille persistait dans le raisonnement de Wendell : s'ils ne s'étaient jamais rencontrés, pourquoi Ted avait-il des souvenirs si nets de sa maison ?

Tu n'y es jamais allé. C'est la première fois que tu mets les pieds ici.

Cette pensée désespérante revenait le hanter. Il aurait voulu se raccrocher aux sensations qu'il avait eues en arrivant à pied sur le chemin de terre. Il s'était rappelé chaque détail de la maison avant même de s'en approcher. Ces souvenirs étaient réels. Il devait s'y raccrocher. Il songea au fer à cheval et se dit que s'il le serrait avec force, ses doutes se dissiperaient. Il glissa une main dans sa poche.

Sur ses gardes, Wendell empoigna son arme à la vitesse de l'éclair.

Ted ne tarda pas à comprendre que ce n'était pas son geste qui lui avait inspiré cette réaction intempestive. L'arme braquée sur Ted, Wendell regardait par une des fenêtres du petit château.

— Je croyais que vous étiez seul ! s'écria-t-il sans se détourner de la fenêtre.

— C'est le cas, protesta Ted.

— Eh bien, on vous a suivi.

De là où il se tenait, Ted ne voyait rien. Il se pencha légèrement et découvrit, pétrifié, un homme noir en blouse blanche qui se dirigeait vers la maison. C'était Roger, le type bizarre que Ted se rappelait avoir croisé dans le salon de Blaine, juste avant de quitter les lieux.

— Vous le connaissez ? demanda Wendell sans baisser son pistolet. Qu'est-ce qu'il fait chez moi ?

— Je ne suis pas sûr de le connaître.

— « Pas sûr » ? s'étrangla Wendell.

Roger marchait d'un pas nonchalant, les mains dans les poches. Au coin de la maison, il tourna vers le lac et s'éloigna du château.

— Il va partir.

— Pour aller où ? Ici, il n'y a rien à trois kilomètres à la ronde. Qu'est-ce qu'il fait chez moi ?

CHAPITRE 5

L'apparition de Roger dans la propriété de Wendell fut la deuxième connexion directe entre ses *vues de l'esprit* (il n'aimait pas cette expression, mais quelle importance ?) et le présent. L'autre lien qui lui avait permis d'associer son imaginaire au monde réel était le fer à cheval et le mot qu'il avait trouvé dans son bureau.

Wendell le poussa sans ménagement hors du château.

— Vous connaissez ce type, oui ou non ?

— Oui, il me semble l'avoir déjà vu quelque part.

Wendell soupira et leva les yeux au ciel comme s'il cherchait une explication au comportement de Ted. Il le saisit par les revers de sa veste.

— Concentrez-vous ! lui ordonna-t-il en approchant son visage du sien. Vous pensez que cet homme vous a suivi ou qu'il est venu vous chercher ici par hasard ?

— Je pencherais pour la deuxième réponse.

Wendell le relâcha. Il se massa le menton, jeta un coup d'œil de chaque côté du château miniature et réfléchit, les yeux rivés sur les gravillons blancs de l'aire de jeux.

— Venez avec moi, dit-il.

Tous deux s'enfoncèrent dans la forêt.

— Où allons-nous ?

— Je veux vous montrer quelque chose que j'ai dans la voiture, mais je préférerais que ce type ne nous voie pas.

Ils marchèrent le plus discrètement possible et contournèrent la maison jusqu'au chemin de terre. À cet instant, Roger devait se trouver derrière la villa, si bien qu'il ne les voyait pas. Avant qu'ils aient atteint la voiture, le coffre s'ouvrit automatiquement.

Il contenait des cartons empilés avec soin. Wendell en sortit un, en souleva le couvercle et y prit un dossier qu'il tendit à Ted.

— Qu'est-ce que c'est ?

— Dépêchez-vous, le pressa Wendell en agitant le dossier. Quelqu'un rôde autour de la maison, nous n'avons pas beaucoup de temps devant nous.

Ted prit la chemise cartonnée identique à celles que lui avait confiées Lynch. Il l'ouvrit et vit la photographie de Holly au restaurant. Wendell lui avait dit la vérité. Sur le cliché, on distinguait parfaitement Lynch en train de tendre une cuillère à sa femme. L'image avait été prise récemment, cela ne faisait aucun doute : les cheveux plus courts et plus clairs de Holly l'attestaient. Ted étudia la photo suivante. Tous deux marchaient sur un trottoir au milieu des passants. Ils se tenaient par la main ! Sur la troisième…

Wendell lui arracha le dossier.

— Inutile que vous en voyiez davantage.

Ted resta immobile, les paumes offertes, incapable de réagir.

— Alors, vous êtes convaincu maintenant ? Il n'y a aucune organisation, Lynch vous a mené en bateau ! Il voulait se débarrasser de vous en vous faisant accuser de MON assassinat. Nous nous occuperons de lui plus tard. Pour le moment, nous avons d'autres soucis.

Hébété, Ted ne disait rien. Wendell le secoua pour le ramener à la réalité.

— Écoutez, vous allez marcher dans cette direction, traverser le bois et atteindre la route. C'est un peu plus long que par le chemin, mais je ne veux pas que ce type vous voie. Vous savez comment il s'appelle ?

— Roger, je crois, murmura Ted.

— Bien. Je vais donc m'occuper de notre ami Roger, déclara Wendell en sortant son arme.

— Mais que comptez-vous faire ? demanda Ted, les yeux écarquillés.

— Il est à l'intérieur de ma propriété, répondit Wendell en souriant. Ne vous inquiétez pas, je vais seulement lui flanquer une bonne frousse. Je vous appellerai plus tard.

Ted s'éloigna. Il ne regarda qu'une seule fois par-dessus son épaule. Il songea ensuite qu'il n'avait pas donné son numéro de téléphone à Wendell et pouffa de rire à cette idée. Quelque chose lui disait que cela ne constituait pas vraiment un obstacle.

CHAPITRE 6

Dans le salon, la porte-fenêtre avait été remplacée par des panneaux en bois. De l'intérieur, Ted ne disposait que d'une petite ouverture, mais il savait que la façade était rose et ornée des princesses des studios Disney.

Il avança à tâtons. Il faisait nuit, seul un petit carré de lumière le guidait. Il n'entendait que le bruit de succion des vagues qui venaient mourir dans le jardin. Il gagna la fenêtre, se baissa pour voir au travers, comme il l'avait fait chez Wendell.

Les langues d'écume atteignaient le bas de la pente. Sur la vaste étendue d'eau, des crêtes blanches resplendissaient dans les lueurs bleutées de la lune. Ted s'accroupit, passa un bras hors de l'ouverture et l'agita de manière insistante jusqu'à ce que le capteur de mouvement s'active et que l'unique lampadaire de la terrasse s'allume. Il n'y avait aucune trace d'opossum ni de Holly. En revanche, l'échiquier en bois était toujours au pied du barbecue.

Ted tendit le bras au maximum, ses doigts effleurèrent la boîte, mais en voulant la prendre, il obtint l'effet contraire et l'éloigna de quelques centimètres. Il se releva, introduisit l'épaule dans l'ouverture jusqu'à ce que l'encadrement lui fasse mal au cou et aux côtes. Il renouvela sa tentative, à l'aveuglette, car le visage plaqué contre le mur, il ne voyait que le salon plongé dans la pénombre. Il parvint à toucher un coin de l'échiquier et, du bout des doigts, le rapprocha légèrement. Il ne savait pas pourquoi cette boîte l'intéressait tant, mais il éprouvait le besoin impérieux de l'ouvrir. Elle n'avait pas bougé et il n'arrivait pas à mettre la main dessus. La pensée absurde qu'elle lui échappait constamment et flottait sur l'océan lui traversa l'esprit. Chaque fois qu'il était sur le point de l'atteindre, il avait l'impression que son bras était un membre élastique très long qui sortait de la fenêtre du château et s'étendait vers l'échiquier. Il avait beau redoubler d'efforts, la boîte se trouvait toujours trop loin pour qu'il puisse même à peine la toucher.

Obstiné, il réessaya à plusieurs reprises, esquissant des mouvements de brasse, à l'image d'un nageur désespéré. Ses doigts repliés comme des griffes se plantaient dans le bois sans jamais se saisir de la boîte. Il se sentait impuissant, le cadre de la fenêtre exerçait une pression sur son corps endolori et sa joue commençait à s'engourdir.

Abattu, il se laissa tomber et son bras retrouva sa taille normale. Il resta un moment accroché au rebord de la fenêtre, le bras d'un côté et le torse de l'autre, le temps de reprendre son souffle, puis il se pencha de nouveau et vit l'échiquier près du barbecue, au même endroit qu'auparavant, le couvercle intact.

Il redressa la tête en entendant du bruit, distingua sur l'eau une forme étrange, une carapace ruisselante qui se révéla être le toit d'une voiture qu'il reconnut aussitôt : la Mustang rouge que son père possédait quand il était petit. La partie arrière émergeait lentement, la carrosserie était rouillée et couverte d'algues, mais il n'y avait aucun doute possible. Elle s'immobilisa à mi-hauteur des portières et, comme par magie, le coffre s'ouvrit. Une peur viscérale le gagna. Il ne voulait surtout pas voir ce qu'il y avait à l'intérieur.

Roger surgit d'un côté de la maison, esquissa un geste du bras, comme pour inviter quelqu'un à danser. Alors une main jaillit du coffre et prit la sienne. Holly s'extirpa de la voiture avec difficulté, et pour cause : il lui manquait une jambe. Elle portait son bikini préféré, le même que celui de la photographie, sauf que le rouge avait terni. Sa peau était blanche et savonneuse, et son visage amaigri avait perdu toute trace d'humanité. Amputée d'une jambe, elle ne pouvait selon toute vraisemblance plus se déplacer normalement. Roger la guidait.

Ils atteignirent la terrasse et en montèrent lentement les marches. À cet instant, Holly remarqua le mur rose qui s'élevait devant elle. Un petit sourire se dessina sur ses lèvres à mesure qu'elle découvrait les princesses, mais sa joie se dissipa quand elle se heurta à la fenêtre et à Ted. Elle lui lança un regard accusateur et chargé de reproches qui lui donna envie de disparaître à l'intérieur sans y parvenir, à croire que cette décision ne lui appartenait pas. Après l'avoir considéré d'un air méprisant, Holly se dirigea vers le barbecue, toujours secondée par Roger, qui ne semblait pas avoir vu Ted, trop absorbé par sa tâche d'accompagnateur.

Holly lui montra la boîte, il se baissa et la souleva délicatement à deux mains pour la lui remettre. Elle la serra contre elle comme un nouveau-né, jalousement, pour faire comprendre à Ted qu'elle était sa propriété, puis pivota lentement, toujours couvée du regard par Roger. Ted eut un coup au cœur en étudiant ce corps décharné, émacié, qui n'avait rien à voir avec celui qu'il avait connu, splendide et musclé.

Holly et Roger regagnèrent la mer et elle retourna dans le coffre de la Mustang. La carrosserie monstrueuse n'avait pas bougé et les attendait, la gueule béante. Avant que le coffre ne se referme, Holly se tourna une dernière fois vers Ted pour lui lancer un regard impitoyable.

N'ayant pas le choix, Ted se détourna, puis sortit de son sommeil.

CHAPITRE 7

— Dans le château des filles de Wendell ? demanda Laura, contrariée.

— Oui, répondit Ted, étonné que la psychothérapeute s'arrête précisément sur ce détail. Je m'en suis approché par curiosité, en me disant que mes filles auraient adoré posséder ce petit palais. C'est alors que Wendell m'a surpris et m'a fait entrer. Pourquoi là, précisément ?

Laura Hill sourit.

— Je ne sais pas. Peut-être qu'avant de vous recevoir chez lui, il voulait être sûr de connaître les raisons de votre présence dans sa propriété.

— Sans doute, oui.

— Pouvez-vous me décrire le château ?

— C'est vraiment important ? demanda-t-il en fronçant les sourcils.

— Oui. Je trouve étrange que vous m'en ayez parlé en premier, parce que, d'après ce que vous me dites, il est en retrait par rapport à la maison.

— Oui, à une cinquantaine de mètres. Il y a une aire de jeux à la lisière de la forêt. Le château attire le regard : il est rose et les princesses des studios Disney sont dessinées debout l'une à côté de l'autre tout autour, sur les murs. Une tourelle avec des coupoles en pointe s'élève à chacun des quatre coins. Il y a aussi des auvents au-dessus des fenêtres. C'est une construction très bien conçue.

— Vous venez de dire que vos filles auraient aimé avoir un château tel que celui-ci, c'est ce que vous avez pensé en le voyant. Dans ce cas, pourquoi ne pas leur en avoir acheté un ?

— Eh bien, parce qu'elles sont déjà très gâtées. Je gagne bien ma vie, vous savez.

— Mais vous ne leur avez pas offert ce genre de château. Pourquoi ?

Ted perdait pied. En général, Laura orientait rarement les séances de cette manière.

— Je vais formuler ma question différemment, reprit-elle. Vous avez un bon niveau de vie et je ne doute pas que vous ayez acheté des tas de jouets à Cindy et à Nadine, mais quand vous avez vu ce magnifique château, vous vous êtes dit qu'elles n'avaient jamais possédé un jouet pareil.

— Je ne comprends pas l'importance que vous y accordez. J'ai vu ce château et j'ai pensé à elles, voilà tout... Elles me manquent, peut-être qu'en apercevant cette construction miniature, j'ai eu l'impression de me rapprocher d'elles et j'ai imaginé les réflexions qu'elles m'auraient faites si elles avaient été avec moi. Je ne trouve rien d'extraordinaire à ça.

Laura garda le silence.

— Je pensais qu'on parlerait plutôt de Lynch et de Holly, ajouta-t-il en hochant la tête. J'ai besoin que vous m'aidiez à comprendre.

— Oui, vous avez raison. Parlons-en, dit-elle en lui adressant un grand sourire. Wendell vous a donc dit que cette organisation était au départ une idée saugrenue que lui et Lynch avaient eue à l'université, et qu'avec le temps, leurs relations s'étaient tendues.

— C'est ça. Apparemment, Lynch a voulu le faire chanter, j'ignore pourquoi. Pour se protéger, Wendell l'a alors fait suivre et a découvert sa liaison avec Holly.

— Et vous l'avez cru ? D'après ce que vous me dites, Wendell n'est pas quelqu'un de fiable.

— Je n'ai même pas eu besoin de me poser la question parce que quand nous sommes sortis du château, il m'a montré des photos qui ont dissipé mes doutes.

— Il vous a fait entrer chez lui ?

— Non, il avait des dossiers dans le coffre de sa voiture.

Laura observa un moment de silence.

— Comment vous sentez-vous après ces révélations, Ted ?

— Je ne suis pas fâché, si c'est ce que vous voulez dire. Mon mariage battait de l'aile à cause de moi. Hier, j'ai encore rêvé de Holly.

Au cours des minutes suivantes, il lui décrivit le rêve qui se déroulait sur sa terrasse, à l'arrière de chez lui. Quand il mentionna une nouvelle fois le château rose, Laura ne cacha pas son intérêt, ses yeux brillaient, elle était convaincue d'avoir mis le doigt sur un détail crucial. Ce château semblait revêtir une importance capitale. Ted préféra ne pas mentionner la présence de Roger aux côtés de Holly. Il n'était pas prêt, pas encore.

— La présence de l'échiquier m'intrigue, dit Laura. C'est un objet intimement lié à votre passé. Dans votre rêve, Holly le prend et vous adresse un regard méfiant, comme si elle cherchait à le protéger.

— Exactement, c'était affreux.

— Qu'avez-vous ressenti ?

— Dans son regard, elle me reprochait d'avoir voulu lui subtiliser quelque chose qui lui appartenait. Or, elle n'a jamais vu cette boîte de sa vie. Moi-même, cela faisait des années que je ne l'avais pas eue entre les mains. Vous avez raison, je crois qu'elle symbolise mon passé, l'homme que j'ai été. Et que Holly m'ait toisé d'un air soupçonneux en ayant entre ses mains un objet qui me représente est lourd de signification, même s'il ne s'agit que d'un rêve. Aujourd'hui, la réalité est bien différente.

Ils étaient si absorbés par leur conversation que ce n'est qu'à ce moment-là qu'il s'aperçut que Laura Hill n'avait pas tiré les rideaux : il faisait beau et les rayons du soleil entraient dans la pièce. Ted observait fixement la fenêtre, aveuglé par la lumière. Quand il s'en détourna, il remarqua sur le visage de Laura un carré d'ombre qui ne tarda pas à s'évanouir.

— Bon, Ted, dites-m'en plus sur cet échiquier.

Il hocha la tête.

— Il appartenait à mon grand-père Elwald. C'était un étui rectangulaire à peu près de cette taille, précisa-t-il en lui en indiquant les dimensions comme s'il dessinait la boîte dans le vide. Il était fait d'un bois précieux, sombre et luisant, et chaque côté constituait la moitié d'un plateau d'échecs. Il suffisait de l'ouvrir comme un livre pour obtenir l'échiquier complet.

Tout en décrivant l'objet, il semblait plongé dans une agréable rêverie.

— Les pièces étaient à l'intérieur, rangées dans des casiers garnis de velours. Elles s'y inséraient parfaitement, poursuivit-il. Je me rappelle pourtant qu'un des casiers réservés aux pions blancs s'était élargi. Pour éviter qu'il tombe, je savais que je devais ouvrir la boîte en veillant à orienter le côté des pièces blanches vers le bas. Ce pion était celui que je sortais en premier, le deuxième en partant de la droite.

— Votre visage s'éclaire quand vous parlez des échecs.

— C'est possible... sans doute parce que j'associe ce jeu à la période heureuse de mon enfance. Après la mort de Miller, j'ai cessé de jouer et la vie à la maison est devenue un enfer. L'état de ma mère s'était aggravé et mon père la maltraitait. Il s'est ensuite installé chez sa maîtresse et je suis resté avec ma mère, qui s'éteignait à petit feu. J'étais livré à moi-même à un âge difficile, le changement a été brutal.

— Votre père ne s'occupait plus de vous ?

— Pas beaucoup. Au début, il venait me voir, mais je ne voulais pas. J'étais un adolescent rebelle, en colère contre le monde entier. Le pire, c'est que ma mère s'en moquait. Ça lui était égal que je sois agressif ou non. Elle vivait dans son monde.

Pour des raisons différentes, elle était elle aussi une rebelle. Je crois qu'elle a cessé de lutter en apprenant que mon père la trompait. Elle a laissé la maladie gagner du terrain et prendre le contrôle de sa vie. J'ai passé des années atroces. Plus tard, elle a été internée.

Il marqua une pause, un sourire énigmatique aux lèvres.

— Vous êtes une excellente thérapeute, Laura, reprit-il d'un ton fraternel. Vous savez sur quel bouton appuyer pour que vos patients lâchent prise.

Elle lui rendit son sourire.

— Qu'est devenu l'échiquier pendant toutes ces années ?

— Dans un premier temps, il est resté rangé quelque part chez moi. Je me souviens qu'un jour, en rentrant de l'école, j'ai vu une pile de vieilleries entassées devant la maison. J'ai remarqué l'échiquier dans tout ce fatras. Plusieurs objets étaient encore utilisables, mais ma mère avait envie de s'en débarrasser. Elle faisait ça de temps en temps, elle disait que des insectes pondaient dedans, ce genre de choses. J'ai récupéré la boîte et l'ai cachée dans ma chambre, mais ma mère a dû finir par la découvrir, car ensuite, elle a disparu.

— Vous dites que votre mère a été internée.

— Oui, avant mes dix-huit ans. Quand elle était à l'hôpital, j'ai pu mener une vie plus équilibrée. J'ai cessé de tout contester et renoncé à jouer les non-conformistes. Je suis allé à l'université. Loin de chez moi, je me suis désintoxiqué de ces années néfastes en me consacrant brillamment à mes études. Par la suite, j'ai fait la paix avec ma mère. Dans l'établissement où elle était, ce n'était pas comme à la maison. Aller la voir là-bas était un soulagement : on la surveillait, on lui faisait prendre ses médicaments.

— Vous vous rappelez avoir déjà rêvé de l'échiquier ?

— Non, pas du tout. En même temps, ce n'est pas la première fois que je fais ce rêve, ou presque. Je crois qu'il s'est passé quelque chose sur ma terrasse. Un événement dont je ne garde aucun souvenir. Quelque chose que j'ai oublié.

Il parlait sur un ton énigmatique. Il ne pensait pas seulement à son rêve récurrent, mais à une réalité enfouie dans son passé.

— Qu'est-ce qui vous fait y songer ?

— J'ai un trou de mémoire, Laura, comme si mon esprit s'était empli de souvenirs qui se répètent, des bribes du présent, je ne sais pas.

Il porta les mains à sa tête dans un geste d'impuissance.

— Il s'est passé quelque chose sur ma terrasse, et je crois que c'est lié à Wendell. J'ai besoin de…

— Calmez-vous, Ted. Je vais vous aider à ordonner tout ça dans votre tête.

Pétrifié, comme dans un état second, il leva les yeux vers Laura.

— Qu'est-ce qui vous fait réagir ainsi ?

— « Ordonner », répéta-t-il. C'est exactement ce que je ressens. Vous pensez que la tumeur…

Laura Hill consulta sa montre :

— Je crois que ça suffit pour aujourd'hui.

CHAPITRE 8

Ted attendait Wendell sur l'immense parking. Quarante ans plus tôt, le site abritait une prestigieuse usine de machines à écrire dont il ne restait qu'un bâtiment abandonné.

— Qu'est-ce que vous faites ici ? lui demanda Wendell en cessant de marcher dès qu'il le vit.

Ted haussa les épaules.

— J'avais besoin de vous voir pour discuter.

— Comment m'avez-vous trouvé ?

— Cet endroit est bien à vous, non ?

Wendell avait en effet acheté l'usine par l'intermédiaire d'un prête-nom. Il avait fait élever tout autour un mur de deux mètres de haut surmonté de barbelés. Un cadenas protégeait la porte d'entrée. L'usine s'élevait au milieu de nulle part, mais des éclats de verre jonchaient le parking et des gens avaient tagué les murs.

— Que faites-vous ici, Ted ? reprit Wendell d'un air résigné, planté devant la portière de sa voiture.

— Je viens de vous répondre. J'ai à vous parler.

Wendell regarda de tous côtés.

— Vous êtes encore avec le type en blouse ?

— Non, je suis seul.

Wendell acquiesça et se dirigea vers un des angles du bâtiment.

— Suivez-moi.

Ted lui emboîta le pas après quelques secondes d'hésitation. Ils tournèrent au coin de l'ancienne usine et Wendell s'arrêta devant une porte métallique. Il se pencha en avant, un trousseau d'une vingtaine de clés à la main. Il en essaya une, mais la porte refusa de s'ouvrir. Ted le vit donner un petit coup de pied dedans en pestant. Cela lui rappela son père, qui faisait la même chose avec la porte de l'appentis. Wendell finit par trouver la bonne clé et entra sans refermer derrière lui. Ted s'approcha et ne vit qu'un rectangle sombre à l'intérieur duquel il distinguait à peine les traits de Wendell. Ses yeux s'habituant peu à peu à l'obscurité, il découvrit un espace aussi exigu qu'un cabinet de toilette avec quantité d'outils, un établi couvert d'objets et des rayonnages chargés de flacons, de pots de peinture et de bocaux poussiéreux. Une odeur de renfermé et de dissolvant lui monta aux narines. Il fronça le nez. Wendell alluma l'unique ampoule.

— Entrez, lui ordonna-t-il.

Pourquoi ce type me donne-t-il toujours rendez-vous dans des endroits insolites et inconfortables ? C'est tout juste si on tient debout dans ce cagibi !

— Vous voulez bien fermer la porte ?

Pour toute réponse, Wendell tendit le bras et actionna la poignée. Le rectangle de lumière naturel rapetissa, puis disparut. Il leur fallut quelques minutes pour s'accoutumer au faible éclairage de l'ampoule sale.

À l'odeur de dissolvant vint s'ajouter une chaleur désagréable. Dans sa veste en cuir, Wendell devait suer à grosses gouttes.

— En quoi puis-je vous être utile, Ted ?

Ses lèvres avaient imperceptiblement remué sur son visage impassible, comme taillé dans la pierre.

Ils se tenaient à cinquante centimètres l'un de l'autre. Ted s'appuya contre une étagère de peur de perdre connaissance.

— J'irai droit au but, dit-il. Vous m'avez menti et j'aimerais savoir pourquoi. Hier, chez vous, vous avez fait semblant de ne pas me connaître alors que nous nous sommes déjà vus.

— Ah oui ? Où donc ?

— Je n'ai pas la réponse, vous le savez. Vous vous êtes fichu de moi et vous pensiez vous en tirer comme ça.

— Eh bien, désolé de vous dire que vous vous trompez.

— C'est faux.

Il n'avait aucun argument sérieux à lui opposer, mais s'il voulait le mettre à l'épreuve, il devait aller plus loin. Parfois, aux échecs, il partait à l'attaque sans suivre de stratégie précise et obtenait des résultats concrets. L'important était que son adversaire l'ignore.

— Je commence à me rappeler certaines choses, lança-t-il pour tester Wendell.

— Lesquelles ? demanda celui-ci en reculant d'un pas et en se heurtant à une étagère instable.

Les objets posés dessus bougèrent, mais aucun ne tomba.

— Je sais par exemple que j'ai déjà été chez vous, poursuivit Ted.

Wendell attendit en l'interrogeant du regard.

— Je sais aussi qu'il s'est passé quelque chose sur ma terrasse.

Wendell esquissa une moue agacée. Les lèvres pincées et les narines frémissantes, il explosa et abattit son poing sur l'établi.

— Putain, Ted ! Vous compliquez tout !

— Allons, Wendell, arrêtez ce petit jeu. Je suis franc avec vous, j'ai des trous de mémoire et j'ai l'impression que certains événements sont *désordonnés*.

— Qui vous a dit ça ? Le docteur Hill ? demanda Wendell en hochant la tête.

— Vous la connaissez ? souffla Ted, surpris.

— Oh, je vous en prie, Ted. Est-ce qu'on peut en rester là ? Le mieux serait que vous ouvriez cette porte et que vous décanilliez, je vous le garantis. Depuis tout ce temps, je n'ai fait que vous protéger.

Ils s'observèrent longuement.

— Vous voulez que je vous dise tout ce que je sais ? reprit Ted d'une voix hésitante.

Wendell leva les mains en l'air, les yeux au ciel, comme si refuser n'avait aucun sens.

— Moi, je crois que l'organisation existe. J'en ai fait partie. Je crois que Lynch m'a recruté il y a longtemps, quand j'étais plus jeune…

— Arrêtez avec cette organisation stupide ! hurla Wendell, dont le cri ébranla la petite pièce. Je vous ai déjà dit que Lynch a eu cette idée à l'université. Il l'a exploitée dans un récit ridicule qu'on devait rédiger dans le cadre d'un atelier d'écriture. Ça n'a rien à voir avec nous.

Ted regarda un mur sur lequel étaient suspendus des outils. Il songea qu'il lui suffirait d'en prendre un au hasard pour menacer Wendell et exiger qu'il lui révèle tout.

— Vous avez vraiment l'intention de me planter un tournevis dans la gorge ?

Ted souffla.

— Dites-moi ce que vous savez, Wendell. Ce petit jeu est fini. Pourquoi et de quoi voulez-vous me protéger ?

Wendell hocha la tête de droite à gauche.

— Bon. Je vois que vous ne baisserez jamais les bras. D'ailleurs, si vous êtes venu jusqu'ici, c'est que vous faites preuve de détermination. Vous vous souvenez du type qui était chez moi hier ? demanda-t-il après avoir marqué une pause.

— Roger.

— Ils vous surveillent de près, Ted. Lui et le docteur Hill. Et vous avez été assez bête pour entamer une thérapie avec elle et tout lui raconter. Je ne vous jette pas la pierre, mais ils ont réussi à vous embobiner pour que vous le fassiez.

— Attendez un peu. Je n'y comprends rien. Qui sont-ils ? Et d'où connaissez-vous Laura ?

— Laura Hill et Carmichael sont la partie émergée de l'iceberg.

— Carmichael ?

— Exact. Écoutez, Ted, votre amnésie ou quel que soit le mal qui vous ronge est une bénédiction. Vous avez raison de croire que vous et moi, nous nous connaissons. Vous êtes souvent venu chez moi. Lynch aussi. Tout se déroulait à peu près bien jusqu'à ce que Lynch, cet abruti, ait une liaison avec Holly. C'est là que les problèmes ont commencé.

Wendell pointa un pouce derrière lui, mais Ted était si absorbé par ses propos qu'il ne prêta pas assez d'attention à ce geste.

— Qu'est-ce qu'on faisait avec Lynch ?

— Ça n'a rien à voir avec cette organisation idiote, arrêtez de penser à ça. Le pauvre homme avait beaucoup d'idées abracadabrantesques, vous pouvez me croire… séduire votre femme n'a pas été la seule.

— Pourquoi parler de lui au passé ?

— Parce que pour moi, Lynch est mort.

Ted acquiesça.

— Vous savez, là, dans votre tête, il y a pas mal d'idées compromettantes, dit Wendell en pointant l'index sur la tempe de Ted. Elles risquent de me nuire à moi aussi, inutile de le nier. J'étais à l'abri, je n'avais plus à me soucier de rien, et voilà que Holly vous trompe avec Lynch. Vous l'avez appris… et à cause de ça… eh bien, vous avez perdu la boule.

Ted décida d'entrer dans son jeu.

— À un moment donné, j'ai voulu me suicider, déclara-t-il, mais l'histoire entre Holly et Lynch n'y était pour rien. J'ai une tumeur au cerveau, Wendell. Quand vous dites que j'ai perdu la boule, c'est vrai. À cause de cette putain de tumeur.

Si Wendell était surpris, il n'en montra rien.

— Laura Hill cherche cette information dans votre cerveau, dit-il à voix basse. Elle s'y emploie à chacune de vos séances. Ils ont peur que vous recouvriez la mémoire par vous-même, c'est pour ça qu'ils vous surveillent.

— Dans ce cas, pourquoi ne me dites-vous rien ? Si la vérité est censée me protéger d'eux, ce ne serait pas plus logique que vous me révéliez tout ce que vous savez ?

— Je ne connais pas forcément tous les tenants et aboutissants de l'histoire.

Ils se jaugèrent un instant, puis Wendell reprit la parole :

— C'est préférable, Ted. Suivez mon conseil : ne vous confiez plus à Laura Hill. Vous savez ce qu'elle fera quand elle verra que vous vous doutez de quelque chose ? Elle vous enverra au Lavender Memorial et vous vous retrouverez chez les fous. Elle en a le pouvoir, je vous le garantis. Vous avez pris des risques en venant ici, peut-être même êtes-vous allé trop loin.

— Comment avez-vous appris autant de choses sur elle ?

— Ce secret que vous avez enfoui en vous, Ted, pourrait aussi nous détruire, Lynch et moi. Nous avons tout fait pour éviter d'en arriver là, mais je crains que nous n'ayons échoué.

Ted se palpa le front en songeant que ses migraines étaient bien réelles. Il s'apprêtait à dire quelque chose lorsqu'un crissement de pneus l'en dissuada. Aux regards interdits qu'ils échangèrent, tous deux comprirent qu'il s'agissait d'une visite imprévue. Wendell entrebâilla la porte de quelques centimètres, laissant entrer un rai de lumière dans la pièce exiguë. Ils sortirent, le bras en visière pour ne pas être éblouis par le soleil. Au lieu de se diriger vers la voiture dont ils entendirent claquer trois portières presque à l'unisson, ils marchèrent jusqu'à une trappe qui permettait d'accéder à la cave. Wendell chercha la clé dans son gros trousseau. Si les visiteurs faisaient d'abord le tour du bâtiment avant d'y pénétrer, ils les verraient debout à côté de la trappe. Mais ce ne fut pas le cas, et moins d'une minute plus tard, ils descendaient un escalier branlant, de nouveau plongés dans les ténèbres.

CHAPITRE 9

La cave était un cimetière de machines à écrire, certaines inutilisables, d'autres encore en état de fonctionnement, posées sur des tables ou des étagères, couvertes de crasse et de toiles d'araignée. Ted remarqua aussi des tours d'usinage, des presses à balancier. Les soupiraux étaient si sales qu'ils ne laissaient pratiquement pas passer la lumière.

Ils avancèrent presque à tâtons dans ce labyrinthe d'objets au rebut. Ils butaient parfois contre de vieux débris, écartaient des toiles d'araignée et éternuaient à cause de la poussière. Sourd aux reproches de Wendell, Ted se hissa sur une table placée contre un mur pour atteindre une des ouvertures. De la manche, il frotta la vitre du mieux qu'il pouvait, sans grand résultat jusqu'à ce qu'il parvienne à distinguer deux silhouettes humaines en blouse qui longeaient le bâtiment. L'homme qui marchait en tête avait la peau noire.

— C'est Roger, murmura-t-il.

— Vous voyez ? Qu'est-ce que je vous disais ? souffla Wendell en le tirant par le bras. Descendez de là et évitez de vous montrer.

Après une marche interminable dans l'air vicié de cet espace futuriste, le long de passages encombrés d'objets biscornus, ils arrivèrent devant un escalier en bois.

Wendell monta le premier, trouva la bonne clé en un temps record, ouvrit la porte, mais avant de franchir le seuil, il tendit un bras pour stopper Ted.

— Il est préférable que vous restiez ici. J'ai une affaire à régler dans la partie arrière du bâtiment, ensuite je m'occuperai de vos amis.

Ted se rappela alors son geste du pouce dans le réduit à outils. Il venait d'évoquer Lynch et avait désigné l'arrière de l'usine.

— Éloignez-vous des soupiraux, lui conseilla Wendell avant de fermer la porte.

Ted l'entendit tirer le verrou. Il ne se donna même pas la peine d'aller vérifier ou d'appeler Wendell à grands cris pour exiger d'être libéré. Il pivota, descendit lentement les marches en se tenant à la rampe. À mi-chemin, quelque chose attira son attention.

Dans un coin du sous-sol, une pile de débris de tôle s'écroula en produisant un bruit assourdissant. Ted ne s'était pas trompé : une forme se déplaçait parmi les ombres.

Les yeux rivés sur l'endroit d'où montait le bruit, il fit quelques pas, redoutant de voir ce qu'il pressentait. Parvenu à hauteur d'un tour industriel d'un autre âge, il n'osa pas se pencher pour confirmer ses soupçons, mais ne put échapper à son destin. Le bout du nez pointu de l'opossum apparut d'un côté de la machine-outil. Après avoir reniflé, l'animal bâilla et son corps trapu se dirigea vers Ted.

Il regardait de tous côtés, sa queue serpentant derrière lui.

Ted recula et heurta la table sur laquelle il était monté. L'opossum le fixait depuis le sol, patient.

Qu'est-ce que tu veux ?

Ted se retourna. Par un des soupiraux, il vit Roger et l'autre homme, beaucoup plus près qu'ils ne l'étaient quelques instants plus tôt. Puis une silhouette qui ne pouvait qu'être celle de Wendell s'approcha d'eux. Ils se serrèrent la main et échangèrent quelques mots. Wendell désigna le bâtiment en agitant la main.

Roger et son accompagnateur acquiescèrent.

Ted s'effondra. Assis sur la table, les jambes contre le torse, il enfouit sa tête dans ses mains et hurla à pleins poumons.

L'opossum tendit le cou pour l'observer à loisir. C'était plus que Ted n'en pouvait supporter. Il ferma les yeux.

L'image de son bureau lui revint, il sentit le poids du Browning et entendit les coups frappés à la porte.

Il rouvrit les yeux.

La cave peuplée d'ombres reparut en même temps que l'opossum.

Ted glissa une main dans sa poche, en sortit le fer à cheval et le contempla en le serrant à deux mains.

Quelqu'un poussa le battant de la porte : Roger et l'autre infirmier descendaient dans la cave. L'infirmier brandissait une seringue. L'opossum s'écarta pour le laisser passer.

TROISIÈME PARTIE

CHAPITRE 1

Quarante patients dangereux étaient soignés au pavillon C, une annexe moderne du Lavender Memorial, l'hôpital psychiatrique de Boston. C'est là que Ted McKay fut conduit dans un fauteuil roulant, la tête légèrement penchée sur le côté, un filet de bave s'échappant des commissures de ses lèvres. Roger Connors, l'infirmier-chef, poussait le fauteuil, accompagné d'un employé de confiance, Alex McManus, un jeune homme mince au regard sévère. Les chambres se trouvaient dans l'aile est et, pour y accéder, il fallait passer un poste de contrôle. En les voyant approcher, le vigile haussa un sourcil et les arrêta en levant un bras.

— Qui est ce patient ?

— Theodore McKay, répondit Roger.

Le vigile posa son journal sur la table et inspecta les écrans des caméras de surveillance placés devant lui, une règle qu'il devait suivre dès qu'il quittait son poste. Il se dirigea vers les nouveaux venus et les observa à travers la grille.

— Je n'ai aucune demande d'hospitalisation, Roger, déclara-t-il d'un air embarrassé.

Embauché moins d'un an auparavant, il respectait scrupuleusement les formalités.

— Le docteur Hill a en ce moment même un entretien avec Marcus, lui renvoya l'infirmier.

Marcus Grant dirigeait le pavillon C.

Le vigile ne sut quoi lui répondre. Depuis qu'il avait été embauché au service de jour, il n'avait pas géré beaucoup d'admissions, et toutes étaient prévues plusieurs jours à l'avance.

— Je ne peux pas vous laisser entrer si je n'ai pas une demande écrite, désolé.

— Bien. Dans ce cas, nous attendrons ici.

L'homme acquiesça, encore embarrassé par la situation. Il étudia Ted qui avait toujours la tête inclinée sur le côté, les yeux mi-clos et un filet de bave qui lui dégoulinait sur au moins cinq centimètres le long du menton. Il portait la tenue grise réglementaire des patients et avait les mains et les pieds menottés. Il eut l'impression que le malade le fixait, mais il se trompait : les effets du calmant qu'on lui avait administré allaient encore durer quelques heures.

— Qu'est-ce qu'il a fait ? demanda le vigile.

Le pavillon C abritait des assassins, des violeurs, voire les deux. Les actes commis par certains d'entre eux avaient fait grand bruit dans la presse, mais le nom de Theodore McKay ne lui évoquait rien.

— Est-ce qu'on pourrait au moins l'emmener dans sa chambre ? suggéra McManus, visiblement agacé alors qu'il avait gardé le silence jusque-là.

Les mains sur les poignées du fauteuil roulant, Roger se retourna et lui lança un regard désapprobateur.

— C'est un patient du docteur Hill, se contenta-t-il d'expliquer.

— Et puis, cet objet devra rester dehors, dit le vigile en désignant le fer à cheval que Ted serrait dans ses mains.

— On verra ça plus tard.

CHAPITRE 2

À cinquante ans, Marcus Grant était le directeur du pavillon C et avait de grandes chances de prendre un jour la tête du Lavender Memorial. Voilà pourquoi il travaillait d'arrache-pied. Célibataire, il n'avait pas d'enfants et tout semblait indiquer qu'il n'en aurait jamais. Gravir les échelons de la hiérarchie était tristement devenu son seul désir réaliste. Il n'avait pas définitivement renoncé à rencontrer une femme qui compterait dans sa vie, mais pour éviter de se leurrer, il préférait considérer cette éventualité comme de plus en plus incertaine. Certains jours, résigné à son sort, il se consacrait corps et âme à ses tâches quotidiennes… Parfois, il éprouvait cependant un sentiment de vide intense. Quelque chose n'allait pas : ça venait peut-être de lui, ou alors c'était à mettre sur le compte de la malchance. Il avait eu de longues liaisons avec des femmes qui n'étaient pas son genre. Il n'arrivait pas à rompre alors qu'il savait que c'était sans avenir. Il lui suffisait pour en être convaincu d'analyser son histoire avec Carmen, de un an sa cadette. Divorcée, elle avait deux enfants de plus de vingt ans qui faisaient leurs études et avaient quitté le domicile maternel. Carmen était une femme libre, gaie et fougueuse. La maturité lui avait réussi : c'était une femme accomplie. Elle avait fini de payer les traites de sa maison, n'avait plus à s'occuper de ses enfants et son travail de coiffeuse n'était guère exigeant. Elle était donc prête à profiter de chaque instant et à vivre toutes sortes d'expériences. Marcus ne s'intéressait pas réellement à elle, même s'il reconnaissait qu'il prenait du plaisir avec elle et qu'elle lui procurait d'agréables moments de détente. Mais aucun lien profond ne les unissait, il la trouvait trop superficielle, lui reprochait son manque d'ambition. Le pire, c'est qu'elle ne comprenait pas que son travail occupe tant de place dans sa vie. *Tu bosses trop, mon cœur, tu devrais faire comme moi. Au salon, j'ai appris à m'organiser et j'ai plein de temps devant moi.* Marcus était déjà passé par là et avait eu quantité de relations sans avenir. C'était encore une fois le cas. À partir d'un certain âge, on sait ce genre de choses, et il en avait conscience.

— Je peux entrer ? lui demanda Laura Hill en passant la tête dans l'entrebâillement de la porte.

Il cessa de ressasser sa peine et son visage s'éclaira.

— Quelle bonne surprise ! Oui, entre ! lui répondit-il.

Il se leva et fit le tour de son bureau. Il avait l'intention de l'embrasser sur la joue, mais elle se posta de manière à l'obliger à déplacer la chaise pour qu'elle s'y installe. En parfait gentleman, il ne trouva pas cela désagréable, mais venant d'elle, c'était un signe on ne peut plus clair.

— Tu as déjà déjeuné ?

Il s'apprêtait à reprendre sa place derrière le bureau.

— Non, pas encore, répondit-il, plein d'espoir. Tu veux qu'on aille quelque part ?

— Je n'aurai pas le temps. Je suis juste passée te dire quelque chose d'urgent.

Il hocha la tête, abattu. C'était toujours comme ça avec elle. Elle lui tendait une carotte qu'elle s'empressait ensuite de cacher. Elle pouvait jouer des centaines de fois à ce petit jeu et, à tous les coups, il tombait dans le panneau. Mais c'était peut-être lui qui imaginait des carottes inexistantes.

Depuis quelque temps, leurs relations étaient tendues. Il ne parvenait pas à dissimuler son intérêt pour elle, même s'il ne lui avait jamais rien avoué. C'était cependant loin d'être réciproque. Au point mort avec Carmen, il s'était plaint subtilement à Laura de son histoire d'amour malheureuse, jusqu'au jour où la psychothérapeute avait manifesté des signes de tendresse : un sourire, le contact furtif de sa hanche, une main sur son épaule qui s'attardait plus que prévu… À deux ou trois reprises, il avait essayé d'aller plus loin en l'invitant à dîner ou en suggérant des rendez-vous en dehors de l'hôpital, mais elle s'était gentiment défilée. Il en était arrivé à penser qu'elle lui témoignait de l'affection uniquement pour oublier son ex. *Un clou chasse l'autre.* Tout en refusant d'être un bouche-trou, il cherchait à se persuader que les minauderies affolantes et déconcertantes de Laura étaient sa manière de lui signifier qu'il devait attendre un peu.

Oui, il avait probablement raison. C'était sûrement cela.

Mais il y avait une autre réalité sur laquelle Marcus fermait les yeux : Laura tirait sans doute des avantages de leur relation. Elle avait gravi les échelons et souvent obtenu qu'il intervienne en sa faveur auprès du docteur McMills, la directrice de l'hôpital.

Laura le regardait fixement.

— J'ai besoin que tu me rendes un immense service, Marcus, dit-elle.

Il trembla en entendant ces mots. Ce n'était pas la première fois qu'elle avait recours à lui, mais jusque-là, elle ne lui avait jamais demandé d'*immense* service.

— Si c'est en mon pouvoir…

— Il faut que je fasse admettre un patient au pavillon C, déclara-t-elle sans préambule.

— Pas de problème, répondit-il, rassuré. Il nous reste cinq chambres vides. J'envoie le dossier à Sarah pour que…

— Non, j'ai besoin que tu le fasses entrer *tout de suite*…, précisa-t-elle en dardant sur lui des yeux dotés des mêmes pouvoirs que ceux de Méduse.

— Que veux-tu dire ?

Les démarches pour les admissions prenaient en général plusieurs jours. Même si Marcus se dépêchait, il leur faudrait attendre l'accord de Sarah McMills.

— Mon infirmier-chef est en ce moment dans le pavillon avec le patient. Tu dois me signer ces papiers maintenant.

Ne commets pas d'impair, Marcus. Fais attention à ce que tu vas lui dire ou tu seras pétrifié.

— Ils sont ici ? Comment ça ? Tu es folle !

— Ils attendent au poste de garde. Le vigile a refusé de les laisser entrer. L'infirmier lui a pourtant dit qu'il venait de ma part.

— Il a raison ! s'écria-t-il en se levant. Je n'y crois pas ! Leur simple présence risque de me causer des ennuis. Fais-les sortir immédiatement !

Il se dirigea vers la fenêtre de son bureau situé au deuxième étage et observa la cour de l'hôpital, déserte à cette heure hormis la présence d'un employé de service qui balayait les feuilles mortes. Il se frotta le front en s'interdisant de se retourner. S'il le faisait, il savait qu'il céderait à Laura. Or sa demande était exagérée et risquait de compromettre sérieusement sa carrière. Il l'entendit marcher et attendit en vain que la porte se referme. Il sentit son parfum.

— Marcus, s'il te plaît, regarde-moi… laisse-moi t'expliquer, lui murmura-t-elle à l'oreille.

Il pivota, leurs regards se croisèrent. Les doigts de Laura se posèrent délicatement sur sa main, son pouce esquissant une caresse discrète.

— Je suis consciente de ce que je te demande, souffla-t-elle. Si je me tourne vers toi, c'est que tu es mon seul espoir.

Que voulait-elle dire au juste ?

Il s'écarta. Son odeur, son regard l'envoûtaient… il savait qu'au contact de cette femme, son cerveau se mettait à bouillonner au mépris de toute logique.

— Laura, je t'en supplie, dit-il en s'éloignant à l'autre bout de la pièce.

Elle le suivit des yeux tandis qu'il se réfugiait derrière son bureau. Immobile près de la fenêtre, elle eut l'air tellement découragée qu'il faillit la rejoindre pour la consoler. En une fraction de seconde, elle était passée de la badinerie au désespoir.

— Je suis triste que tu ne me fasses pas confiance, dit-elle.

— Tu te trompes ! J'aimerais au moins savoir qui est ce patient. Pourquoi es-tu si pressée ?

— C'est un cas particulier.

— Je ne comprends pas. Tu le connais ?

— Non, répondit-elle en regagnant son siège. Je ne peux encore rien te révéler, et comme je viens de te le dire, Roger est avec lui au pavillon C. Pour son traitement, il est capital qu'il soit admis immédiatement. Si je ne fais rien, il risque une syncope.

— Mon Dieu, Laura ! gémit Marcus en s'asseyant à son tour.

Les coudes sur la table, il ferma les yeux et secoua la tête, enfouie dans ses mains.

Lorsqu'il se redressa, il surprit sur les lèvres de Laura un sourire qui s'évanouit aussitôt.

— Qu'est-ce qu'il y a de drôle ?

— Ce geste… peu importe, c'est personnel.

— Comme ton patient.

— Exactement.

Ses doutes se confirmaient. Il ne devait pas céder aux manipulations de cette femme. Si elle osait s'adresser à lui pour ce type de demande, c'est qu'il lui avait permis de s'octroyer des prérogatives qui n'étaient pas les siennes. Qu'exigerait-elle ensuite ?

— Soit. Ton patient ne peut pas être interné dans le service général. Je me garderai bien de donner un avis sur ta décision, mais je suis sûr que Sarah sera compréhensive. Pourquoi ne pas aller la voir maintenant et lui expliquer la situation ? J'appuierai ton dossier, mon pouvoir s'arrête là.

Laura s'accorda un moment de réflexion.

— Sarah ne m'autorisera jamais à faire admettre au pavillon C un patient qui n'a pas été examiné par les médecins du service, tu le sais parfaitement.

— Eh bien, je ne vois pas trop quoi faire. Je suis pieds et mains liés.

Elle se leva, posa les mains sur le bureau. De cette manière, elle pouvait se tourner soit vers la fenêtre, soit vers lui.

— J'ai une idée, proposa-t-elle avec gravité. Donne-moi le formulaire d'admission. J'imiterai ta signature, puis je le montrerai au vigile. Si quelqu'un se doute de quelque chose, je dirai que je l'ai volé dans ton bureau.

— Au nom de quoi serais-tu prête à faire ça ? demanda-t-il, stupéfait.

— Tu sais comment je travaille, Marcus. Je me fiche des formalités, et faire carrière dans cet hôpital de merde est le cadet de mes soucis. Pour moi, il n'y a que les patients qui comptent. Celui-ci en particulier. S'il n'est pas interné au pavillon C, tous les progrès qu'il a accomplis partiront en fumée et ça, je ne le supporterai pas.

— S'il doit être traité ici, il faut que j'en sache plus à son sujet.

— Je te dirai tout. Donne-moi quelques heures et je te confierai son dossier.

— Quand comptes-tu mettre Sarah au courant ?

— Dès que possible. Où sont les formulaires d'admission ?

Ils sortirent ensemble du bureau. La secrétaire de Marcus était fort heureusement en train de déjeuner.

— Tiens, voilà, dit-il en lui tendant des papiers qu'il venait de prendre dans le tiroir d'un meuble de classement. Tu as vu où ils sont rangés.

Elle acquiesça d'un signe de tête et posa le document sur la table.

— J'ai besoin de ta signature.

— Quoi ? Tu viens de me dire que tu allais l'imiter !

— Non. Ça, c'est ce que je dirai plus tard si on m'interroge. Maintenant, je veux juste que les deux personnes qui attendent en bas n'aient aucun soupçon. Je ne peux pas me permettre de perdre du temps à essayer d'imiter ta griffe. Signe donc et n'en parlons plus !

Marcus était de nouveau tombé dans le piège.

— Mais si un expert en graphologie voit ça...

— Marcus ! Je t'ai promis de prendre mes responsabilités si ça tourne mal ! Pourquoi compliques-tu toujours les choses ? Je te demande un service, c'est moi qui risque gros et qui me ferai épingler s'il y a un problème. Je te donnerai des détails plus tard, si tu veux, je dirai que j'ai volé ce formulaire. À force de ne penser qu'à ta carrière, tu es devenu un vrai bureaucrate !

Aïe. Le coup avait porté.

— D'accord, je vais signer, dit-il en prenant un stylo sur le bureau de sa secrétaire.

Il lui tendit le formulaire revêtu de sa signature.

— Je savais que je pouvais compter sur toi, dit-elle en esquissant un sourire.

Elle s'approcha de lui jusqu'à ce que leurs visages soient à une vingtaine de centimètres l'un de l'autre. Allait-elle l'embrasser ? Ses pupilles dansaient, explorant son visage.

Mais elle n'y déposa aucun baiser.

CHAPITRE 3

Laura Hill remit le formulaire au vigile sans même prendre le temps de s'arrêter en chemin. L'homme lui précisa qu'il devait d'abord enregistrer le dossier du patient à l'administration, mais avant qu'il ait fini sa phrase, elle déclara qu'ils le feraient plus tard, que pour le moment il fallait conduire le malade dans sa chambre. Le vigile n'ajouta rien de plus.

Avec McManus et Roger, ils se dirigèrent vers les chambres, passèrent d'autres postes de contrôle et traversèrent la salle commune, où plusieurs patients les observèrent avec intérêt. Là, ils échangèrent quelques mots avec Robert Scott, l'infirmier-chef du pavillon C, qui était un ami de Roger. Il les salua poliment et leur annonça que la chambre était prête. Déjà au courant de cette admission, il n'avait pas l'intention de poser de questions. Il lui suffisait de savoir que Laura Hill et le docteur Grant avaient préféré passer outre les formalités de rigueur pour ne pas se mêler de leurs histoires.

Modernes, les chambres étaient séparées par des cloisons de verre. Les portes s'ouvraient normalement ou à l'aide d'un code. Scott introduisit sa carte, tapa sur un clavier et le battant céda dans un bruit de succion. Laura poussa le fauteuil roulant à l'intérieur, Roger et McManus prirent Ted sous les aisselles et l'installèrent sur le lit. Le fer à cheval tomba de ses genoux sur le carrelage. Laura le récupéra et le rendit à Ted au bout d'un moment. L'effet des calmants commençant à se dissiper, ses doigts se crispèrent sur chaque extrémité du fer.

— Laissez-moi un moment seule avec lui, dit-elle.

Les deux hommes se consultèrent du regard, inquiets, puis acquiescèrent. Menotté, Ted avait les mains engourdies.

Les deux infirmiers retrouvèrent Scott dans le couloir. Celui-ci avait les yeux rivés sur Laura. S'il lui arrivait malheur, il serait responsable. Il ne savait rien du type qu'ils venaient d'interner ; il pouvait faire semblant d'être calme et l'étrangler à la moindre occasion. Dans ce service, certains patients en auraient été capables.

De l'autre côté de la vitre, Laura s'approcha de Ted.

— Nous parlerons demain. Essayez de vous reposer, vous êtes très bien ici.

Les paupières à demi fermées, le regard dans le vague, Ted tourna légèrement la tête et la vit s'éloigner.

Un peu plus tard, McManus revint avec un autre infirmier pour changer sa tenue grise. Ted se laissa tomber sur le côté et trouva le lit confortable.

Il se réveilla plusieurs fois dans la nuit, perdu. De son lit, il distinguait le couloir et la chambre voisine, où un homme d'une cinquantaine d'années l'étudiait, le visage déformé par la haine.

CHAPITRE 4

— Eh ! Il y a quelqu'un ?

Ted frappa de nouveau la vitre avec ses paumes et se rappela Lynch martelant sa porte avec une véhémence similaire.

Il se tourna, observa le fer à cheval sur le lit. Il s'était endormi en le serrant dans ses mains comme un enfant s'agrippant à son doudou. Il songea qu'il ne pourrait pas s'en servir pour briser le verre – sans doute blindé –, et décida de l'utiliser pour faire davantage de bruit. Il le prit et s'apprêtait à frapper une première fois quand l'homme de la chambre voisine, qui avait assisté à la scène assis sur son lit et le visage caché derrière un livre, redressa la tête.

— Ce n'est pas une bonne idée, dit-il calmement, d'une voix étouffée par la cloison de verre.

— Ah, tu m'adresses enfin la parole !

Avant de faire tout ce raffut, il avait tenté d'entrer en contact avec lui, mais le bonhomme l'avait ignoré.

— Ils arrivent dans un quart d'heure, expliqua-t-il d'un ton posé.

L'image que Ted avait gardée de lui la veille, son visage haineux alors qu'il se tenait debout derrière la paroi de verre, l'assaillit comme le souvenir macabre d'un cauchemar. Entre cette dernière vision et la sérénité qu'il affichait à présent avec son ébauche de sourire, le contraste lui parut saisissant. L'homme était séduisant avec sa peau hâlée et ses cheveux coupés en brosse, poivre et sel, comme sa barbe soigneusement taillée. On aurait dit le type le plus inoffensif et le plus fiable de l'univers.

— Un quart d'heure ? Comment tu le sais ?

L'homme tendit un bras et souleva la manche de sa chemise pour faire apparaître une montre.

— J'ai l'heure.

— Très drôle.

— À 7 heures, ils viennent pour la toilette. J'espérais finir ce chapitre avant, mais tes accès de colère matinaux m'ont dérangé. Au fait, je m'appelle Mike Dawson, dit-il en mettant son livre de côté.

— Ils ne viennent qu'à 7 heures ? Mais j'ai besoin d'aller aux toilettes ! Il n'y en a pas dans cette fichue chambre !

Dawson s'esclaffa.

— Pourquoi tu ris ?

— Tu dis une « chambre », comme eux. Sache que les vraies chambres sont de l'autre côté de la grande salle. On ne nous fait dormir ici que quand on s'est mal comporté.

Le silence s'installa entre eux. Un homme menu et chauve lança un regard timide à Ted à travers une des vitres. Et recula quand Ted l'observa à son tour.

— Moi, c'est Ted.

— Bienvenue au Lavender, Ted. Je n'ai rien à me reprocher, mais je dors ici parce que j'ai le sommeil agité.

— Tu n'étais pas là quand je suis arrivé.

— Non. Tu dormais déjà quand ils m'ont installé dans mon box pour la nuit.

— Tu connais le docteur Hill ?

— Oui, répondit Dawson après avoir médité sa réponse. Mais elle ne vient pas souvent ici. En général, elle travaille plutôt dans le bâtiment principal.

— Aujourd'hui, elle va venir, je te le garantis.

— Si tu le dis.

Ted considéra le fer à cheval, hésita, puis le lança sur le lit.

— Qu'est-ce que c'est ?

— Rien. Un souvenir.

— Ils sont très utiles dans ce genre d'endroit, mais si tu veux un conseil, évite de trop le montrer. De l'autre côté, dès qu'ils s'apercevront que cet objet est important pour toi, il deviendra également important pour eux. Si tu le perds, tu ne le retrouveras jamais. Crois-moi, ces mecs-là sont très forts pour dénicher d'excellentes cachettes.

Il fit tourner un doigt contre sa tempe.

— J'en tiendrai compte, mais tu sais, je ne pense pas rencontrer les patients qui se trouvent de l'autre côté. Dès aujourd'hui, je serai parti.

Mike Dawson se leva, s'étira près du lit, écarta les bras et les jambes en se cambrant au maximum. Puis il bâilla et s'approcha de la vitre. Mieux éclairé, son visage ressemblait maintenant davantage à celui que Ted avait découvert dans son demi-sommeil.

— On ne sait jamais quand on va pouvoir partir d'ici, Ted, lui lança-t-il d'un ton grave.

CHAPITRE 5

Les infirmiers arrivèrent à 7 heures précises. Les portes s'ouvrirent, les patients sortirent en silence sous le regard stupéfait de Ted, qui frappa contre les vitres, exigeant une explication que personne ne lui fournit. Ses compagnons l'observèrent avec intérêt, y compris le petit homme chauve, qui était le seul à porter des chaînes aux pieds. Dawson prit congé d'une légère inclination de la tête.

Ted demeura seul dans un silence sépulcral. Qu'il frappe et crie comme un possédé était peut-être justement ce qu'ils voulaient. Il s'assit sur son lit et chercha le fer à cheval sur les draps défaits. Il attendit une éternité, la vessie pleine, réprimant son envie de hurler.

Quand l'infirmier arriva, il était allongé.

— Bonjour.

— Qui êtes-vous ? lui demanda Ted en se redressant.

— Alex McManus. Tant que vous resterez au pavillon C, vous serez sous ma responsabilité. J'ai une question à vous poser, Ted : à votre avis, cet ustensile sera-t-il nécessaire ?

Il agita des chaînes.

— Où est le docteur Hill ?

— Vous la verrez plus tard, elle m'a demandé de vous prévenir.

— Quand ?

— Je n'en sais rien.

Ted s'approcha de la cloison de verre.

— Quelque chose ne va pas, Alex. Vous vous appelez bien Alex, n'est-ce pas ? Je ne sais pas ce qui m'arrive. On est venu me chercher et on m'a amené ici contre mon gré. Ma femme et mes filles rentrent aujourd'hui de voyage. Il faut que je sorte de cet endroit.

McManus se baissa et posa les chaînes par terre. Il tapa un code sur le boîtier à côté de la porte, puis ouvrit avec la clé d'un trousseau accroché à sa ceinture. Une voix s'élevant au bout du couloir, l'infirmier adressa un signe à celui qui parlait.

— Le docteur Hill viendra vous voir aujourd'hui, sans doute dans l'après-midi, reprit-il.

— Il faut qu'elle vienne avant…

— Attendez, le coupa McManus. Si je peux vous donner un conseil, ce n'est pas la peine d'ergoter sur tout comme ça. Ça ne fera qu'empirer les choses et ça ne servira à rien. Bon. En attendant, on va à la douche et après, je vous montre le reste. Dans quelques heures, le docteur Hill passera et vous pourrez lui poser toutes les questions que vous voudrez. Ce n'est pas la peine de perdre votre temps avec moi.

Ted acquiesça.

Ils marchèrent jusqu'au bout du couloir, s'arrêtèrent devant une porte fermée à clef que McManus ouvrit en tournant impoliment le dos à Ted et entrèrent dans la salle commune. Ted y remarqua un poste de télévision éteint, plusieurs tables, des étagères contenant des livres et des cartons portant des inscriptions. Baignées par la lumière du jour, les plantes rendaient l'endroit accueillant.

— Où sont les autres ?

— Ils prennent leur petit déjeuner, répondit McManus, étonné qu'il lui pose cette question.

— J'ai oublié quelque chose dans ma chambre, déclara-t-il soudain, à l'évidence soucieux, en se rappelant les propos de Mike Dawson sur la disparition des objets au sein du Lavender.

— Ne vous inquiétez pas, vous le récupérerez plus tard.

Ils arrivèrent aux douches. Un homme en uniforme vert les y accueillit et leur tendit une serviette et du linge de rechange. McManus s'installa sur un tabouret du haut duquel il pouvait surveiller Ted par-dessus le muret de séparation.

— Vous êtes vraiment obligé de me suivre partout ?

L'infirmier haussa les épaules.

Ted se déshabilla lentement, plia ses vêtements avec soin et les posa sur un tabouret, à côté de sa tenue propre. Puis il tourna le robinet de la douche, la température était parfaite.

— Roger travaille avec vous ? se risqua-t-il à demander pendant que le jet d'eau tiède ruisselait sur son visage.

— Oui, il passera plus tard, je crois.

— Cela fait des jours qu'il me surveille.

McManus garda le silence. Ted se savonnait le corps et parlait sans regarder l'infirmier.

— Je parie que vous n'étiez pas au courant.

— Non, mais... qu'entendez-vous par là ?

— Ni plus ni moins que ce que j'ai dit. On m'a suivi. Je les ai surpris deux fois. Je crois qu'ils sont aussi entrés chez moi.

McManus ne répondit rien.

— Je pourrais porter plainte rien que pour ça. Mes avocats se feront un plaisir de le faire. Je connais mes droits, et je sais que me bourrer de calmants en pleine nuit est une violation de la loi. J'attends le docteur Hill pour qu'elle m'explique pourquoi elle s'est comportée comme ça. Vous ne dites rien ?

— Je ne sais pas quoi dire, bon sang ! Moi, on m'a juste demandé de m'occuper de vous les premières heures que vous passeriez ici, c'est tout. Ça n'a rien d'original, on le fait avec tous les patients.

— Mais je ne suis pas un patient.

— D'accord. On le fait avec tous les gens qui viennent d'être admis dans ce pavillon. Certains ne s'adaptent pas facilement à ce changement. Toutes ces nouvelles têtes, c'est un choc pour eux. Maintenant, on va aller prendre le petit déjeuner et vous rencontrerez les autres.

Fichée dans le mur, une étrange et indestructible demi-sphère servait à distribuer le shampoing. Ted pressa le bouton et un filet rose coula de la partie inférieure.

— J'ai déjà eu le plaisir de faire la connaissance de mon voisin de chambre, reprit Ted en se massant la tête.

— Qui est-ce ?

— Mike Dawson.

— Ah. Il est enfermé ici depuis dix ans. S'il vous aime bien, vous n'aurez pas de problèmes avec les autres.

— Vous parlez comme si j'allais rester ici, lui fit remarquer Ted, qui ferma le robinet et se précipita sur le banc pour récupérer sa serviette. Vous êtes sûr qu'on va m'enfermer ici, pas vrai ?

— Non, j'ai été franc avec vous : je ne suis au courant de rien.

— C'est ça, oui.

Ted s'habilla en silence, puis attendit, assis sur le banc. McManus se tenait à cinq ou six mètres de lui, appuyé au mur.

— Vous êtes prêt ?

— Qu'est-ce que je fais de ça ? demanda Ted en lui montrant le linge sale.

L'infirmier pointa le doigt sur un panier vide.

En sortant, Ted demanda à McManus de repasser dans la chambre où il avait dormi pour y récupérer son fer à cheval.

CHAPITRE 6

Les conversations cessèrent dès qu'il entra dans la salle commune. Les regards se tournèrent vers lui, certains empreints d'étonnement, d'autres de méfiance. Seul le présentateur d'une émission de divertissement affichait un air insouciant en posant des questions dans le poste.

Robert Scott, l'infirmier-chef du pavillon C, présenta les patients à Ted et quitta les lieux après avoir laissé entendre qu'il ne voulait pas de problèmes. Installé dans une pièce contiguë protégée par un grillage, McManus et un autre infirmier assuraient la surveillance de la salle.

Les patients qui se trouvaient là se divisaient en trois groupes clairement différenciés : le plus important se composait des malades installés devant le poste, les autres s'étaient réunis autour des tables et jouaient aux échecs et aux cartes. Mike Dawson, lui, se tenait en retrait et lisait, assis sur le rebord de la fenêtre. Il salua Ted de la main en le voyant, puis se replongea aussitôt dans sa lecture sans se soucier de lui. Ted s'avança au milieu de la pièce. Il fut tenté d'aborder les joueurs d'échecs, mais se demanda si c'était judicieux.

Les patients cessant rapidement de lui prêter attention, l'agitation reprit. Les tapeurs de carton parlaient sans arrêt, les téléspectateurs lâchaient de temps à autre des commentaires, répondaient aux questions de l'émission ou se lançaient dans des conversations animées. Ted s'approcha de la bibliothèque et examina les ouvrages tout en s'intéressant discrètement aux joueurs d'échecs et au groupe qui les entourait. Debout à deux ou trois mètres d'eux, il avait une vue parfaite de l'échiquier et put analyser la partie en quelques secondes. Il ne s'étonna pas que l'ouverture ne corresponde à aucune de celles qu'on enseignait habituellement. Feignant de lire les titres des volumes, il joua la partie dans sa tête. Les noirs l'emportèrent.

Un des joueurs de cartes, un homme élancé et craintif, fut le premier à remarquer la fascination de Ted pour la bibliothèque. Il pointa un doigt tremblant dans sa direction et ses camarades de jeu se tournèrent vers lui avant de se concentrer à nouveau sur leurs cartes.

Une vingtaine de minutes plus tard, Lester, l'individu menu et chauve que Ted avait vu auparavant, rentra d'une promenade dans le parc en compagnie d'un autre malade. Il n'avait plus ses chaînes aux pieds et s'énerva en apercevant Ted.

— Il m'a volé mes affaires ! hurla-t-il.

Ted se retourna et le vit fondre sur lui. Mike Dawson sauta de son rebord de fenêtre pour l'immobiliser. Dans la pièce voisine, les infirmiers ne semblaient pas vouloir bouger. Plusieurs patients s'esclaffèrent en encourageant Ted et Lester à se battre. Ce dernier invectiva Ted en gesticulant frénétiquement. Planté devant lui, Mike l'empêcha d'aller plus loin.

— On ne t'a rien volé, Lester, lui dit-il en gardant son calme. Retourne te promener.

— Je vais le tuer ! Il m'a tout pris ! vociféra Lester.

Le crâne rougeaud et les veines du cou saillantes, il agitait les bras et trépignait comme un boxeur.

L'infirmier qui accompagnait McManus entra dans le salon. D'un air blasé, il fit taire tout le monde en frappant dans ses mains. Il était gigantesque et ressemblait à un Viking. Il aurait facilement pu réduire Lester à néant, même si celui-ci était passablement énervé. Mais ce fut grâce à Dawson que le retour au calme s'opéra.

— Arrêtez, lui dit-il.

— Il est arrivé hier soir ! s'exclama Lester, nerveux comme une puce. Je l'ai vu. Il m'a piqué mon matériel et maintenant, je ne peux plus communiquer avec personne.

Ted se tenait toujours à côté de la bibliothèque, attentif aux regards tournés vers lui. Inconsciemment, sans doute parce qu'on parlait de vol, il glissa une main dans sa poche et palpa le fer à cheval. Lester s'en rendit compte.

— Tout est là ! Dans sa poche ! Fouillez-le !

L'infirmier secoua la tête. Mike rejoignit Lester et posa un doigt sur sa poitrine.

— Personne ne t'a volé quoi que ce soit, déclara-t-il avec sévérité. Maintenant, si tu ne veux pas d'ennuis, je te conseille de me laisser lire.

La menace porta ses fruits. Lester gigotait toujours, plus nerveux qu'en colère. Puis sa voix se brisa.

— Mais… Mike, sans mon matériel, je ne peux pas envoyer mes rapports et tu sais bien qu'ils en ont besoin.

— Rien à cirer. S'ils y tiennent tant que ça, ils n'auront qu'à prendre le Faucon Millenium et venir les chercher eux-mêmes. En attendant, toi, tu files au parc, je ne veux plus te voir ici, c'est clair ?

Lester ne broncha pas. Il n'était plus du tout en colère. Tête basse, il s'exécuta.

Mike sourit à l'infirmier et lui adressa un petit signe, l'air de dire : *Tu n'as pas à me remercier*. Puis il lança un clin d'œil à Ted et retourna lire sur le rebord de la fenêtre.

Ted s'approcha des joueurs d'échecs. La partie avait progressé, mais elle avait perdu tout intérêt. Le patient qui avait les pions blancs était en mauvaise posture et regardait les pièces fixement, à croire qu'il essayait de les bouger par télépathie. L'autre attendait de pouvoir jouer. Détendu, il observait tour à tour l'échiquier et son public réduit. À l'évidence, la présence de Ted le dérangeait, mais il se garda de le manifester à haute voix.

— Allez, Sketch, je n'ai pas toute la journée devant moi. Je vais demander à Scott qu'il me dégote une montre à double cadran, comme ça, je pourrai jouer avec deux personnes à la fois.

Ignorant ses propos, Sketch resta concentré. Un amateur d'échecs expérimenté l'aurait laminé, songea Ted, mais il y avait encore un peu d'espoir pour lui s'il bougeait son cheval de F5 en H6.

— Il est cuit, pas vrai, Lolo ? dit un des trois spectateurs en frappant sur la table du plat de la main. Il va t'écraser, Sketch... comme une mouche.

— Tais-toi ! lui ordonna un autre patient. Tu ne sais même pas comment on bouge les pièces. Là, par exemple, au cas où tu ne serais pas au courant, ils sont en train de jouer aux échecs.

Tous s'esclaffèrent et Sketch, les yeux toujours rivés sur l'échiquier, tendit en hésitant le bras qu'il avait caché sous la table, enfin décidé. Ses doigts s'approchèrent du cheval placé en F5. Il avait deux possibilités : H6, ce qui lui permettrait de tenir un peu, ou H4, qui précipiterait sa défaite.

Il opta pour H4.

— Tu n'es pas à la hauteur, Sketch, souffla Lolo en avançant un pion qui serait bientôt couronné roi. Voyons un peu comment tu vas te dépatouiller de ça cette fois.

Sketch s'abîma dans la contemplation du jeu.

Ted préféra s'éloigner. Il avait l'impression que le temps ne passait pas et que Laura Hill n'arriverait jamais.

En se dirigeant vers la porte, il s'aperçut que Dawson avait délaissé son livre et le suivait des yeux. Sans trop savoir si c'était une bonne idée, il le rejoignit pour le remercier de son intervention auprès de Lester.

— Tu avais deviné qu'il déplacerait son cheval en H4, n'est-ce pas ? lui demanda Dawson, contre toute attente.

Ted resta quelques secondes interdit, puis il se ressaisit.

— J'ai un peu joué aux échecs dans mon enfance, déclara-t-il en haussant les épaules.

— Moi aussi, en amateur. On pourrait peut-être faire une partie, un de ces jours.

Visiblement, Dawson le testait, Ted décida d'entrer dans son jeu.

— Volontiers.

— Attends, dit Dawson en l'observant de plus près. Laisse-moi t'accompagner. Lester est dehors.

À cet instant précis, Ted prit conscience du silence qui régnait dans la salle. Hormis les téléspectateurs, les patients étaient curieux de voir comment se déroulait ce qu'ils pensaient être la première rencontre entre Mike Dawson et Ted. Ce que McManus avait dit de Dawson dans la matinée, pendant qu'il prenait sa douche, lui revint en mémoire. *S'il vous aime bien, vous n'aurez pas de problèmes avec les autres.*

Le parc était grand, avec des parterres de fleurs bien entretenus et de grands arbres au feuillage abondant. Quelques patients solitaires se promenaient dans les sentiers. Lester et un petit groupe d'hommes s'étaient rassemblés dans un coin du terrain de basket, certains sur un banc, d'autres debout. Ils se tournèrent vers les deux hommes à leur approche.

— Alors, comme ça, tu ne sais pas pourquoi tu es ici ? lui demanda Dawson.

Ted l'étudia d'un air incrédule. Dans la lumière du matin, il donnait l'impression d'être l'homme le plus raisonnable du monde. S'il ne l'avait pas surpris la veille à le regarder avec une expression de détraqué, il se serait interrogé sur les motifs de son internement au Lavender.

Comme toi, et pourtant tu es là.

Ils s'installèrent sur les bancs les plus en retrait, à l'ombre d'un pin immense.

— Alors ? insista Mike Dawson.

— Dans un certain sens, je le sais, reconnut Ted avec résignation. Ces dernières semaines, j'ai été suivi par le docteur Hill. J'ai une tumeur… inopérable, et mon médecin a pensé qu'une psychothérapie me ferait du bien. Il avait raison. Moi, je me disais que parler avec cette femme ne servirait à rien… mais ça m'a aidé. Un peu. Sauf que là, elle est allée trop loin.

Lester et les autres commencèrent à jouer au basket. La balle rebondissait sur le béton avec un bruit assourdissant.

— Elle t'a fait interner contre ton gré ?

— Oui.

Mike glissa une main dans sa poche et en sortit un paquet de cigarettes. Il en proposa une à Ted, qui refusa.

— Moi non plus, dans le temps, je ne fumais pas, dit Dawson en allumant sa cigarette avec un briquet doré. Parfois, je me dis que j'ai commencé uniquement pour me différencier de l'homme que j'étais autrefois, ajouta-t-il d'un ton mystérieux en crachant une longue bouffée de fumée.

Ted s'était concentré sur son briquet, ce qui n'échappa pas à son interlocuteur.

— Une fois que tu as gagné leur confiance, la situation s'arrange. Moi, je coule des jours tranquilles ici. Les nuits sont plus tourmentées.

— Pourquoi es-tu là ?

— Personne ne te l'a dit ?

Ted fit non de la tête. Mike baissa les yeux, visiblement affecté avant même de s'être expliqué.

— J'ai tué la famille de mon meilleur ami.

Au loin, quelqu'un dribblait.

— J'étais vraiment malade, poursuivit-il en se tassant sur le banc, les coudes sur les genoux, le regard rivé au sol. Si on pouvait tous s'évader un jour du Lavender ou si, pour une raison étrange, on nous donnait l'autorisation de sortir… je refuserais. La fille de mon ami a survécu, ajouta-t-il avec amertume. Me pendre à cet arbre ne suffirait même pas à me racheter. Ce serait trop simple.

Ted l'écoutait en silence.

— Tu sais quoi ? Ça ne change pas grand-chose, d'être fou. Je veux dire par là que ça n'excuse pas tes gestes. Au lieu d'aller en prison, tu te retrouves dans un endroit comme celui-ci, mais il y a toujours une part de toi qui se sent coupable de ne pas avoir su contenir l'autre part. Et une part de toi le sait. Elle sait tout.

Ted se rappela ce que lui avait dit Wendell dans l'usine abandonnée.

Là, dans votre tête, il y a pas mal d'idées compromettantes.

Mike marqua une pause en levant les yeux au ciel. Il semblait se rappeler certains détails d'un passé qui le hanterait à jamais. Il pointa un doigt sur sa tempe et, les yeux écarquillés, posa sur Ted un regard terrifiant.

— L'esprit est une boîte magique pleine de stratagèmes, enchaîna-t-il. Il se débrouille toujours pour te donner son avis ou te proposer une échappatoire. Une porte…

Ouvre la porte. C'est ta dernière chance.

Ted imagina le pin sous lequel ils se tenaient, le corps de Mike Dawson pendu à une branche, bercé par la brise.

— Tu as sans doute raison, dit-il.

Mike lui sourit, compréhensif, le visage de nouveau empreint d'affabilité.

— Mais tu dis peut-être vrai et demain, tu partiras. N'oublie pas que le contraire est également possible et que si ça se trouve, nous nous assoirons encore sur ce banc. On a tous besoin d'ouvrir cette porte un jour ou l'autre.

Il se leva, tendit les bras et bomba le torse. Les articulations de son dos craquèrent.

CHAPITRE 7

Laura était dans la salle d'évaluation. Des menottes aux mains, Ted attendait que McManus trouve la bonne clé pour lui permettre d'entrer.

— C'est ouvert, leur dit la psychothérapeute de l'intérieur.

Ted reconnut sa voix aussitôt. Un petit sourire se dessinait sur ses lèvres. Debout à côté d'elle, Roger avait l'allure d'un totem hiératique aux grands yeux froids comme deux lunes.

— Docteur Hill, enfin…, souffla Ted en la saluant.

— Vous pouvez continuer de m'appeler Laura.

— Laura, oui, bien sûr. Merci pour cette nuit au Hilton, c'était très généreux de votre part.

L'infirmier le conduisit à la table derrière laquelle Laura Hill s'était installée, mais avant de s'asseoir, il lui montra la chaîne qui reliait ses poignets.

— Asseyez-vous, Ted, s'il vous plaît, dit-elle sans faire de commentaire sur les menottes.

Il jeta un coup d'œil dans la salle et constata qu'il n'y avait pas grand-chose à y voir : des carreaux verdâtres déprimants sur les murs, la table en Formica, six tubes au néon qui effaçaient toutes les ombres, une fenêtre aux vitres teintées qui devait dissimuler une caméra de surveillance. Dans le reflet de cette fenêtre, il surprit McManus en train de hocher la tête avant de quitter la pièce.

— Comment vous sentez-vous, Ted ?

— Ça vous va bien de me demander comment je me sens. Je me sens… comme une merde. Je veux savoir ce que je fais ici. Et je veux que vous me le disiez tout de suite.

Laura baissa les yeux quelques instants, puis tapota un dossier qu'elle avait devant elle et s'éclaircit la gorge. Son sourire avait disparu, elle semblait à présent très contrariée. Comme d'habitude, elle avait relevé ses cheveux et portait une blouse blanche et ses lunettes rectangulaires.

— Je vais tout vous expliquer dans une seconde, dit-elle, mais avant, j'ai besoin de quelques renseignements. Roger et moi sommes là pour vous aider…

— C'est bon, c'est bon, inutile de vous fatiguer. Qu'est-ce que vous voulez savoir ?

Elle inspira longuement.

— Hier, vous avez dit à Roger que nous allions vous faire interner au Lavender Memorial, que vous étiez au courant de tout. Qu'est-ce que ça signifiait ?

— Je crois que ça se passe d'explications, non ? Je parlais de ça, un point c'est tout, répondit-il en lui montrant ses menottes.

— Qui vous l'a dit ?

— Quelle importance ? Ça s'est vérifié, non ?

— Wendell ?

Il garda le silence, se rappela la conversation qu'il avait eue avec Wendell dans la petite pièce encombrée d'outils de l'usine désaffectée.

Elle vous enverra au Lavender Memorial et vous vous retrouverez chez les fous. Elle en a le pouvoir, je vous le garantis.

— Ça suffit, Laura, c'est à votre tour de parler, tout de suite.

Le docteur Hill et Roger échangèrent un regard dont la signification lui échappa. Puis elle acquiesça, ouvrit le dossier qu'elle avait devant elle et l'orienta vers Ted pour le lui montrer, comme l'avait fait Lynch dans son salon. Cette fois, il ne s'agissait pas d'un dossier criminel, mais d'une IRM de son cerveau. Il reconnut immédiatement les images que Carmichael lui avait montrées dans son cabinet ; son nom était inscrit dans un coin.

— Vous avez déjà vu ce dossier ? demanda-t-elle.

— Évidemment. Ma tumeur est ici, dit-il en lui montrant une zone légèrement plus sombre que le reste.

— Vous n'avez pas de tumeur, Ted.

Pourquoi n'es-tu pas surpris qu'elle te dise ça ?

Elle se tourna et fit un geste vers la fenêtre en verre fumé. Un instant plus tard, la porte de la salle d'évaluation s'ouvrit.

— Bonjour, Ted.

C'était le docteur Carmichael. Les mains dans les poches, il avait l'air désolé qu'on prend quand on s'apprête à annoncer une mauvaise nouvelle.

Carmichael est lui aussi dans le coup.

— Je crains que le docteur Hill n'ait raison, déclara-t-il avant même d'avoir franchi le seuil.

Il s'avança lentement, contourna la table et s'assit. Ted avait à présent trois interlocuteurs.

— J'ai demandé au docteur Carmichael de venir vous le dire lui-même, déclara Laura.

L'intéressé hocha gravement la tête.

— Il n'y a jamais eu de tache, affirma-t-il d'une voix posée. Quand les premiers résultats sont arrivés, je vous ai dit que votre cerveau était parfaitement sain et que vos migraines avaient une autre origine, que nous allions approfondir les analyses ensemble, comme nous l'avons fait pendant toutes ces années. Vous vous êtes fâché et j'ai dû vous promettre de faire une autre IRM pour vous rassurer. Je pensais gagner du temps, mais vous n'aviez pas de tumeur et je savais que les résultats seraient les mêmes.

Ted l'écouta sans ciller.

— Vous ne vous souvenez de rien ? lança Laura.

— Vous avez modifié les résultats. Comment être sûr que ces images sont bien celles de mon cerveau ?

— Je suis désolé, dit Carmichael.

— Et mes maux de tête, mes trous de mémoire ? lâcha Ted en trahissant ses premiers signes de désespoir. La tumeur est peut-être petite, ou elle se situe dans une zone que les images ne mettent pas en valeur ? J'ai lu des récits à propos de cas similaires, n'essayez pas de me tromper.

— Nous allons poursuivre le traitement pour vous aider à...

— M'aider ! Vous ne comprenez rien à rien, Laura ! C'est un miracle que j'aie pu venir à nos dernières séances. Si tout s'était déroulé comme prévu, je serais en ce moment même chez moi, allongé par terre, dans mon bureau, une balle dans la tête ! s'exclama-t-il en éclatant de rire. C'est ridicule. Si ce connard de Lynch ne s'était pas mis en travers de mon chemin... *Pan !* s'exclama-t-il, deux doigts sur la tempe.

Les deux praticiens se regardèrent.

— Quoi ? reprit Ted avec impatience. Ça suffit de me traiter comme un fou !

Il bondit et renversa sa chaise. Dans la salle, personne ne cilla. Les docteurs Hill et Carmichael le regardèrent tourner en rond.

— Je n'y crois pas ! s'écria-t-il pour lui-même.

Il marchait, les mains posées sur le ventre, le regard rivé sur le linoléum.

— Avez-vous pris le fer à cheval ? lui demanda Laura.

Ted s'arrêta net et s'empressa de palper sa poche et d'en sortir le fer. Il le tint entre ses doigts et le contempla comme un talisman.

— Vous vous rappelez ce que vous m'avez dit à ce sujet, n'est-ce pas ? poursuivit-elle. Vous m'avez parlé de Miller, qui vous a appris à jouer aux échecs, et de la finale Capablanca-Alekhine à Buenos Aires...

Roger s'approcha de Ted et le ramena vers la chaise. Toujours concentré sur le fer à cheval, il avait l'air absent.

— Je l'ai trouvé chez Wendell, expliqua-t-il, ébahi, à croire que l'objet avait des pouvoirs hypnotiques.

— Ted, regardez-moi.

Il releva la tête.

— Ici, les règles sont strictes : on n'a pas le droit d'introduire un fer à cheval dans cet hôpital, mais je vous autorise à le garder avec vous. Quand vous vous sentirez perdu, j'aimerais que vous vous concentriez sur cet objet, sur Miller et vos parties d'échecs, d'accord ?

— C'était le bon temps, murmura-t-il.

— Tout à fait, admit-elle. Essayez de vous rappeler cette époque.

Sa colère s'était évanouie. Il baissa de nouveau les yeux, se détourna du fer à cheval qu'il avait posé sur ses genoux sans le lâcher.

— C'est à cause de Holly ? Elle avait une… une histoire avec Lynch. Pas Wendell, Lynch. J'ai vu des photos. Au restaurant.

— Ne vous tourmentez pas avec ça maintenant, Ted. J'ignore pourquoi vous aviez décidé de vous suicider, mais nous le saurons bientôt.

Ted avait l'air d'un enfant qu'on vient de semoncer, puis ses traits s'altérèrent, comme si certains souvenirs lui revenaient en mémoire. Il regarda Laura, terrorisé.

— Holly et les filles vont bien ?

— Très bien. Elles sont en Floride, chez les parents de Holly.

— Mais en principe elles devaient rentrer vendredi. Quel jour on est ?

Laura Hill laissa la question sans réponse et ferma le dossier resté ouvert sur la table. Le docteur Carmichael s'excusa de devoir prendre congé, il avait des patients à voir. Il salua Ted d'une inclination de tête et ajouta qu'il reviendrait bientôt, qu'il devait être fort et qu'il était entre de bonnes mains.

Ted n'avait plus l'air aussi effrayé.

— Pourquoi tous ces souvenirs, Laura ?

— Nous verrons ça plus tard, même si je crains de ne pas avoir toutes les réponses. Je n'ai pas envie de vous assommer avec ça aujourd'hui. Tout d'abord, il faut que vous assimiliez ce que je vais vous dire. Nous nous reverrons ici après-demain et poursuivrons cet entretien. Cette fois, nous serons seuls, comme au bon vieux temps, expliqua-t-elle en lui adressant un sourire plein de compassion.

— C'est Holly qui m'a fait interner ? Je ne suis pas idiot, je sais qu'elle a dû donner son consentement. Elle est au courant ? Elle sait que j'avais l'intention de me suicider ?

— Non.

— Tant mieux.

— Bon. Avez-vous compris que vous allez rester ici plusieurs jours ?

— J'imagine, oui.

Non, tu n'en crois pas un mot, mais joue le jeu. Tout se passe comme te l'a dit Wendell. Il a été le seul à être franc avec toi… le seul à te donner des preuves.

— Vous passerez la nuit dans une chambre de haute sécurité, mais demain, je veillerai à ce qu'on vous en donne une autre, où vous serez beaucoup plus à l'aise. McManus m'a dit que vous aviez sympathisé avec Dawson, ce qui est très positif. En général, il est très sélectif.

— J'ignore si « sympathiser » est le mot qui convient. Nous avons discuté dans le jardin, tôt ce matin. Il m'a raconté pourquoi il était au Lavender, c'est tout.

— Il vous a révélé plus de choses en un jour que tout ce que les autres patients savent de lui.

Ted haussa les épaules. Peu lui importait de se lier d'amitié avec un meurtrier fou à lier.

CHAPITRE 8

Il était tard. Le silence s'était installé depuis longtemps dans les chambres de haute sécurité. Allongé sur son lit, Ted regardait le plafond, les mains derrière la tête. Son envie de partir du Lavender l'avait quitté. Il ignorait si Laura lui avait dit toute la vérité – sans doute pas –, mais trop d'incertitudes se bousculaient dans son esprit pour qu'il s'en soucie. Avait-il réellement inventé cette tumeur ? Deux réalités fragmentées cohabitaient dans son cerveau : à en croire la première, il avait tué Wendell, mais la seconde attestait qu'il n'était pas un assassin et qu'il avait discuté avec lui... à l'intérieur d'un château miniature rose ! De toute évidence, Ted avait de sérieux problèmes, autant le reconnaître.

N'oublie pas Blaine. Tu l'as attendu caché dans un placard. Il a découvert ta présence, mais tu as pu le liquider facilement.

Il devait dormir, assimiler les faits calmement. Le poids du fer à cheval posé sur sa poitrine le rassurait. Il ferma les yeux, prêt à sombrer... mais les rouvrit aussitôt pour s'asseoir au bord du lit. Le fer glissa et tomba par terre en déclenchant une série de bruits métalliques qui résonnèrent deux fois plus fort qu'une cloche dans l'ambiance ouatée de l'étage. Au bout du couloir, quelqu'un lui demanda de cesser ce raffut. Ted s'approcha de la cloison de verre. Dans la chambre contiguë à celle de Dawson, Lester l'observait.

— Tu ne dors donc jamais, Lester ? Va te coucher ! ordonna-t-il au petit homme chauve, qui manifesta sa surprise. Mike, tu es réveillé ?

— Mais tais-toi donc ! lui ordonna-t-on de nouveau.

Dans la chambre de Mike, une petite lampe de chevet s'alluma. Il se leva. Apparemment, lui non plus ne semblait pas trouver le sommeil.

— Je te conseille de parler moins fort, lui suggéra-t-il.

Ted acquiesça.

— Tu dormais ?

— Non, je suis insomniaque. Qu'est-ce qu'il y a ?

— J'ai une question à te poser.

— Je t'écoute.

— L'échiquier qui est dans la salle commune… on dirait qu'il est neuf, surtout le plateau qui se plie.

— On l'a apporté il y a environ six mois. Avant, il y en avait un autre, mais je ne sais pas ce qu'il est devenu.

Six mois !

C'était donc juste avant qu'il consulte Carmichael pour ses migraines.

Ted était persuadé que cet échiquier avait été placé là à son intention. Quoi de mieux qu'un jeu d'échecs pour qu'il se sente comme chez lui ? Il regarda le fer à cheval qu'il n'avait pas ramassé.

— C'est le docteur Hill qui l'a apporté ?

— Je n'en sais rien. C'est pour ça que tu m'obliges à me lever ? Ça ne pouvait pas attendre demain ?

Mike s'allongea et éteignit la lumière.

Ted l'imita un moment plus tard, à présent convaincu que l'échiquier était là pour lui. *Depuis six mois.*

CHAPITRE 9

Le lendemain matin, McManus le conduisit dans sa chambre, au deuxième étage du pavillon C. Pour y arriver, ils traversèrent un couloir couvert de moquette bien différent du corridor aux cloisons de verre du service de haute sécurité. Ted portait la tenue grise de l'hôpital, mais on lui avait retiré ses menottes. Sa situation commençait à changer. Par une porte latérale entrebâillée, il reconnut Sketch, qui l'observait avec une expression indéchiffrable.

— Je vais vous donner un conseil, lui dit McManus avant qu'ils atteignent le bout du couloir. Profitez de la chance qu'on vous donne, ne commettez aucun impair. Apparemment, vous êtes un homme intelligent.

Il semblait si sincère qu'après l'avoir écouté, Ted hocha la tête avec solennité. Quand ils pénétrèrent dans la chambre, il comprit ce que l'infirmier avait voulu lui faire comprendre. En comparaison avec la couchette peu confortable sur laquelle il venait de passer deux nuits, son nouveau lit était digne d'une suite au Hilton. Il se rappela les mots ironiques qu'il avait lancés à Laura à ce propos et esquissa un sourire.

La chambre était vaste et le soleil y entrait à flots par la grande baie. Elle comportait deux lits, deux bureaux et deux petites bibliothèques disposés de manière symétrique. Une porte intérieure donnait sur la salle de bains. La partie occupée par Mike

Dawson, avec qui il partagerait les lieux, était encombrée de livres et les murs couverts de coupures de journaux, de photographies et d'autres images destinées à rendre l'endroit plus accueillant. McManus expliqua à Ted que Mike n'avait pas eu de compagnon de chambre depuis longtemps.

Sur son matelas nu, un carton portait son nom écrit au marqueur noir.

— Ah, je vois qu'on vous a apporté vos affaires !

Mes affaires ?

L'infirmier prit congé de Ted, qui resta seul. Il gagna la grande fenêtre en longeant la ligne imaginaire supposée diviser son univers terne et celui de Dawson, habité et coloré. Il ne savait même pas ce que contenait le carton. Seul un rectangle de lumière semblait unir ces deux mondes en tout point dissemblables. Il plissa les yeux pour ne pas être ébloui et regarda dehors : le terrain de basket se dessina lentement, de même que les sentiers du parc. Ted suivit un instant la démarche erratique des patients.

Il se détourna de la vitre pour examiner les affaires de son compagnon de chambre. Sur le bureau, deux coupures de presse collées sur un panneau attirèrent son attention. Il s'avança dans cette direction, puis s'arrêta en jugeant préférable d'inspecter la salle de bains, mais se heurta à une porte close.

— Mike ?

— Quoi ? demanda ce dernier.

— C'est Ted. J'aurais besoin d'un stylo ou de quelque chose pour couper le Scotch sur le carton qu'ils ont posé sur mon lit. Je peux prendre ça sur ton bureau ?

Dawson garda le silence.

— Mike ?

— Bien sûr, prends donc un stylo et laisse-moi chier et lire en paix.

— Désolé.

Il ne reçut aucune réponse.

Ted songea que Dawson n'était peut-être pas aussi terrible qu'on le disait. Il s'approcha du bureau et, cette fois, ne put s'empêcher de lire le titre d'un des articles :

ANDREA GREEN PRIMÉ
À LA BIENNALE DE VENISE

Il s'empressa de s'éloigner. Si Dawson sortait de la salle de bains à cet instant, le voir fouiner risquait de nuire à leur relation, qui était plutôt partie d'un bon pied. Il déchira le ruban adhésif qui scellait le carton avec le capuchon du stylo et releva les rabats. À l'intérieur, il découvrit des vêtements bien pliés, des sacs en plastique fermés, une lampe de chevet qu'il reconnut immédiatement et… un tentacule rose qui serpenta avant de disparaître.

Il sursauta, lâcha le carton et heurta le lit de Mike, sur lequel il tomba, les yeux écarquillés. Quelque chose bougeait à l'intérieur, il l'avait vu et entendait à présent ses affaires s'entrechoquer. Il aurait pu identifier ce bruit entre mille. Ce qui l'avait effrayé n'était pas un tentacule, mais la queue rose de l'opossum.

Le souffle coupé, il songea que c'était impossible. En théorie, l'opossum faisait partie de ses cauchemars…

Vraiment ? Et chez Arthur Robichaud, alors ?

Dawson sortit du cabinet de toilette à cet instant et se rendit compte qu'il y avait un problème.

— Que contient ce carton ? demanda-t-il en se dirigeant vers le lit. Une souris ?

Il s'apprêtait à l'ouvrir, puis se ravisa.

— Non, répondit Ted.

Le carton avait cessé de bouger.

Mike souleva un des rabats d'un geste vif, puis s'écarta. Il s'en rapprocha ensuite lentement, glissa une main à l'intérieur et en sortit la lampe, puis un premier et un deuxième sachets…

— Il n'y a rien là-dedans, dit-il en regardant autour de lui, intrigué.

— J'ai vu sa queue. Le carton bougeait.

Mike le regardait, un sourcil haussé.

Ted se leva en hochant la tête.

— Je t'assure que…

— Qu'est-ce que tu as vu ? le coupa Mike en agitant la main.

— Rien, répondit-il d'un air songeur.

— Qu'est-ce que tu as vu ?

— J'ai cru voir un opossum, mais j'ai peut-être rêvé.

— C'est la première fois ?

La question prit Ted par surprise.

— Qu'est-ce que tu veux dire ?

— Ni plus ni moins que ce que je viens de te demander.

— Oui, finit par souffler Ted.

Mike se frotta le menton.

— Un opossum, murmura-t-il.

— Quoi ? Toi aussi, tu l'as vu ? Avant, je veux dire.

— Non, mais quand on aura pris notre petit déjeuner, tu me raconteras tout sur cet opossum.

Son air mystérieux s'effaçant, il s'empara du livre qu'il avait lancé sur le lit en sortant des toilettes et s'allongea pour continuer sa lecture en silence.

CHAPITRE 10

Chargé d'un plateau contenant son déjeuner – un filet de poisson et une purée de petits pois –, Ted s'installa à une table en retrait. La salle à manger n'étant guère spacieuse, il lui fut difficile de manger tranquillement. À la table voisine, quatre patients l'observaient avec attention et essayèrent d'engager une conversation amicale. Ils n'insistèrent pas quand il leur répondit qu'il n'avait pas envie de parler. Il voulait rester seul pour réfléchir. Tout d'abord révolté à l'idée de s'être si facilement résigné à sa condition de patient, il savait au fond de lui qu'il avait besoin de soins. Son cerveau était un véritable casse-tête, une tumeur inexistante l'avait presque acculé au suicide… et il avait peut-être assassiné deux hommes ! Était-ce la raison pour laquelle on l'avait interné dans les services du pavillon C ? Parce qu'il était un meurtrier, comme Dawson ? À force de se questionner, il en avait déduit que sa place était peut-être là. Il n'avait même pas la force de se battre pour voir Holly et les filles. Certes, elles lui manquaient, surtout Cindy et Nadine, et il lui était douloureux de songer à elles. Mais que leur dirait-il si elles venaient le voir ? Que dirait-il à Holly ? S'il n'avait pas de tumeur, pourquoi tous ces dysfonctionnements dans son comportement ?

Il mangea en silence, perdu dans ses pensées, hagard, le regard tourné vers une des fenêtres. Un de ses voisins de table lui adressa de nouveau la parole, mais il l'ignora, encore perturbé par l'incident survenu dans la chambre. Quand ses visions prendraient-elles fin ? Il n'avait pas quitté le carton des yeux jusqu'à ce que Mike sorte du cabinet de toilette, mais l'opossum avait alors disparu. Il avait eu la même déconvenue dans le jardin d'Arthur Robichaud quand l'animal s'était caché dans le pneu. Chaque fois, il avait cru que cette bestiole puante était réelle, puis il avait mis cela sur le compte d'un rêve ou, pire, d'une vue de l'esprit. Que penser de sa présence ? Il fixa un point au hasard. Était-il au cœur d'un cauchemar ? Il étudia son couteau en plastique comme un scientifique, l'examina de tous côtés : la forme arrondie du manche, sa lame dentée… puis il le posa sur le plateau et exerça une pression. Le couteau se plia et se brisa en deux avec un bruit sec. À la table voisine, les patients s'esclaffèrent. Ted observa les deux parties du couteau, les fit tourner entre ses doigts… Ces deux bouts de plastique existaient-ils vraiment ?

Il soupira, considéra les reliefs de son repas puis le couteau avant de se lever.

Il s'apprêtait à partir lorsque Lester surgit de nulle part et s'installa à côté de lui. Il n'avait pas l'air aussi agité que la veille.

— Ce n'est pas toi qui m'as piqué mon matériel, déclara-t-il d'un ton conciliant. Je viens de le retrouver.

— Je m'en fous, de tes affaires.

Lester avait les grands yeux sournois de Gollum. Plus Ted les regardait et plus ils semblaient s'agrandir. Et s'il y plantait une des parties brisées de son couteau ?

— Je t'ai entendu discuter avec Dawson hier, tu lui posais des questions sur le jeu d'échecs.

Ted, qui s'était levé, préféra se rasseoir en l'interrogeant du regard.

— Je vous ai entendus de ma chambre. Tu lui demandais quand on l'avait apporté et il t'a répondu qu'il était là depuis six mois.

C'était en effet ce que Mike lui avait dit. Lui avait-il menti ?

— Et c'est vrai ?

Le menton calé dans une main, Lester fit des calculs mentaux.

— Oui, mais moi, je sais qui l'a apporté.

— Qui ?

— Eh bien, en fait…

— Tu le sais, oui ou non ?

Ted le saisit par le col de sa chemise et l'attira à lui. Quelques patients se retournèrent. À une des tables, Robert Scott, l'infirmier-chef, les observa jusqu'à ce que Ted lui fasse comprendre que tout allait bien.

— Qui est-ce, Lester ? insista Ted.

Le petit homme chauve entrevit une lueur menaçante dans les yeux de son interlocuteur et perdit soudain toute la véhémence qui le caractérisait à certains moments.

— Le docteur Hill. Elle est venue ici un jour avec l'infirmier noir et elle a donné l'échiquier à Scott. Je les ai vus.

— Je ne te crois pas, murmura Ted après l'avoir observé longuement en silence. Où étais-tu ?

— Dans le couloir. Ils l'ont apporté devant tout le monde, enfin… pas vraiment parce que j'étais tout seul, mais ils n'ont pas fait attention à moi. Le docteur Hill ne vient pas souvent ici, et elle est toujours avec cet infirmier, ce… Roger… je crois que c'est comme ça qu'il s'appelle. Elle l'a remis à Scott, mais au début, je ne savais pas que c'était un échiquier. Je l'ai suivi dans la grande salle et je l'ai vu le ranger avec les autres jeux de société.

— Et ça, c'était il y a six mois.

Lester hocha vigoureusement la tête.

— Moi aussi, je m'en doutais.

— Tu te doutais de quoi ?

— Hier, je t'ai entendu demander à Dawson comment ils pouvaient savoir qu'ils t'amèneraient ici il y a six mois.

— Ça ne te regarde pas.

— Bien sûr que si. Ils savent beaucoup de choses. Ils ont des micros et des petites caméras.

Ted secoua la tête. Continuer à parler avec ce fou était inutile. Il fit mine de se lever de nouveau, mais Lester le retint par le bras. En temps normal, Ted se serait débarrassé facilement de lui, mais Lester avait l'air si dépité qu'il le laissa poursuivre.

— Tu crois qu'ils ont mis des micros dans les pièces des échecs ?

— Non, Lester, il n'y en a pas.

Il grimaça d'horreur, en plein désarroi.

— Comment peux-tu en être aussi sûr ?

En entendant ces mots, Ted songea que cette conversation n'avait aucun sens.

CHAPITRE 11

Mike l'attendait sur le banc, à l'ombre du pin. Il n'avait ni livre ni cigarette et suivit Ted des yeux jusqu'à ce qu'il s'installe à côté de lui.

— Tu as encore eu des problèmes avec Lester ? S'il t'embête, fais-moi signe…

— Je sais me débrouiller tout seul, merci. Moi aussi, j'ai quelques atouts dans ma manche.

— Oui, c'est ce qu'on m'a dit.

Il n'y avait qu'une seule personne sur le terrain de basket. Sous le soleil de l'après-midi, les vestiges de peinture bleue qui marquaient le sol ressemblaient à des flaques d'eau. Mike montra un des paniers. Agrippé au pilier d'acier, un homme obèse tournait autour.

— L'homme que tu vois là-bas s'appelle Espósito. Lui aussi, il les a vus.

L'espace d'une seconde, Ted se demanda de quoi parlait son compagnon de chambre. Il regarda dans toutes les directions en pensant qu'il faisait allusion à quelqu'un d'autre.

— Qu'est-ce qu'il a vu ?

— Les animaux, répondit gravement Mike toujours concentré sur Espósito, qui avait pris de la vitesse, le visage empreint de la même expression que celle de Timothy Robichaud sur son carrousel supersonique. Quel animal as-tu vu ?

— Un opossum, je te l'ai déjà dit. Mais j'ai dû rêver parce que je m'étais allongé un moment sur le lit et…

— Toi et moi, on sait que ce n'était pas un rêve, Ted. Tu es sûr que c'était un opossum ?

— Ou une bestiole de ce genre. Tu l'as vu toi aussi ?

— L'opossum, non. Moi, j'ai vu un rat et une langouste. Et notre ami Espósito, qui tourne comme une toupie autour de son pilier, est obsédé par deux grands animaux, une hyène et un lynx. Deux types que j'ai connus ici ont aperçu d'autres bêtes, mais ils ne m'ont jamais parlé d'un opossum.

Toujours tourné vers le terrain de basket, il avait l'air d'appréhender un problème impossible à résoudre.

— Mike, j'espère que tu as bien compris que ces animaux n'existent pas…

— Ne me regarde pas comme ça. Je sais qu'ils sont là, ajouta-t-il en pointant un doigt sur sa tête. Ça ne veut pas dire qu'ils n'existent pas.

Ted fit claquer sa langue. Il s'apprêtait à partir quand Mike posa délicatement une main sur son genou.

— Attends.

— Je veux oublier cette saloperie d'opossum, Mike, vraiment. Il faut que je mette de l'ordre dans mes idées. Hier, j'ai eu un entretien avec le docteur Hill et tout est de plus en plus confus, alors inutile d'en rajouter.

— Je comprends, mais laisse-moi te dire quelque chose. Sarah McMills est la directrice de cet hôpital, et c'est elle qui me suit depuis le début. Je lui ai parlé des animaux il y a quelques années, peu après avoir été interné. Elle a ri, et il nous arrive encore d'en parler aujourd'hui, même si elle ne me pose plus beaucoup de questions à ce sujet. C'est une femme brillante qui a traité beaucoup de patients avant d'arriver là où elle est, et si je suis sûr d'une chose, c'est qu'elle sait bien que ces animaux sont réels. Moi, je ne les vois plus depuis deux ou trois ans.

— Et c'était quand, la première fois ? Quand tu…

— Quand je les ai tués ? Oui.

Et toi, tu as tué qui, Ted ? Wendell ? Blaine ? Les deux ?

— La langouste m'apparaissait presque tout le temps. Elle était un peu plus grande qu'une langouste normale, et plus audacieuse. Elle avait une attitude provocante. J'avais l'étrange impression qu'elle allait s'introduire dans ma bouche. J'étais dégoûté rien que d'y penser. Au début, je n'y ai pas prêté attention, mais par la suite, je me suis rendu compte que je la voyais dès que je déraillais, que je « déviais de mon chemin ». C'était une sorte de… gardienne. Le rat aussi, en plus effrayant.

Ted fut parcouru d'un frisson. Lui aussi avait peur de l'opossum.

— Regarde ce terrain de basket. Il y a deux côtés clairement différenciés et séparés par une ligne. C'est la même chose entre le monde réel et le monde de la folie. Soit tu as toute ta tête, soit tu es fou, c'est l'un ou l'autre. Tu joues dans une équipe ou dans l'autre, et si tu es enfermé ici, si tu as de la chance, si les médicaments fonctionnent et si les docteurs identifient ton problème et appliquent le bon traitement, tu pourras peut-être changer d'équipe, au moins un moment. Mais tu ne peux pas jouer dans les deux équipes à la fois, tu comprends ?

— Je ne vois pas la folie comme ça.

— Tu as tort. La folie est une autre dimension, si tu préfères cette définition. Un monde qui a ses propres règles, comme les rêves. Tu ne rêves pas ?

— Tu crois donc que les animaux font partie de cet autre monde.

— Pas exactement. Tu vois le rond au milieu du terrain ? C'est une zone intermédiaire. J'aime cette analogie, je n'y avais encore jamais pensé. Souvent, je m'assois ici et je réfléchis à tout ça. Ce rond est la porte qui relie les deux mondes, l'endroit où on n'est pas censé être, parce que, précisément, on ne peut pas jouer dans les deux équipes. Pourtant il y a des gens comme toi, moi ou Espósito, qui y restent pendant une période plus ou moins longue.

Ils sont devant la *porte.* Bien entendu, ce n'est pas ce qu'il y a de mieux. Le rond est dangereux, ajouta-t-il après avoir marqué une pause. Les deux mondes y coexistent.

Espósito avait cessé de tournoyer. Il marchait à présent d'un côté et de l'autre, encore ivre de vitesse. Les bras ouverts, le visage levé vers le ciel, il planait à l'image d'un gros avion.

— Les animaux sont chargés de nous éloigner du rond, Ted, reprit Mike d'un ton docte, à croire qu'il était l'homme le plus lucide du monde.

— Pourquoi voit-on certaines espèces d'animaux et pas d'autres ?

— Je n'en sais rien.

— Mike, ne le prends pas mal, mais d'après toi, ce fichu rond est dangereux. Supposons que ce soit vrai, que peut-il y avoir de pire que de sombrer complètement dans la folie ?

— Et toi, Ted, tu as souvent vu l'opossum ?

— Plusieurs fois, oui.

— Raconte.

— En rêve. J'étais dans mon salon et quelque chose attirait mon attention dans le jardin. Il faisait nuit. Je regardais par la fenêtre et je voyais ma femme en maillot de bain, dans une position bizarre. En plus, il lui manquait une jambe. L'opossum était sur une table qui se trouve sur la terrasse. Il grignotait la jambe de ma femme.

Ted trembla en évoquant ce moment.

— Un rêve bien étrange, dit Mike. Tu as revu ta femme depuis ?

— Pourquoi tu me demandes ça ?

— Ce n'est peut-être pas l'exemple qui illustre le mieux les fois où tu as vu l'opossum, Ted.

— Pourquoi veux-tu savoir si je l'ai revue ? Tu es au courant de quelque chose ? s'écria Ted en saisissant l'avant-bras de son compagnon de chambre.

Dawson garda son calme. Il attendit que Ted enlève sa main et s'adressa à lui d'une voix posée :

— Écoute, je ne suis pas psy, loin de là. Tout ce que je sais, je le tiens de mon expérience personnelle et de ce que j'ai appris ici. Avant Espósito, il y avait un autre type, Ricci, qui est parti il y a cinq ans, précisa Dawson en regardant le ciel. C'est lui qui m'a parlé pour la première fois des animaux et du rond, même s'il a utilisé un autre terme. À l'époque, je ne l'ai pas cru, comme toi maintenant, mais ensuite, j'ai repensé à la langouste, que j'avais occultée. Beaucoup de choses ont alors commencé à faire sens. Tu sais que quand tout est arrivé… cette histoire avec mon ami…, précisa-t-il, le visage soudain rembruni. Quand… quand j'ai fait ce que j'ai fait, tout était très confus dans ma tête, ça a duré des mois… il m'était impossible de dissocier la réalité du reste. Malgré des preuves criantes, je refusais d'admettre ce que j'avais fait. J'avais assassiné l'employée de maison de mon ami, Rosalía, une femme adorable que je connaissais depuis des années et qui avait un petit garçon. Je suis bouleversé quand je pense à elle. La police a découvert son corps dans sa chambre et a compris qu'elle avait été une des victimes de mon raid meurtrier. Il a donc bien fallu que je me rende à l'évidence. Tout concordait et, par la suite, un souvenir de cette époque enfoui en moi m'est revenu en mémoire. J'étais chez moi, je buvais une bière sur la terrasse quand cette langouste de malheur est sortie de je ne sais où pour se poser sur un de mes genoux. J'étais mort de peur. Je l'ai balayée d'un revers de main, elle est tombée près de la porte et est entrée dans la maison. Elle se déplaçait lentement et j'ai compris que je devais suivre cette drôle de bestiole. Tu y crois ? Je marchais derrière une langouste, chez moi, parce que j'étais sûr qu'elle voulait me montrer quelque chose ! s'esclaffa-t-il en hochant la tête. Elle m'a conduit dans une chambre inoccupée et s'est arrêtée. Quand je me suis rappelé ces images, j'ai cru qu'il s'agissait d'un rêve, exactement comme toi tout à l'heure. La porte était différente des autres et comportait un judas à travers lequel j'ai regardé. J'ai alors vu une scène effrayante : un enfant que je connaissais lardait sauvagement Rosalía de coups de couteau. Je ne pouvais pas détourner le regard et le temps s'étirait comme dans les rêves.

Il se tut. Ted pensa qu'il était sincère et ne jouait pas la comédie.

— Et elle a été poignardée, murmura Ted.

Mike acquiesça.

— Les souvenirs que j'ai de cette époque n'ont jamais été très nets et il se peut que ce soit moi qui l'aie tuée… pourtant j'ai l'impression que non. Pas elle.

— Tu veux dire que ce qui s'est passé avec la langouste chez toi…

Il laissa sa phrase en suspens et repensa à Holly, immobile dans leur jardin, une jambe amputée.

— Il y a un moment, tu me demandais s'il y avait quelque chose de pire que perdre la raison. Eh bien, tu as la réponse. Quand on devient fou, tout est là dans notre tête… Et quand on est dans le rond, les deux mondes coexistent…

— Tu veux dire que si je rêve que ma femme a une jambe en moins, comme par magie, elle…

— Formulé de cette manière, ç'a l'air idiot, je le sais. Un conseil, Ted : si tu revois l'opossum, éloigne-toi. Les animaux rôdent autour du rond, ils sont à la frontière des deux mondes.

Ils observèrent un moment de silence. Espósito était parti et Lester, Lolo, Sketch et d'autres patients avaient envahi le terrain de basket.

— Dès que je t'ai rencontré, j'ai su que toi aussi tu les voyais, conclut Mike, plus pour lui-même qu'à l'intention de Ted. C'était bizarre.

CHAPITRE 12

Laura l'attendait dans la salle d'évaluation. Elle avait apporté un carnet et un ordinateur portable.

Ted venait d'entrer.

— C'est vraiment nécessaire ? lui demanda-t-il en exhibant ses menottes.

— J'ai bien peur que oui.

Il se laissa choir lourdement sur sa chaise. McManus, qui l'avait escorté jusque-là, quitta les lieux en silence.

— Vous avez réfléchi à ce que nous nous sommes dit l'autre jour, Ted ? Avez-vous pris conscience que cette tumeur n'existe pas ? Répondez-moi en toute franchise.

— Je ne me suis pas posé beaucoup de questions sur ma tumeur.

Laura ôta ses lunettes et se toucha le front entre les sourcils, comme pour se débarrasser d'une sensation gênante.

— D'après McManus, vous vous êtes plutôt bien intégré.

Ted ne répondit pas.

— Vous avez quelque chose de particulier à me dire ?

— En fait, oui. Il y a un échiquier dans la salle commune. C'est vous qui l'avez apporté ?

Le sourire de la psychothérapeute s'altéra légèrement, lui révélant ainsi la vérité pendant une fraction de seconde.

— Je pensais que vous vous sentiriez plus à l'aise, reconnut-elle. Je me suis dit que comme ça vous pourriez jouer avec d'autres patients.

Il secoua la tête et leva un instant les yeux au plafond.

— Mais vous l'avez apporté il y a six mois.

Elle ouvrit la bouche, interloquée.

— Avouez-le. Je suis au courant. Maintenant, j'aimerais juste que vous me disiez comment il se fait qu'il y a six mois, vous saviez que j'échouerais ici.

— Calmez-vous, Ted.

— Je suis calme. Parfaitement calme. J'aimerais juste que vous m'expliquiez pourquoi vous avez apporté ce jeu ici avant même de me connaître, sur les conseils de Carmichael. Ça faisait partie de vos plans ? Soyez franche, nom d'un chien !

Elle se pencha au-dessus de la table pour se rapprocher de lui… Son regard était éloquent. Ted prit peur.

— Nous nous connaissons depuis sept mois, expliqua-t-elle d'une voix douce. Depuis que vous êtes dans cet hôpital.

Ted l'observa, cherchant en vain un détail susceptible de la trahir. Il se leva, recula du mieux qu'il put avec les chaînes qu'il avait aux pieds.

— Je sais que ce n'est pas facile à assimiler, mais je comptais vous en toucher un mot aujourd'hui.

— Je suis arrivé il y a trois jours, affirma-t-il.

— Venez. Asseyez-vous, je vais vous montrer quelque chose. C'est pour ça que j'ai apporté cet ordinateur.

Elle ouvrit le portable, chaussa ses lunettes en attendant qu'il s'initialise et s'empara d'un dossier qui se trouvait sur le bureau. Ted se réinstalla sur sa chaise et attendit. Pour apaiser son angoisse, il sortit le fer à cheval de sa poche et le serra contre ses genoux.

— Nous sommes aujourd'hui le 18 avril 2013, dit Laura Hill, concentrée sur l'écran que Ted ne voyait pas. Vous avez été interné le 20 septembre 2012, pas ici, mais dans le pavillon B, que je dirige. Depuis, j'ai toujours été votre thérapeute.

Elle orienta le portable, de sorte que tous deux puissent découvrir les images d'une caméra de surveillance située dans l'angle d'une chambre très similaire à celle que Ted avait occupée dans la zone d'isolement, mais sans parois de verre. Assis sur le lit, pieds et mains menottés, Ted se balançait d'avant en arrière en respectant une cadence régulière. De temps en temps, il hochait la tête. Il portait une chemise et un pantalon bleus. Dans un coin de l'écran, un petit rectangle contenait la date du jour, qui pouvait être fausse, bien entendu. Pourquoi ne se rappelait-il rien de tout cela ?

— Quand vous êtes arrivé, vous étiez dans cet état. Vos progrès ont été très lents au début.

Ted fixait obstinément le portable.

— Je parle avec qui ? demanda-t-il en désignant l'écran.

— Qui sait ? Lynch, peut-être ?

Ted se détourna de l'ordinateur et lança un regard implorant à la thérapeute.

— J'ai tout oublié, dit-il.

— Je sais. J'ai autre chose à vous montrer. Vous allez vite comprendre.

Elle interrompit la vidéo et ouvrit une fenêtre dans laquelle défilait une longue liste de dossiers. Elle en sélectionna un et lança une autre vidéo. Cette fois, Ted reconnut le cabinet de Laura, son bureau, sa bibliothèque, la table basse avec le verre d'eau auquel il ne touchait jamais. Il portait son uniforme bleu et était menotté. Il y avait du son et il sursauta en entendant sa voix.

— Merci de me recevoir, Laura. Le voyage en bateau avec mon associé a été annulé.

— Oh, je suis désolée, lui répondait-elle. *Je me réjouis de vous voir.*

— Hier, j'ai encore fait un cauchemar.

Après une brève conversation, Laura lui demandait de lui décrire son rêve.

— J'étais dans mon salon, je regardais la terrasse. Sur la table, un opossum dévorait une des jambes de Holly. Elle n'était pas là, il n'y avait que sa jambe, mais je savais que c'était la sienne…

La date dans un coin de l'écran indiquait que la séance avait eu lieu au mois de septembre de l'année précédente. Laura appuya sur la barre d'espacement pour arrêter la vidéo. Elle ferma le dossier et en sélectionna un autre. Sur les images suivantes, rien n'avait changé dans son aspect, seule la tenue de la psychothérapeute était différente. Elle portait un pull rouge que Ted se rappelait vaguement.

— *Merci de me recevoir, Laura,* disait Ted dans la vidéo. *La partie de pêche en bateau avec mon associé a été annulée.*

Ted écarquilla les yeux. Désespéré, il lut la date dans le coin de l'écran et elle lui confirma ses soupçons : la séance avait été filmée en janvier 2013, soit deux mois après la vidéo précédente.

— *Hier, j'ai fait un cauchemar,* disait-il avant d'entrer dans les détails.

— Ça suffit, murmura le Ted en chair et en os.

Laura Hill appuya sur *stop*.

— C'est mon bureau, au pavillon B. Au cours des sept derniers mois, nous avons eu des séances tous les deux jours. Au début, pendant trois mois, nous nous sommes concentrés sur ce que j'ai appelé le premier cycle. Vous aviez inventé un délire paranoïaque autour de votre rencontre avec Lynch, sa proposition de vous faire entrer dans cette espèce de club de personnes suicidaires, d'assassiner Blaine et de vous permettre de devenir un maillon de la chaîne, à condition que vous supprimiez Wendell.

Ted ne se rappelait pas lui avoir fait toutes ces révélations, mais manifestement il se trompait. Il avait lâché le fer à cheval, qui reposait maintenant sur ses genoux, délaissé.

— Ted, vous vous sentez bien ?

Il acquiesça.

— Bon. Pendant le premier cycle, vous tuez Blaine et, plus tard, vous vous rendez chez Wendell, que vous assassinez dans sa maison au bord du lac. C'est à ce moment-là que vous découvrez que Lynch vous a menti à propos de sa famille. Vous décidez d'aller le trouver, et pour ça, vous avez recours à Robichaud, un ancien camarade d'école. Vous vous en souvenez, Ted ?

— Oui.

— Lynch est un petit avocat que presque personne ne connaît, mais vous dénichez son adresse. Il vous a dit que Wendell faisait partie de l'organisation, qu'il était dangereux et méritait la mort. Vous découvrez qu'il s'est servi de vous et que la situation lui a échappé…

— Laura, c'est de la folie. Je ne sais pas si j'ai vraiment envie que vous m'appreniez que j'ai échafaudé toute cette histoire dans une chambre de cinq mètres carrés. Est-ce que j'ai tué un de ces hommes ? C'est pour ça je suis ici ?

— Laissez-moi continuer, Ted…

— Non ! Répondez-moi ! Ai-je commis un meurtre ?

— Non.

— D'accord. Alors rien de tout ça n'est vrai ? demanda-t-il, plein d'espoir.

— Je crains que ce ne soit un peu plus complexe.

Ted songea qu'il était incapable d'imaginer une trame plus complexe que celle-là.

— Les trois premiers mois, enchaîna Laura Hill, vous ne sortiez pas de ce cycle. Ça durait parfois une semaine, parfois deux jours, puis vous donniez l'impression de vous réinitialiser comme un ordinateur et vous reveniez au début, dans votre bureau, sur le point de vous tirer une balle dans la tête. La première fois, je n'ai pas trop su comment réagir, et j'ai bien peur de ne pas avoir été à la hauteur. Mais à mesure que vous vous répétiez, j'ai appris à vous poser des questions de plus en plus précises et j'ai fini par connaître tous les détails de l'histoire. Nous avons travaillé sur ce cycle une bonne quinzaine de fois. Certains jours, vous étiez plus disposé que d'autres. Et puis, il s'est passé quelque chose…

Elle chercha une autre vidéo, datée du 19 décembre. Elle l'avança de quelques minutes avant d'appuyer sur *play*.

— *Le type a frappé chez moi. Je ne l'avais jamais vu, pourtant je savais qu'il s'appelait Lynch,* disait Ted sur l'image. *J'étais sûr d'avoir déjà vécu cette situation, je savais ce qu'il allait me dire.*

Laura arrêta la vidéo.

— À ce moment-là, vous êtes sorti du cycle, déclara-t-elle. Dans un premier temps, je n'ai pas trop compris pourquoi et j'ignorais si c'était définitif. Ça ne l'était pas, et quand vous êtes revenu au début, vous avez repris le cycle initial.

— Mon Dieu, Laura ! Que m'est-il donc arrivé ?

Elle lui adressa un petit sourire réconfortant.

— Vous étiez dans un état critique quand le docteur Carmichael vous a conseillé de venir me voir. Il est probable que vous ayez fait une tentative de suicide, mais ce n'était pas à cause d'une tumeur. En toute honnêteté, j'en ignore la raison. Vous avez occulté certains souvenirs pour les remplacer par ceux que vous venez d'entendre et que vous reviviez sans cesse.

— Je dois les récupérer.

— Franchement, je crois que nous avons fait de gros progrès. Au cours du deuxième cycle, vous aviez conscience de ce que vous me racontiez dans le premier et c'était différent. Vous saviez que Lynch vous avait menti, vous vous rendiez chez Wendell pour discuter avec lui et non plus le tuer. Vous vous rappelez où c'était ?

— Oui. Dans le château rose de ses filles.

Elle acquiesça, songeuse.

— Ce détail m'a toujours intriguée. Là, Wendell vous a révélé que Lynch et lui s'étaient connus à l'université et que cette maudite organisation n'existait pas, que tout avait été inventé par Lynch pour supprimer Wendell.

— Il m'a montré des photos, précisa Ted, qui conservait des images très nettes de cette phase. Holly et Lynch étaient au restaurant. Ce souvenir-là est forcément vrai.

— C'est possible, admit Laura Hill. Chaque cycle est une vision distordue de la réalité, une manière de l'aménager pour qu'elle paraisse...

— Moins douloureuse, compléta Ted.

— Je le crains, oui.

— Mais quelque chose m'échappe, ajouta-t-il en hochant la tête. Si Holly m'a effectivement trompé avec ce type, je ne lui jetterai pas la pierre. Notre couple battait de l'aile, mais plus j'y pense, plus je suis persuadé que ça ne justifie pas tous mes délires.

— Que se passe-t-il, Ted ?

— Vous avez parlé à Holly ? En sept mois, j'imagine que oui. Elle vous a confirmé sa liaison avec Lynch ?

— Je préférerais aborder ce sujet plus tard. Je voudrais que vous compreniez que si je suis pratiquement certaine que les cycles ne se répéteront plus, que vous en êtes sorti, nous ne devons tout de même pas prendre de risques. Il nous faut aborder prudemment la vérité, rester sur la terre ferme. Ces premiers jours sont importants et je n'aimerais pas vous assommer avec de trop nombreuses informations. Il faut que vous réfléchissiez à nos séances pour qu'ensuite, nous puissions explorer ce qui s'est passé avant.

— Aurai-je l'autorisation de voir ma femme et mes filles ? demanda-t-il soudain. Elles me manquent.

— J'imagine, Ted. J'ai un fils et je comprends ce que vous ressentez.

— Si sept mois se sont bien écoulés…

— Vous n'avez aucune raison de vous inquiéter, faites-moi confiance.

Il n'insista pas. À cet instant précis, une pièce vint s'encastrer dans le puzzle et, pour la première fois, il pensa à Roger.

— Cet infirmier noir… je l'ai vu plusieurs fois chez Blaine et aussi chez Wendell.

— Vous me l'avez dit. Au début, ça m'a préoccupée, je ne savais pas si c'était positif ou non, car aucun élément réel du pavillon B n'avait interféré dans votre délire, à l'exception de Roger. Je crois que c'était à cause du lien étroit qui vous unissait. Il exerce au pavillon B des fonctions similaires à celles de McManus ici. Pendant quelques jours, j'ai demandé à quelqu'un d'autre de s'occuper de vous sans remarquer le moindre changement. Inconsciemment, vous vous inspiriez de Roger pour modifier vos souvenirs.

— C'est tellement réel, Laura, déclara-t-il, incrédule. C'est très difficile à vivre.

— La plupart de ces souvenirs ont de forts composants réels, Ted, mais vous les avez transformés et réorganisés à votre convenance.

— Quand j'ai revu Wendell la deuxième fois, il m'a dit que vous vouliez m'interner ici.

— Un sacré coup de chance pour nous !

— Comment ça ?

— Je vais vous expliquer, dit-elle en fermant l'ordinateur et en le mettant de côté. Vous n'arriviez que certaines fois jusqu'au deuxième cycle. La plupart du temps, vous restiez dans le premier et repreniez du début. Pour moi, c'était frustrant. Je ne savais pas pourquoi vous passiez soudain dans le deuxième cycle, jusqu'au jour où j'ai compris. Il fallait chercher la clé dans votre passé, Ted. Je me suis rendu compte que lorsque vous abordiez le deuxième cycle, nous parlions souvent de vos leçons d'échecs chez Miller. Quelque chose qui avait eu lieu autrefois vous poussait à aller plus loin, à sortir du premier cycle de meurtres pour entrer dans le deuxième. Là, vous n'étiez plus un assassin, vous n'étiez pas heureux en ménage, mais vous l'acceptiez. Vous voyez ce que je veux dire ?

Ted pensa à Miller. Il aimait bien évoquer son vieux maître.

— Je vous encourageais à parler de Miller et un jour, vous m'avez décrit le fer à cheval qu'il avait accroché au mur de son garage, là où vous jouiez. C'était un porte-bonheur pendant vos tournois. Vous m'avez aussi raconté l'histoire du championnat du monde entre Alekhine et Capablanca, à Buenos Aires, avec beaucoup de passion… Je me suis alors dit que si je parvenais à vous raccrocher à ce passé d'une manière ou d'une autre, vous pourriez peut-être sortir définitivement des deux cycles.

Il prit le fer à cheval et le posa sur la table de manière à ce qu'elle le voie.

— Les échecs comptent énormément pour vous, enchaîna-t-elle, mais je n'y ai pas accordé d'importance au début. Ils étaient toujours présents dans vos rêves.

— J'ai trouvé ce fer à cheval chez Wendell.

— Non. C'est Roger qui vous l'a donné et vous l'avez intégré à votre récit imaginaire. Ça a fonctionné. Restait à savoir ce qui arriverait ensuite, comment réussir à vous faire renoncer au deuxième cycle. Un soir, Roger est allé vous chercher dans votre chambre pour le dîner et vous lui avez dit que vous étiez au courant de notre machination pour vous faire interner au Lavender Memorial.

Il ne put réprimer un sourire.

— C'est drôle, dit-il.

Elle sourit elle aussi.

— Il est aussitôt venu me chercher et nous avons trouvé le moyen de relier cette pensée imaginaire à la réalité. J'ai demandé au directeur du pavillon C de me faire une faveur et j'ai contourné la procédure d'admission sans avoir à fournir trop d'explications. Depuis que nous vous avons amené ici, les deux mondes se sont rejoints.

Les deux mondes.

Ted songea à la théorie abracadabrantesque de Mike Dawson.

— Le fer à cheval est capital, Ted, et je vous conseille de l'emporter partout avec vous.

— Et maintenant ? Quelle est la suite du programme ?

— Vous êtes sorti d'une spirale dangereuse et négative, mais il nous reste encore un long chemin à parcourir.

Il observa un moment de silence avant de reprendre la parole.

— J'aimerais connaître le pavillon B, où je suis resté si longtemps. Et aussi votre cabinet.

— Sur les vidéos ? lui demanda-t-elle, étonnée.

— Non. J'aimerais y aller, vraiment.

— Je ne sais pas si c'est une bonne idée.

— Mais j'ai besoin de le voir de mes propres yeux.

CHAPITRE 13

Marcus avait enfin rompu avec Carmen. Il avait honte de penser qu'il avait franchi cette étape parce que Laura lui avait annoncé à la cafétéria qu'entre elle et son ex c'était fini, mais c'était la vérité. Carmen n'était pas faite pour lui, et leur bonne entente sexuelle ne compensait pas son incroyable frivolité, les silences gênants qui s'installaient entre eux ou ses reproches. Marcus n'arrivait plus à cacher son indifférence à son égard et Carmen lui ayant donné l'impression de n'y accorder aucune importance, ça n'avait fait qu'aggraver la situation. Quand il lui avait téléphoné pour lui annoncer qu'il la quittait, elle lui avait répondu qu'elle comprenait, que ce n'était pas grave et qu'il n'avait qu'à l'appeler lorsqu'il aurait envie de s'amuser. Elle ne lui en voulait pas, convaincue qu'il ne fallait pas prendre la vie au sérieux, mais tout au contraire la croquer à pleines dents. En définitive, elle s'en fichait. Bref, adieu Carmen. Marcus avait beau avoir cinquante ans et chercher l'âme sœur, il n'était pas prêt à partager son existence avec une femme dans son genre. Il changerait peut-être d'avis à soixante ans.

Il avait hâte de reprendre son rituel du dimanche, qui consistait à visionner des films. Il s'était aménagé un espace à cet effet dans la chambre d'amis, mais avec Carmen, ils n'y étaient entrés qu'une seule fois, au début de leur relation. Plus tard, elle lui avait dit qu'elle n'aimait pas être enfermée, et il n'y avait rien trouvé à redire. Une différence de plus qui venait s'ajouter à la longue liste de leurs incompatibilités.

Il avait téléchargé deux épisodes de *Breaking Bad*, sa série préférée. Il se prépara des pop-corn au micro-ondes et sortit une bière du réfrigérateur avant de gagner son *home cinema*, un large sourire aux lèvres. Six fauteuils y étaient disposés sur deux rangées de trois. Il choisit celui du milieu, au fond, et étendit ses jambes, laissa les pop-corn et la bière sur un des sièges voisins et s'empara des nombreuses télécommandes rangées sur l'étagère : pour régler l'intensité de la lumière, dérouler l'écran, mettre en route le lecteur DVD et le projecteur. Il mit l'éclairage au minimum et fit descendre l'écran rectangulaire, qui émit un léger chuintement. Tout était prêt lorsque la sonnerie du téléphone retentit.

Sa contrariété s'évanouit lorsqu'il constata que c'était Laura.

— Quelle surprise ! s'écria-t-il.

— Bonjour, Marcus.

Le court silence qui suivit l'inquiéta.

— Il y a un problème au Lavender ?

— Non… Je voulais juste… Tu es occupé ?

— Non, pas du tout.

— On déjeune ensemble ?

Marcus se tut un instant pour ne pas trahir son enthousiasme.

— Bien sûr ! finit-il par s'exclamer.

— J'aimerais qu'on discute de Ted McKay, et j'aurais besoin que tu m'accompagnes pour une petite expédition.

— Tu peux compter sur moi. C'est quoi, au juste ? Ça m'intrigue…

— Tant mieux ! Comme ça, je suis sûre que tu viendras à ce rendez-vous.

Un rendez-vous…

— Je passe te prendre dans une heure ?

— Parfait, dit-elle.

Quand elle eut raccroché, il resta une bonne dizaine de minutes les yeux dans le vague devant l'écran blanc.

CHAPITRE 14

Pendant qu'il conduisait, Marcus fut assailli par une foule de pensées. Avait-il mal interprété l'appel de Laura ? Il ne voulait pas se tromper une fois de plus. Bien entendu, elle connaissait ses sentiments à son égard, et même s'ils n'étaient pas réciproques, ou s'ils ne l'avaient pas été jusqu'à présent, les choses avaient changé ces derniers temps. Maintenant, ils étaient tous les deux célibataires.

Elle t'a invité à déjeuner ! Elle a parlé d'un « rendez-vous » !

— Oui, mais elle l'a dit d'un ton ironique, se répondit-il à voix haute en s'observant dans le rétroviseur. Tu en as conscience, n'est-ce pas ?

Elle sait qu'elle te plaît... Si elle te relance, c'est parce que tu ne t'es pas approché d'elle depuis quelques jours. Elle t'a d'ailleurs annoncé qu'entre elle et son ex, c'était définitivement terminé.

C'était vrai.

Il arriva chez elle avant midi. Elle ne lui proposa pas d'entrer et lui conseilla de se dépêcher parce qu'ils avaient rendez-vous à 14 heures tapantes et qu'ils n'avaient pas beaucoup de temps pour déjeuner. Elle se dirigea vers la voiture après l'avoir embrassé sur la joue, le laissant sur le pas de la porte. Il se félicita de ne pas avoir apporté de bouquet ou une autre niaiserie de ce genre. Il avait choisi une tenue trop habillée – pantalon en cachemire blanc, chemise de lin bleu ciel et son éternel chapeau melon – par rapport à Laura, qui portait simplement un jean et une chemise à carreaux. Les cheveux relevés en chignon, elle était moins maquillée que d'habitude.

Tu attendais un signe ? Eh bien, le voilà ! Ça ne promet pas d'être un déjeuner romantique, mon vieux. Elle veut juste te parler de Ted McKay et t'emmener Dieu sait où.

Ils s'arrêtèrent au Romanelli's, un restaurant avec vue sur la rivière Charles, en direction de Newtonville. Comme elle ne lui avait pas encore révélé ce qu'ils allaient faire là-bas, il évita de lui poser des questions. Ils commandèrent deux salades de thon. En vérité, Laura s'était décidée pour ce plat et il s'était empressé de l'imiter. Il regrettait déjà les pop-corn qu'il avait laissés chez lui, puis il songea qu'il devait perdre les dix kilos qu'il avait pris ces deux dernières années.

Si tu étais mince, elle serait à tes pieds, c'est sûr.

Parfois, il se sentait stupide de croire qu'il avait ses chances avec elle. Ses dix kilos superflus et leurs douze ans de différence n'étaient pas en cause. Laura irradiait, elle avait quelque chose de spécial et ne passait jamais inaperçue. Tous les jours, à l'hôpital, il voyait des hommes la suivre des yeux. Pourquoi se serait-elle intéressée à lui ?

— Alors, McKay a fait des progrès ? lui demanda-t-il.

Il avait essayé plusieurs fois d'orienter la conversation sur divers sujets pendant le trajet en voiture jusqu'au Romanelli's, mais à l'évidence, Laura ne voulait parler que de son patient et ne comptait apparemment rien dire avant d'arriver au restaurant.

— Oui ! J'ai des tas de choses à te raconter ! Je suis pratiquement sûre qu'il est sorti des cycles. Maintenant, il va très vite recouvrer la mémoire, je le sais.

— Tu lui as montré les vidéos filmées dans le bureau de…

Le nom lui échappait.

— Celles de Lynch ? Non, pas encore. C'est trop tôt, mais il a vu celles filmées dans sa chambre, au Lavender, et dans mon bureau, pendant nos séances. Ç'a été dur et j'ai cru un moment que nous allions devoir repartir de zéro, mais non, il a plutôt bien accueilli la nouvelle.

— Tant mieux. Mange, tu n'as même pas touché à ta salade.

Elle regarda son assiette comme si elle venait d'en découvrir l'existence et piqua sa fourchette dans un morceau de thon qu'elle porta lentement à ses lèvres.

— Laura, ne te fâche pas, mais je crois que tu te décarcasses trop pour ce patient.

Elle pouffa et haussa les épaules.

— J'étais sûre que tu me dirais ça ! s'exclama-t-elle avec insouciance. Je vais sans doute écrire un livre.

— Ah oui ? lâcha-t-il d'un air interrogateur.

Laura regarda gravement autour d'elle et se pencha vers lui.

— Tu veux que je t'avoue quelque chose ? dit-elle.

Il se raidit.

C'est pour maintenant, songea-t-il.

— Si je ne t'ai pas fait entrer chez moi, ce n'est pas parce que nous n'avions pas le temps. Bon, c'est vrai, il fallait qu'on se dépêche, mais j'aurais quand même pu t'accueillir un peu mieux. Après t'avoir appelé, je me suis dit que je devais mettre de l'ordre dans mon salon. Tout le dossier de Ted y est éparpillé : photos, documents, coupures de presse ! s'exclama-t-elle en riant comme une petite fille espiègle. En fait, au lieu de ranger, je me suis habillée à la va-vite et tu es arrivé !

— Tu aurais quand même pu me proposer d'entrer.

— Je sais, on se connaît assez pour ça, mais tu n'imagines pas le désastre. Walter est chez son père, d'où mon laisser-aller, j'imagine. J'en ai profité pour m'approprier tout l'espace de la maison.

— Bon. Tu comptes m'en dire plus ?

— Évidemment, nous ne sommes pas ici pour rien !

Elle picora encore un peu de salade et prit quelques gorgées de Coca-Cola avant de se lancer.

— Ted était un joueur d'échecs très doué. Il a arrêté à l'adolescence, mais je crois que sa façon de raisonner lui vient de ce jeu.

Elle marqua une pause, peu satisfaite de son explication.

— J'ai vu des documentaires sur les échecs et j'ai même lu quelques biographies de champions. Hier, j'ai visionné un film sur Bobby Fischer. Tu vois qui c'est, non ?

— Oui. Toi, tu étais encore petite, mais en 1972, il a tenu le monde en haleine en se mesurant au Russe…

— Spassky.

— J'avais oublié son nom. En pleine guerre froide, c'était l'Union soviétique contre les États-Unis. Je n'ai pas vu les parties, mais je me souviens que la presse s'est passionnée pour l'événement. Fisher est devenu notre héros national. Qu'est-ce qu'il fait maintenant ?

— Tu n'es pas au courant ?

— Pour être franc, je ne me suis jamais vraiment intéressé aux échecs.

— C'est une histoire incroyable. En 1972, pendant le championnat du monde, il a commencé à montrer des signes de paranoïa. Il avait vingt-neuf ans et jusqu'alors on le considérait comme un génie excentrique, puis la pathologie s'est révélée. Il faisait des caprices, ne se présentait pas à certaines parties et se plaignait en permanence de choses extravagantes. Il disait par exemple que les caméras de télévision émettaient des radiations nocives, exigeait qu'on les fasse disparaître, affirmait que les Russes utilisaient certaines technologies pour le déconcentrer. Le championnat a duré des semaines, ils ont disputé d'innombrables parties. Bien entendu, Fisher a gagné. Il était champion du monde, et puis il a disparu.

— Disparu ?

— Il n'a pas rejoué pendant vingt ans ! Il s'est complètement retiré du monde et on ne l'a plus revu, au point que les gens se demandaient s'il était encore en vie. Imagine qu'il était au sommet de la gloire et de son art. Comme tu viens de le souligner, c'était un héros national. Sa vie se résumait aux échecs, il n'avait presque rien fait d'autre. Et une fois champion du monde… il a tout plaqué sans crier gare.

— Je l'ignorais. Mais tu dis qu'il est revenu vingt ans plus tard.

— Exact, mais uniquement parce qu'un millionnaire a organisé une revanche contre Spassky. La partie s'est jouée en Yougoslavie, en 1992. Fisher a gagné, mais son retour a été de courte durée. Il n'a même pas voulu se présenter pour conserver son titre de champion du monde, qu'il a fini par perdre. À l'époque, il faisait parfois des déclarations antisémites et antiaméricaines scandaleuses à la radio. Quand la partie en Yougoslavie a été annoncée, le gouvernement américain lui a envoyé une lettre en lui disant qu'il ne pouvait pas jouer là-bas, qu'on le mettrait derrière les barreaux s'il s'obstinait. Mais il s'en fichait. À une conférence de presse, il a annoncé qu'il irait et a révélé le chantage exercé sur lui par les autorités de notre pays. Il était très affaibli, obsédé par les Juifs et les Américains.

— C'est vraiment triste. Il a donc été emprisonné ?

— Quand les États-Unis ont refusé de lui renouveler son passeport, il a été intercepté au Japon. Par la suite, n'ayant plus où aller, il s'est installé en Islande, où il avait disputé son premier tournoi contre Spassky. Les Islandais l'ont pris en pitié et lui ont accordé le droit d'asile. Les images de son transfert sont impressionnantes. Il est mort là-bas en 2008.

— Il n'a jamais eu de suivi psychologique ? Parce que ce que tu me racontes ressemble à une psychose aiguë.

— Je n'en sais rien. En tout cas, ce n'est pas le seul joueur d'échecs génial à avoir souffert de graves crises de paranoïa. Il y en a d'autres. Évidemment, les échecs ne sont pas en cause, mais il semblerait bien que la structure mentale de ces individus favorise l'émergence de ce type de maladie, précisa-t-elle en partant d'un petit rire nerveux. Les joueurs redoutent constamment des menaces qui n'arrivent jamais, mais qu'ils cherchent à anticiper, ils envisagent des milliers de variations possibles, variations qui leur semblent de bonnes tactiques et ouvrent la voie à quantité de ramifications. Si on applique cette structure mentale hors de l'échiquier, on obtient des résultats catastrophiques.

— Je ne suis pas sûr de bien comprendre. Tu crois que Ted McKay souffre d'une pathologie de ce genre ?

— Ce qui caractérise les gens comme Fisher, c'est qu'ils sont capables de tout plaquer du jour au lendemain. D'autres se retirent, pratiquent leur passion en amateurs et se montrent de temps à autre en public. Mais ceux qui ont des tendances schizophrènes ou paranoïaques renoncent à tout. J'ai l'impression que, dans ces cas-là, il peut se produire une sorte de transfert. L'esprit doit continuer à prévoir des variations, il ne peut pas oublier d'un seul coup ce qu'il a fait si longtemps ! Ces prodiges jouent depuis leur plus tendre enfance, alors quand ils arrêtent... ils sortent de l'échiquier. Ce qui est étonnant chez Ted, c'est qu'il a renoncé aux échecs à l'adolescence et qu'il a mené une vie normale pendant vingt ans avant que le processus paranoïaque ne se déclenche brutalement.

— La maladie mentale était peut-être latente et s'est manifestée dès qu'il a eu l'occasion d'appliquer sa logique à la réalité. Le problème qu'il a traversé dans le passé et dont tu ne sais encore rien est sans doute à l'origine de ses délires paranoïaques.

— C'est bien possible. Ces derniers mois, il a connu des cycles différents mais concentriques et qui se répétaient tout le temps. Enfin, « cycles » n'est peut-être pas le mot qui convient. Il serait plus juste de parler de « variations ».

— Tu sais si d'autres cas similaires ont été répertoriés ?

— Non. Sur le sujet, je n'ai trouvé que des théories sans fondements scientifiques.

Elle baissa les yeux sur sa salade, dont elle avait laissé la moitié. Elle était si enthousiaste qu'elle avait oublié de la manger.

— Tu penses que le fer à cheval lui a permis de sortir des cycles et que cet objet l'ancre dans la réalité.

— Tout à fait. En sortant du premier cycle, il a échafaudé le deuxième, une nouvelle variation plus proche du réel, mais toujours imaginaire. Dans le premier cycle, il n'était pas conscient que sa femme le trompait. Dans le deuxième, il a admis que son couple battait de l'aile.

Elle consulta sa montre.

— Il faut qu'on parte ? demanda Marcus.

— On a rendez-vous dans une demi-heure, mais ce n'est pas loin.

— Avec qui ?

— Tu verras. Je sais plus de choses que Ted sur son passé, j'ai encore quelques longueurs d'avance sur lui. Mais beaucoup de détails m'échappent, comme par exemple le rôle joué par Robert Blaine dans cette histoire.

— Tu ne crois pas qu'il a utilisé les informations qu'il a glanées à la télévision ? Tout le monde a parlé de cette affaire. Il a très bien pu s'inspirer de ce qu'il a entendu pour inventer le profil de l'homme qu'il était supposé assassiner.

— Oui, j'étais de cet avis moi aussi, mais en relisant les transcriptions de nos séances, quelque chose a attiré mon attention… Si mes doutes sont vérifiés, les liens entre Blaine et lui sont plus complexes que ça.

— Pourquoi ? Ne me laisse pas sur ma faim, raconte !

— On y va ? proposa-t-elle en se levant. Je t'en dirai plus dans la voiture.

CHAPITRE 15

Il était fort probable que, comme tout le monde, Ted ait eu connaissance des détails de l'affaire Blaine via les journaux et la télévision. Le meurtre d'Amanda Herdman avait fait la une de tous les médias pendant plusieurs jours. Melissa Hengeller, la sœur de la victime, une femme expansive, avait obtenu qu'un journaliste du *Boston Star* publie son récit des faits, qui s'était rapidement diffusé. L'histoire possédait tous les éléments nécessaires pour être captivante : un crime atroce – au début, on avait dit qu'il avait été commis avec un marteau –, puis le coup de théâtre : la reconnaissance de l'innocence de Blaine. Melissa Hengeller avait engagé un expert pour qu'il enquête sur l'assassinat de sa sœur, collecte des informations et les compare aux pièces déjà versées au dossier. L'homme avait fait une découverte effrayante. Personne ne savait au juste si le conduit de la teinturerie située en dessous de l'appartement d'Amanda Herdman avait pu accélérer le processus de décomposition du cadavre et entraîner une détermination erronée de l'heure de la mort, mais cela constituait assurément un tournant dans l'affaire. La révélation déclencha des tirs croisés entre l'expert en question, l'avocat de la défense et le procureur. L'opinion publique était divisée, mais dans sa grande majorité, elle appuyait la version de Melissa Hengeller.

La maison de Blaine était maintenant en vente, et Laura avait pris rendez-vous avec l'agent immobilier qui s'en occupait. Elle l'avait appelé dans la matinée, sur une impulsion. L'homme lui avait répondu que c'était son jour de chance, car il était justement dans les parages et serait ravi de la lui faire visiter. Laura avait accepté en sachant qu'il mentait et qu'il ne lui serait pas facile de trouver un acquéreur pour ce bien.

— Jonathan Howard, se présenta-t-il en esquissant le même sourire éclatant que l'homme sur le panneau publicitaire planté dans le jardin voisin.

Elle lui serra la main.

— Laura Hill. Et voici Marcus, mon mari, ajouta-t-elle en se tournant d'un air espiègle vers l'intéressé.

— Parfait ! s'exclama l'agent en les conduisant vers l'entrée. C'est une maison merveilleuse, vous allez voir. Vous avez des enfants ?

— Oui, un garçon, s'empressa-t-elle de répondre.

— Magnifique. Vous êtes de la région ?

— Non, dit Marcus en jouant le méchant policier, mais nous connaissons l'histoire de cette maison.

Howard se rembrunit un très court instant, puis se fendit aussitôt d'un autre sourire.

— Oh, je vois. Le locataire a été obligé de partir. Quoi qu'il en soit, la maison ne lui appartenait pas. Heureusement, les gens comprennent la situation et j'ai déjà beaucoup de monde sur le coup... Ce n'est pas comme si le crime avait eu lieu ici, n'est-ce pas ?

Laura essaya de détendre l'atmosphère.

— Oui, c'est ce que j'ai dit à mon mari.

Howard avait raison sur un point : la maison était belle. Même vide, c'était évident, et on avait peine à imaginer un type comme Blaine y vivre. Laura s'amusa un instant à y voir ses propres meubles. Ils firent une visite rapide, au cours de laquelle ils constatèrent que, en effet, il y avait une chambre d'amis au rez-de-chaussée. Cela suffisait-il pour attester que Ted s'y était bien rendu ? Probablement.

Ils montèrent ensuite dans la grande chambre située à l'étage. Le vendeur s'empressa de leur montrer un immense dressing. Il devait penser que cet espace revêtirait une importance particulière pour Laura car il lui en fit l'article avec des gestes ampoulés, l'incitant à imaginer des chaussures sur les rayonnages, des robes dans la penderie et des bijoux sur une petite table placée devant un miroir. L'intérêt de Laura redoublait à chacun de ses commentaires, mais pas pour les raisons que l'agent supposait. Au cours d'une séance, Ted lui avait dit qu'il s'était caché dans la chambre d'amis et avait précisé que c'était impossible dans la grande. Or, Laura découvrait à présent un dressing gigantesque, l'endroit idéal où attendre Blaine. Cela confirmait ses doutes : Ted n'avait jamais mis les pieds dans cette pièce.

— Je peux prendre des photos ? demanda-t-elle, pleine d'entrain, en sortant son appareil. J'ai hâte de voir la tête de ma sœur quand elle verra ça.

— Elle sera épatée, dit Howard.

Marcus sortit du dressing en lui lançant un regard intrigué.

Au rez-de-chaussée, Laura l'entraîna dans la chambre d'amis.

— Je peux parler un instant à mon mari ? demanda-t-elle à l'agent immobilier.

— Bien sûr ! s'exclama celui-ci en s'éloignant.

— Pourquoi prends-tu des photos ? lui demanda Marcus. Et de quoi veux-tu qu'on parle ?

En guise de réponse, elle traversa la pièce, ouvrit la porte du placard et s'agenouilla afin d'en examiner la partie inférieure. Elle fut interloquée par ce qu'elle vit. Marcus la rejoignit.

— Qu'est-ce qu'il y a ?

Sur le mur du fond, l'autocollant de Buzz l'Éclair que Ted avait décrit pendant ses séances brillait dans la pénombre.

— Ferme la porte, le pria-t-elle.

Ils entrèrent dans le placard comme deux enfants qui jouent à cache-cache. Marcus eut à peine le temps de se demander ce que penserait le vendeur s'il les y découvrait.

Quand Laura eut fermé la porte, les contours du personnage de Toy Story s'éclairèrent légèrement.

— Je ne comprends pas ! s'exclama-t-elle en sortant.

— Quoi ? demanda Marcus, qui se releva lui aussi.

— Cet autocollant. Ted l'a décrit de façon très détaillée, répondit-elle, perplexe. J'étais persuadée que l'épisode avec Blaine faisait partie de sa paranoïa et qu'il n'était jamais venu ici. Il faut croire que je me suis trompée, parce que cette image prouve qu'il a bel et bien été enfermé dans ce placard.

— Dans son récit, il tuait Blaine, or on sait que ce n'est jamais arrivé.

Laura réfléchissait en arpentant la chambre vide.

— Il l'assassine dans le premier cycle, pas dans le second, dit-elle.

— Il avait peut-être l'intention de le tuer, suggéra-t-il.

Laura l'observa, à la fois incrédule et horrifiée.

— Ça n'a aucun sens, finit-elle par murmurer d'une voix presque inaudible. Sa présence dans cette maison ne cadre pas avec le reste.

Des coups frappés à la porte les firent sursauter.

— Monsieur et madame Hill, ça va ? Je pense que nous pourrons vous faire un prix si vous êtes intéressés. J'en toucherai un mot au propriétaire...

Elle ouvrit la porte et toisa le vendeur.

— Mon mari n'est pas convaincu, or son avis est primordial, déclara-t-elle d'un ton sans réplique.

Elle esquiva l'agent et se dirigea vers la porte qui donnait sur la rue.

Marcus resta dans le couloir avec un Howard tout déconfit. Il avait de la peine pour cet homme que Laura venait d'utiliser alors qu'elle n'avait aucune intention d'acheter cette maison. Pendant une fraction de seconde, il ne put s'empêcher de s'identifier à lui.

— Je suis désolé, bredouilla-t-il en toute sincérité.

— Si vous avez des doutes, nous pourrions faire un geste... les propriétaires n'y verront pas d'inconvénient, je vous l'assure.

— Je regrette de vous avoir fait perdre votre temps, ajouta Marcus en lui posant une main sur l'épaule.

CHAPITRE 16

Ted passait sa première nuit dans la chambre qu'il partageait avec Dawson, qui n'était pas là, dans le service de haute sécurité du pavillon C. Il se réjouissait d'être seul. Allongé sur le lit, il contemplait les formes grises de ce territoire encore inconnu et les contours des deux bureaux placés de part et d'autre de l'unique fenêtre de la pièce. Au-dessus du sien, il avait scotché une photo de lui avec Holly et les filles – photo prise trois ans plus tôt, le jour de Noël, quand tout allait bien entre eux. Dans les lueurs de la lune, il n'en distinguait que le cadre, mais il connaissait l'image dans les moindres détails et se rappelait parfaitement ce moment. Tout le monde souriait, à l'exception de Nadine, terrifiée, les yeux rivés sur un point hors champ. Ted s'était servi du déclencheur automatique et les avait rejointes à la hâte à l'instant où Nadine avait vu Anand, le chat des voisins, qui leur rendait souvent visite pour glaner de la nourriture, s'enfuir en emportant dans sa gueule le poisson que Holly avait prévu pour le dîner. Personne ne l'avait remarqué, sauf Nadine, et sa surprise en voyant déguerpir le chat avait été immortalisée. Ted avait punaisé le cliché dans son bureau.

— Et maintenant, te voilà ici, déclara-t-il à l'image.

Il posait des yeux incrédules sur tout tant il avait peine à y croire. Mais à l'inverse des jours précédents, au cours desquels il avait eu le sentiment d'être dans un univers totalement étranger, il savait désormais qu'il se trouvait au bon endroit. Les vidéos que

Laura lui avait montrées à la salle d'évaluation l'avaient affecté au plus haut point. Tombé dans un piège tendu par son propre cerveau, il n'était responsable de rien. Mais il progressait et c'était pour cela que Laura les lui avait fait visionner.

Tu les as peut-être vues une bonne trentaine de fois.

— Non, c'était la première fois, affirma-t-il à voix haute en regardant la photo.

Il devait se raccrocher à quelque chose.

Accepter d'être là était un premier pas, il le savait. Il avait besoin du Lavender pour continuer à avancer et comprendre pourquoi il s'était bâti des réalités parallèles.

Les cycles.

Que se cachait-il derrière ?

Il devait aussi s'habituer à l'idée que ses filles ne l'avaient pas vu depuis des mois. Comment avait-il pu songer à se suicider ? À les abandonner ? C'était inconcevable, il s'en rendait parfaitement compte à présent.

— Quelle que soit la maladie dont souffre votre père, dit-il en se penchant légèrement vers la photo, il va s'en sortir et guérir, rien que pour vous.

Il sourit.

Mais un instant plus tard, son visage retrouva sa gravité. Il sauta de son lit, atterré. Il venait d'avoir une révélation… Il courut jusqu'à la porte et gagna le couloir silencieux et plongé dans la pénombre. Il avait envie d'appeler McManus en hurlant, mais se souvint qu'il n'était pas de garde. Au bout du couloir, l'infirmier de nuit regardait la télévision. Ted n'avait pas l'impression de le connaître. L'homme s'inquiéta de le voir dans cet état. Il s'empara de son émetteur radio posé sur la table et appuya sur un bouton pour prévenir les secours.

— Non, ne faites pas ça ! le rassura Ted en lui montrant les paumes de ses mains. J'ai juste besoin de parler au docteur Hill, c'est important.

L'homme éloigna l'émetteur et lui lança un regard méfiant.

— Vous la verrez demain. Retournez vous coucher, maintenant.

— Ça ne peut pas attendre, elle m'a dit elle-même que si je devais lui parler, je pouvais lui téléphoner. C'est la vérité.

Au fond de ses yeux brillait une lueur où se mêlaient la supplique et la peur. L'infirmier avait rarement vu un malade aussi désespéré au Lavender Memorial.

CHAPITRE 17

Comme Laura le lui avait dit, il régnait en effet le plus grand désordre dans son salon. Marcus n'en croyait pas ses yeux : à côté d'une tasse de café à moitié bue, des dossiers et des coupures de presse étaient éparpillés sur la moquette. Sa collègue souriait, amusée.

— Je t'avais prévenu... Walter est chez son père... et quand Walter est chez son père..., expliqua-t-elle en esquissant un geste qui englobait toute la pièce.

— Mais... pourquoi travailler par terre ?

— De mauvaises habitudes prises dans l'enfance. Je partageais ma chambre avec ma sœur. Elle s'était approprié le bureau et moi le sol. J'aimais ça. J'ai fait pareil à l'université.

Elle empila les documents et les posa sur la table.

— Le cas de ce patient t'obsède.

— Tu veux un café ?

— Volontiers.

Quelques minutes plus tard, ils étaient attablés devant une tasse. Laura semblait plongée dans ses pensées.

— Laura, raconte-moi comment Ted t'a présenté l'assassinat de Blaine parce que je ne suis pas sûr d'avoir bien compris.

— Jusqu'à ce que je voie l'autocollant dans le placard, tout à l'heure, j'étais persuadée qu'il avait tout inventé, répondit-elle en cherchant quelque chose parmi ses dossiers. Regarde un peu tout ce qui est sorti dans les journaux sur cette affaire, juste avant qu'il soit interné. Je trouvais logique qu'il s'en soit inspiré.

— Mais comment l'a-t-il inclus dans sa paranoïa ?

— Il croyait faire partie d'une organisation de suicidaires qui l'avait contacté dans le but d'amoindrir la douleur des proches en faisant passer son geste pour un assassinat. Il y avait un ordre à respecter, et chaque individu devait tuer quelqu'un avant d'être supprimé à son tour. Le prix à payer consistait à venger quelqu'un d'une mort injuste.

— C'est à la fois complexe et fascinant, reconnut-il en fronçant le nez.

— Absolument. Trois éléments caractéristiques relient le premier cycle à la vérité. Tout d'abord, le suicide. D'après moi, Ted avait bien l'intention de s'ôter la vie et peut-être même a-t-il essayé. Ensuite, la douleur de sa famille. Il a tellement insisté sur ce point qu'il a vraiment dû réfléchir longuement aux conséquences de son suicide. Et enfin, la visite chez Blaine, le plus déconcertant de tout et qui ne cadre pas avec le reste de l'histoire.

— C'est justement ce que j'allais te dire. Si le type qui représentait l'organisation... comment s'appelait-il, déjà ?

— Lynch.

— Si Lynch lui avait proposé de camoufler son suicide en meurtre, tout collerait. Mais pourquoi lui demander de tuer quelqu'un ?

— Je l'ignore. On sait maintenant que Ted a bien été chez Blaine, qu'il s'y est probablement caché, comme il le racontait dans le premier cycle... Mais je ne sais plus quoi penser. En tout cas, il s'y est rendu pour une raison ou pour une autre.

— Ces cycles seraient donc une altération des faits tels qu'ils se sont vraiment déroulés avant son internement.

— Oui. Son récit repose sur des bases réelles, et nous savons à présent qu'il est bel et bien allé chez Blaine.

— Et si Ted avait voulu le tuer pour se venger ? S'il l'avait attendu chez lui, comme il te l'a dit, sans parvenir à passer à l'acte ?

Laura s'accorda un temps de réflexion et but une dernière gorgée de café.

— Ça n'a pas grand sens, mais ça changerait tout, dit-elle en portant un doigt entre ses sourcils. Et moi qui croyais que cette histoire était claire, du moins jusqu'à maintenant !

— Nous exagérons peut-être l'importance de l'autocollant. Ted a pu le voir il y a longtemps et il est resté gravé dans sa mémoire. Qu'est-ce qu'on sait des propriétaires ?

— Zut, j'aurais dû interroger le vendeur. Je pourrais peut-être l'appeler, mais je doute qu'après ma petite scène, il ait très envie de coopérer. J'ai l'impression que la réponse est sous nos yeux.

Marcus garda le silence tandis que Laura regardait le plafond, à croire qu'elle y cherchait la solution.

— Je suis en train d'écrire le récit détaillé de tout ce que Ted m'a dit pendant nos séances. Quand je travaillais, j'orientais toujours les questions de manière différente, si bien que maintenant, c'est un vrai casse-tête. J'ai fini de résumer le premier cycle. Ça t'intéresserait de le lire ?

— Bien sûr. Un regard neuf est toujours utile.

Une lueur particulière s'alluma dans les yeux de Laura.

— Qu'est-ce qu'il y a ? demanda-t-il.

Elle continua de le fixer d'un air énigmatique.

— Quoi ? J'ai un reste de *donut* au coin de la bouche ? s'inquiéta-t-il en se passant un doigt à la commissure des lèvres.

— Mais non, idiot ! s'exclama-t-elle en écartant doucement sa main. C'est juste que ça m'aide beaucoup de discuter avec toi.

— Ravi de l'apprendre !

Il se rapprocha d'elle sans que ce soit gênant.

— Laissons reposer tout ça jusqu'à demain, on y verra peut-être un peu plus clair. Si ça se trouve, c'est plus simple qu'il n'y paraît : Ted a appris que sa femme avait une liaison avec ce type et il a perdu son sang-froid. Comment va Lynch, au fait ?

— Il est toujours dans le coma. Son pronostic vital est engagé.

— Ted est au courant ?

— Non. Il croit que c'est Wendell qui l'a tabassé.

— Wendell…, murmura Marcus en souriant. C'est drôle.

— Je t'interdis de rire ! s'exclama-t-elle en levant un doigt et en feignant d'être en colère. Je m'inquiète de sa réaction quand il l'apprendra. C'est la dernière porte à ouvrir, et aussi la plus dangereuse.

— Tu comptes le retransférer au pavillon B ?

— Pas pour le moment. Il progresse, je ne voudrais pas qu'il fasse marche arrière. Et puis, il s'entend bien avec certains patients. Dawson, par exemple.

— Tu parles d'un compagnon ! s'exclama-t-il en grimaçant.

— Marcus ?

— Oui ?

— Je suis contente que tu sois venu. Vraiment.

Elle posa une main sur la sienne, il la regarda sans savoir comment réagir.

Le moment était peut-être venu de se pencher vers elle et de l'embrasser, mais la sonnerie du téléphone l'en empêcha. Laura décrocha et revint, contrariée. Parler avec son ex-mari la mettait de mauvaise humeur, Marcus le savait. Elle n'eut même pas besoin de préciser qui elle venait d'avoir en ligne.

— Walter arrive, marmonna-t-elle en secouant la tête.

Il se leva, comprenant qu'elle l'invitait à se retirer.

— C'est son père, mais je n'arrive jamais à lui faire passer une journée entière avec son fils, dit-elle, plus pour elle-même que pour Marcus. C'est tout juste si je ne dois pas le supplier. Aujourd'hui, il comptait l'emmener jouer, puis passer le reste de l'après-midi au parc. Et voilà qu'il m'appelle pour m'annoncer qu'il a un rendez-vous de travail. Un dimanche !

— Calme-toi, Laura.

— Je ne comprends pas, franchement pas. Une journée, ce n'est tout de même pas trop demander. Qu'y a-t-il de plus important que de voir son fils ?

Marcus fut tenté de lui proposer de rester pour s'occuper du petit Walter, puis il jugea cela prématuré. Il essaya en vain de l'apaiser, de la faire rire ou d'orienter de nouveau la conversation sur Ted.

— Parfois, je me dis qu'il le fait exprès. Il sait que son indifférence à l'égard de Walter me rend folle. On dirait qu'il prend plaisir à me téléphoner pour m'annoncer un imprévu… Quel salaud !

CHAPITRE 18

Walter était un garçon intelligent et sensible, quoique renfermé sous certains aspects. Tous les dimanches soir, Laura lui préparait un grand bain avec de la mousse, lui apportait ses jouets préférés et discutait avec lui pendant qu'il s'amusait dans l'eau. Les canards en plastique avaient peu à peu été remplacés par des jouets de guerre, des vaisseaux spatiaux et des Transformers. Quelques mois plus tôt, il lui avait annoncé avec beaucoup de sérieux qu'il ne voulait plus se mettre nu devant elle et préférait être en maillot de bain. Laura lui avait répondu avec la même solennité qu'elle n'y voyait pas d'inconvénient.

Pendant qu'elle lui massait les cheveux avec du shampoing en veillant à ce que la mousse ne lui pique pas les yeux, Walter lui racontait avec enthousiasme ce qu'il avait fait avec son père, dont il parlait toujours comme de son dieu. Ce dimanche-là, il regrettait qu'un rendez-vous imprévu l'ait obligé à aller travailler. Laura l'écoutait en serrant les dents. L'admiration que l'enfant éprouvait pour Scott était aussi triste que bouleversante : il pouvait le décevoir, annuler leurs projets, oublier les fêtes de l'école ou ne pas tenir ses promesses et Walter comprenait toujours. À ce propos, Laura avait souvent affronté son ex, qui mettait en avant l'indulgence de leur fils, une carte qu'il ressortait toutes les fois qu'ils entraient en conflit. « Tu sais, j'en ai discuté avec Walt et il comprend parfaitement. » Laura lui rétorquait que le fait qu'un garçon de neuf ans l'idolâtre et accepte ses excuses stupides ne lui donnait pas le droit de se comporter comme un idiot irresponsable. Ils avaient souvent abordé le sujet mais rien n'avait changé. Scott levait les bras et les yeux au ciel en pestant contre les « foutaises psychologiques » de son ex-femme. À la fin de leurs mises au point, Laura avait toujours les mêmes pensées. *Tu l'as épousé, tant pis pour toi. La prochaine fois, essaie de ne pas choisir le rebelle à moto. Mais il n'y aura pas de prochaine fois.*

— Maman ! L'eau est froide ! se plaignit Walter.

— C'est qu'il est temps de sortir.

Walter retira la bonde et tous deux regardèrent la mousse descendre. Laura régla la température de la douche pour qu'il se rince. Quand il eut fini, elle l'enveloppa dans une serviette et lui sécha les cheveux.

— Je suis très fière de toi, lui dit-elle.

— Pourquoi ?

Parce que tu ne te plains pas du père que tu as.

— Pour tout.

Une heure plus tard, il dormait à poings fermés. Laura décida de suivre les conseils de Marcus et de ne plus penser à Ted. Elle avait très envie de revoir les vidéos dans lesquelles son patient préféré racontait sa visite nocturne chez Blaine, mais elle résista à la tentation. Elle se servit un verre de vin et prit un livre de Robin Cook sur les modestes rayonnages de sa bibliothèque réservés à la fiction. Quelqu'un le lui avait offert pour son anniversaire. En première page, elle découvrit l'écriture soignée de Marcus : *L'héroïne de ce roman m'a beaucoup fait penser à toi, tu verras*... Elle resta un moment songeuse devant cette phrase. Elle était sûre de ne pas l'avoir lue auparavant, ce qui signifiait qu'elle n'avait pas une seule fois ouvert le livre. Elle se rappela Marcus à l'époque où il le lui avait offert, ou quelques jours plus tard ; il attendait une réaction de sa part, un commentaire sur sa supposée ressemblance avec le personnage féminin. Sept mois s'étaient écoulés depuis son anniversaire. Elle secoua la tête en songeant qu'elle s'était mal comportée avec lui… Mais mieux valait chasser ce genre de pensées.

Elle commença à lire, s'arrêta après le premier paragraphe.

Une allumeuse.

— Non, je ne suis pas une allumeuse, déclara-t-elle à son verre de vin.

Un peu, si.

— Non.

Elle était plongée dans le roman lorsque la sonnerie de son portable retentit. Instinctivement, elle consulta sa montre tout en sachant qu'il était plus de 22 heures. Elle courut vers la table de la cuisine et décrocha. C'était l'hôpital. L'infirmier de garde au pavillon C lui annonça d'une voix lasse qu'un de ses patients désirait lui parler, qu'il avait consulté son dossier…

— Oui, passez-le-moi, s'il vous plaît.

— Laura, murmura Ted. Elles sont mortes, c'est ça ? Holly, Cindy et Nadine sont mortes ?

— Ted ? Que s'est-il passé ?

— J'ai compris. J'étais dans ma chambre quand j'ai eu cette révélation. Elles… elles sont mortes.

— Pas du tout, dit-elle. Vous m'entendez, Ted ? Vous croyez que je vous mentirais sur quelque chose d'aussi grave ?

— Je l'ignore.

— Non, jamais de la vie.

— Mais alors…

— Elles vont bien.

Il y eut un silence au bout du fil.

— Ted ?

— J'ai besoin de les voir.

— Est-ce qu'on peut en reparler demain ?

— Non. Il faut que je les voie.

— Ted, je vous promets que demain, à la première heure, je téléphone à Holly pour lui dire que vous allez mieux et que vous voulez les voir, elle et les filles.

Il retarda sa réponse.

— Pourquoi refuserait-elle de me voir ?

Laura regretta d'avoir bu ce verre de vin. Fatiguée, un peu pompette, elle ne contrôlait pas la situation comme elle l'aurait voulu.

— Elle ne veut pas que vous voyiez les filles avant d'aller parfaitement bien. Pendant tout ce temps… Vous vous rappelez les vidéos que je vous ai montrées, n'est-ce pas ?

— Oui.

— Vous faites des progrès et vous devez être fort. Je vais l'expliquer à Holly et j'essaierai de la convaincre qu'il serait bon pour vous que les filles viennent vous rendre visite. Je suis sûre qu'elles en meurent d'envie, mais il faut comprendre que vous devez être en forme. Vous comprenez, Ted, n'est-ce pas ? insista-t-elle en constatant qu'il ne répondait pas.

— Désolé de vous avoir dérangée, mais j'étais persuadé que…

— Ne dites rien et calmez-vous. Demain, je contacte Holly et nous verrons bien ce qu'elle dit, d'accord ?

— Merci Laura.

Ils prirent congé. Elle resta un moment dans la cuisine, songeuse. Elle savait que tôt ou tard cela aurait fini par arriver.

CHAPITRE 19

La porte-fenêtre était à sa place. Cette fois, elle ne donnait pas sur le château rose. Tout avait l'air normal, à l'exception de l'immense étendue d'eau à laquelle Ted avait commencé à s'habituer. L'échiquier n'était même plus au pied du barbecue. Il se rappelait que dans son dernier rêve il avait vu Holly émerger de l'océan avec Roger, prendre la boîte contenant l'échiquier et lui lancer un regard plein de ressentiment avant de regagner les profondeurs marines. Il s'immobilisa devant la vitre, comme dans ses rêves précédents, et tendit un bras pour ouvrir la porte-fenêtre, sans conviction ; il savait que sous l'effet capricieux du songe, il ne pourrait pas franchir la limite et sortir de son salon. Mais la porte coulissante ne lui offrit aucune résistance. Le capteur de mouvement éclaira la terrasse, qu'il observa. La mer était calme, sans vagues ni embruns. Au contraire, l'odeur qui prédominait était celle, humide, de la forêt.

— Vous ne comprenez toujours pas ?

La voix le fit sursauter. Il tourna la tête à droite, vers l'endroit où la terrasse s'allongeait. Assis sur une chaise pliante, en peignoir blanc, Roger lui adressait un sourire éclatant.

— Qu'est-ce qu'il y a à comprendre ?

L'infirmier détourna le regard du côté de la mer, dont la masse sombre se confondait avec la nuit. Il ne répondit pas.

— Qu'est-ce qu'il y a à comprendre ? répéta Ted.

Pour toute réponse, Roger esquissa un geste lent et balaya de la main l'immensité maritime.

Vous ne comprenez toujours pas ?

La lumière sur la terrasse s'éteignit. Ted s'apprêtait à bouger le bras pour qu'elle se rallume lorsqu'une petite tache grise attira son attention sur l'eau. Dans un premier temps, il crut qu'il s'agissait d'un immense bateau, mais à mesure que ses yeux s'habituaient à l'obscurité, il comprit que, en réalité, c'était l'autre rive.

Vous ne comprenez toujours pas ?

Voilà pourquoi il n'y avait ni vagues ni brise marine. Il ne se trouvait pas au bord de la mer, mais d'un lac. Il prit conscience que la longue terrasse était en fait un ponton qui lui paraissait familier, et pour cause : il était chez Wendell, à l'endroit où était amarré le bateau lorsqu'il avait vu le bonhomme pour la première fois.

Mais quelques instants plus tôt, des vagues étaient venues mourir sur la pelouse, il en était sûr.

— Avant, j'ai...

Il laissa sa phrase en suspens car Roger avait disparu. Il ne restait que sa chaise vide. Il s'en approcha lentement en observant la maison ultramoderne de Wendell. Il examina la porte-fenêtre qui, dans son délire, l'avait transporté de son salon jusque dans la villa de cet homme dont il ne savait pas grand-chose. En atteignant le transat, il remarqua un vêtement posé dessus. Il crut qu'il s'agissait du peignoir de l'infirmier noir qui l'avait oublié là, mais il se trompait. Il s'agenouilla, découvrit le bikini rouge de Holly et le prit pour en respirer le tissu humide, comme si son ex-femme venait de le retirer et l'avait laissé là.

Son ex-femme.

Son cœur battant la chamade, il la chercha dans l'eau et l'imagina nue.

Mais elle n'était pas là. Seul son bikini indiquait qu'elle avait dû nager dans le lac quelques instants plus tôt. Il s'écroula sur la chaise et serra si fort le maillot dans ses mains qu'il en fit une boule. Il l'approcha de son visage et y enfouit le nez, en quête de l'odeur particulière de sa femme.

Son ex-femme.

Vous n'avez toujours pas compris ?

Il resta là un long moment, à écouter le chant des grillons et le vent dans le feuillage des arbres. Il y avait dans cette forêt quelque chose de familier et de rassurant. Il finit par se lever, marcha du côté du ponton et descendit une pente douce qui menait au lac. Il fit le tour de la propriété. Devant, il vit la Lamborghini noire, silencieuse comme une grosse bête endormie.

C'est alors qu'il lui sembla percevoir des mouvements derrière l'une des fenêtres de la maison. Du coin de l'œil, il vit une silhouette disparaître. Roger était peut-être encore là...

Il se dirigea vers l'entrée principale, sans grande envie de croiser l'infirmier. Il lui suffit d'actionner la poignée pour que la porte s'ouvre.

C'est alors qu'il se vit lui-même. Le Ted qui l'attendait à l'intérieur de la villa était debout au milieu du tapis indien et le visait à la tête avec le Browning. Leurs regards se croisèrent un court instant. L'un d'eux soupira, surpris, quand le coup partit et que la balle s'incrusta entre les yeux de Ted, qui s'écroula sur le tapis. Curieusement, le projectile n'eut qu'un impact insignifiant. Ted porta la main à son front et se rendit compte que ses bras étaient de longs tentacules. Le sang qui coulait sur son œil gauche réduisait son champ de vision, mais ne l'empêcha pas de voir l'autre Ted arpenter la pièce.

Son portable vibrant, l'autre Ted s'en aperçut et chercha dans sa veste, le trouva et inspecta l'écran sur lequel venait d'apparaître le visage de Holly.

— Qui est Holly ? Sa présence va-t-elle compliquer mes plans, Wendell ? lui demanda l'autre Ted.

Il sentait dans sa main la boule humide formée par le bikini de sa femme et voulut serrer le poing, comme si le contact avec le tissu pouvait le raccrocher à la réalité et à ses souvenirs, mais ses doigts ne lui obéissaient plus. Ils étaient tout juste capables de percevoir des choses.

L'autre Ted s'agitait, visiblement inquiet. À mesure qu'il lisait les textos sur son portable, ses traits s'altéraient.

Nous arrivons. La pêche est finie pour aujourd'hui.

Dehors, il entendit le bruit impossible à confondre d'un moteur de fourgonnette. L'autre Ted s'approcha de la fenêtre et observa.

— Merde ! s'écria-t-il.

Le véhicule s'arrêta une ou deux minutes plus tard. Allongé sur le tapis, Ted avait beau s'évertuer à tourner la tête, il n'arrivait pas à voir la porte. Il sentit l'autre Ted traverser la salle pour gagner la cuisine et filer par une porte dérobée. Les voix clairement reconnaissables de Cindy et Nadine résonnaient derrière le battant. Ted souhaitait de tout son cœur qu'elles n'entrent pas, qu'elles n'assistent pas à ce triste spectacle… Il y eut un temps d'attente.

— C'est quoi, ce papier sur la porte ? demanda Cindy.

— Une note, lui répondit sa sœur. Il y a le prénom de maman écrit dessus.

Ted entendait parfaitement la conversation, étendu, une balle au milieu du front.

— Ça dit quoi, maman ? Nous aussi, on aimerait savoir.

Un silence s'installa.

— Pourquoi tu pleures, maman ?

CHAPITRE 20

Ted s'était installé sur le même banc que d'habitude. Il venait de prendre son petit déjeuner et il était seul. Mike fut l'un des premiers à sortir du réfectoire et à venir le rejoindre. Il avait l'air de bonne humeur et avait apporté son livre.

— Apparemment, je vais devoir partager mon endroit préféré ! s'exclama-t-il.

Ted ne répondit pas, le regard rivé sur le terrain de basket.

— Ne me dis pas que la vie, c'est comme une boîte de chocolats et qu'on ne sait jamais sur quoi on va tomber, reprit Dawson en s'asseyant à côté de lui. Tu n'as pas envie de causer ?

Il n'insista pas, ouvrit son livre et s'y plongea. Un instant plus tard, il sentit qu'on lui tapotait la jambe. Il se tourna dans la même direction que Ted, vers la porte arrière du Lavender. Sur le seuil, Roger lui adressait de grands signes.

— Que se passe-t-il ?

— Tu ne le vois pas ?

— Non… il n'y a personne ! s'écria Mike d'un ton moqueur.

Mike constata que le visage de son ami était empreint de gravité. L'heure n'était pas à la plaisanterie.

— En fait, si, je le vois. C'est l'infirmier du pavillon B qui est toujours avec ton docteur. Roger je ne sais plus quoi…

Le visage de Ted s'éclaira.

— Tu te sens bien ?

— Oui, oui, répondit Ted en se levant. On se retrouve plus tard ?

Il rejoignit Roger. Le rêve qu'il avait fait la veille l'avait profondément bouleversé.

Vous ne comprenez toujours pas ?

Laura l'attendait à la salle d'évaluation. Ted entra la tête basse, en traînant les pieds. Rien à voir avec l'homme avide de prendre des nouvelles de sa famille qu'elle s'attendait à recevoir.

— Vous êtes sûre que vous ne voulez pas… ? lui demanda Roger en lui montrant les menottes.

Elle fit non de la tête. Elle avait décidé qu'il était temps de les lui retirer.

— Vous préférez que je reste ? proposa l'infirmier.

— Ce ne sera pas la peine.

Guère convaincu par sa réponse, il se retira néanmoins. Ted s'assit à sa place, en face de Laura.

— Ted, regardez-moi. Vous voulez qu'on parle plus tard ?

— Non, non. J'ai plus que jamais besoin de cette séance. J'essaie juste d'ordonner mes pensées.

— Vous avez pris vos cachets aujourd'hui ?

— Oui, évidemment, vos amis ne me laissent pas le choix, dit-il en plaisantant.

Elle sourit.

— Je me demandais s'ils vous avaient donné des tranquillisants… Je ne vois rien dans votre dossier.

— Non, pas de tranquillisants.

— Vous deviez pourtant être nerveux en pensant que j'allais parler à Holly et que vous auriez peut-être…

Un sourire plein d'espoir éclaira le visage de Ted lorsqu'il entendit ce prénom.

— Vous lui avez téléphoné ?

— Oui. Holly veut qu'il soit bien clair qu'elle n'interdira jamais aux filles de voir leur père. Elle sait tout l'amour que vous avez pour elles et c'est réciproque. Vous leur manquez, mais elles comprennent que vous devez rester à l'hôpital pour aller mieux.

— Hier, vous aviez sans doute raison… il est préférable d'attendre. Je voulais juste m'assurer qu'elles allaient bien.

— Je crois moi aussi qu'il serait bon d'attendre un peu. Vous progressez à pas de géant. Qu'est-ce qui vous a fait changer d'avis ?

— Hier, j'ai de nouveau eu ce cauchemar. J'étais chez moi, sur la terrasse, mais cette fois, il s'est passé autre chose. J'ai pu sortir et aller vers l'océan, qui n'était d'ailleurs pas un océan, mais un lac.

Laura sortit son enregistreur portable de son sac. Ted n'avait encore jamais rêvé qu'il s'éloignait de cette maison, c'était peut-être un progrès significatif.

En proie à une excitation croissante, elle posa l'appareil sur la table et pria Ted de décrire son rêve sans lésiner sur les détails. Il attaqua. Tout était encore très net dans sa mémoire, comme s'il évoquait un film qu'il venait à peine de voir.

La seule chose qu'il passa sous silence, parce qu'il la considérait de moindre importance, était le bikini humide de Holly trouvé sur la chaise.

Quand il eut terminé, Laura éteignit l'enregistreur, le rangea dans son sac et prit son carnet de notes.

— Laura, vous avez eu des conversations avec Holly pendant tout ce temps, ainsi qu'avec le docteur Carmichael et d'autres gens de mon entourage. Avez-vous pu localiser Wendell ?

Laura déglutit, surprise.

— Le rêve que vous avez fait hier vous aidera à connaître la vérité.

— Je ne comprends pas.

— Eh bien, ce n'est pas facile à expliquer… mais Wendell, c'est vous.

CHAPITRE 21

Laura avait compris dès le début que Wendell n'était pas réel, mais une projection de Ted créée de toutes pièces par lui. Holly lui avait confirmé que la maison au bord du lac leur appartenait, qu'ils y passaient presque tous leurs week-ends et que depuis que leur mariage battait de l'aile, Ted y allait seul. Il aimait la pêche, possédait une Lamborghini noire à laquelle il tenait comme à la prunelle de ses yeux et avait lui-même assemblé les pièces du château orné des princesses des studios Disney qu'il avait si souvent décrit pendant leurs séances de psychothérapie.

Ted avait rencontré Lynch à l'université. Ils avaient été très unis pendant leurs études et même quelques années par la suite, puis ils s'étaient éloignés mais sans jamais se perdre de vue. Holly avait affirmé à Laura que lorsqu'elle avait commencé à fréquenter Lynch, il n'y avait plus rien à faire pour sauver son couple et qu'ils avaient décidé de se séparer. Les choses avaient traîné en longueur parce qu'ils attendaient le bon moment pour l'annoncer aux filles.

Avec Lynch, Holly avait été très discrète, même s'ils avaient un soir commis l'erreur de dîner dans un restaurant où on les avait pris en photo. Ils voulaient profiter d'une soirée normale, sans avoir à se cacher, et s'étaient rendus séparément à Beverly, à quinze kilomètres de Boston. Holly avait alors raconté d'un ton navré à Laura qu'ils avaient été assez bêtes pour se sentir vraiment libres. Ils avaient choisi une table près de la baie vitrée et même plaisanté chaque fois que quelqu'un passait et les observait. Ni elle ni Lynch ne s'étaient rendu compte qu'un détective privé les suivait.

D'après Holly, Ted avait cessé de l'aimer. De nature réservée, il avait toujours eu un caractère d'ermite, sauf avec elle. Mais ces derniers mois, il était devenu distant et peu démonstratif. Il avait beau essayer de le cacher, cela sautait aux yeux. Leurs relations sexuelles s'étaient espacées au point de devenir inexistantes. Holly prenait l'initiative, pensant être capable de raviver la flamme de Ted en y jetant de temps à autre une petite brindille, mais il lui était douloureux d'avoir à mendier quelques minutes de fougue mécanique. Elle s'était voilé la face et essayait de croire aux excuses qu'il avançait : il avait beaucoup de travail, les filles n'étaient pas encore couchées... À un moment donné, elle s'était rendu à l'évidence et avait senti qu'il ne la désirait plus. Ce fut comme si on lui avait retiré un bandeau des yeux. Une à deux fois par mois, Ted voyageait hors du Massachusetts afin d'y voir personnellement ses gros clients (ses « clients à sept chiffres », disait-il souvent à Holly). À l'entendre, un P-DG devait se déplacer pour les tenir au courant de ses investissements. Il s'absentait au minimum trois jours, parfois une semaine, et rentrait de meilleure humeur, les bras chargés de cadeaux pour les filles, aimable... il lui arrivait même d'avoir des érections.

Mais ensuite la situation se détériorait rapidement : il se montrait de nouveau fuyant et acariâtre, et partait s'isoler et pêcher sur le lac. Holly ignorait s'il avait rencontré une ou plusieurs autres femmes, mais elle avait compris que son mari n'était heureux que lorsqu'il se trouvait loin d'elle.

Elle n'en était pas fière, mais avait enquêté sur les voyages de Ted hors du Massachusetts. Elle avait appelé sa société, contacté sa secrétaire et son associé, mais non, il ne lui avait pas menti. S'il la trompait, il calculait bien son coup, ou alors, c'est qu'il lui était fidèle. Quel homme pouvait donc avoir besoin de partir une semaine pour voir des clients ? Il affirmait en profiter pour s'adonner à son passe-temps, elle l'avait du reste vérifié auprès d'un club de pêche de Denver. S'il avait une maîtresse, Ted se montrait plus prudent qu'elle, qui avait étalé son histoire avec Lynch aux yeux de tous derrière la baie vitrée d'un restaurant.

Pour finir, Holly s'était avouée vaincue. Au bout du compte, que Ted la trompe ou non ne changeait pas grand-chose à la situation. Car elle commençait à ne plus l'aimer. Elle ne s'en était pas aperçue au début, mais quelques semaines plus tard, c'était tout juste si elle ne s'était pas réjouie de l'apathie de Ted, qu'elle considérait comme un accord de rupture tacite. Elle s'était même surprise à souhaiter l'existence d'une autre femme – cela aurait simplifié les choses.

Un jour, Lynch vint leur rendre visite. Ted n'était pas là, les filles non plus. Holly s'entendait bien avec lui, elle l'avait fait entrer, ils avaient bu un verre de vin et discuté. En deux heures, elle lui avait tout raconté. Tout. Justin ignorait leurs problèmes de couple et ne savait pas si Ted avait ou non une maîtresse. Plutôt réservé, son ami n'avait jamais abordé la question avec lui. Mais entre Justin et Holly, le courant passait et il était devenu son confident.

Lasse de cette situation, Holly avait décidé d'en parler à Ted et lui avait fait remarquer ce qui était l'évidence même. Elle avait suggéré qu'ils divorcent, il ne s'y était pas opposé. À l'époque, il souffrait de fortes migraines, et la douleur rejaillissait sur son corps. Holly et Justin continuaient de se voir en toute innocence, mais leur attirance l'un pour l'autre s'était intensifiée jusqu'à la limite du supportable. Plus ils se fréquentaient et plus ils s'appréciaient. Holly avait attendu l'accord de principe de Ted sur leur séparation avant de vivre son idylle avec Justin. Pour se sentir moins coupable, elle se disait que Ted faisait sans doute de même de son côté.

Holly ne savait pas qu'à l'époque, Ted consultait le docteur Carmichael, convaincu qu'une tumeur maligne grandissait dans son cerveau. Elle ignorait aussi que, lentement mais sûrement, il avait pris la décision de s'ôter la vie.

Elle n'avait appris que sur le tard qu'un détective privé les avait suivis pour les photographier au restaurant. Ted ne leur avait jamais révélé qu'il était au courant et avait conservé les clichés dans une enveloppe rangée dans son coffre-fort. Il faisait comme si de rien n'était, prêt à flotter dans des limbes provisoires jusqu'à ce qu'il soit temps de passer devant le juge. Paradoxalement, cette période avait été l'une des meilleures de leur cohabitation.

Holly raconta encore à Laura qu'elle n'avait découvert les photos qu'un mois plus tard. Elle n'avait pas accès au coffre-fort, qu'elle avait dû forcer. Au cours de ce mois, Ted s'était bien gardé de lui dire quoi que ce soit, apparemment indifférent.

Pourquoi Ted avait-il attendu aussi longtemps avant d'aller trouver Lynch à son cabinet, à une heure où les bureaux étaient déserts, pour le passer à tabac avec une lampe en bronze ? Quelqu'un avait entendu les coups et les cris et avait prévenu la police, qui avait trouvé Ted dans le hall de l'immeuble, la lampe sur les genoux, couvert du sang de son ami. Quand l'officier lui avait demandé son nom, il avait répondu sans l'ombre d'une hésitation qu'il s'appelait Wendell. Il avait été arrêté et on n'avait pas tardé à découvrir que son véritable patronyme était McKay.

Lynch était dans le coma. Au début, les médecins s'étaient montrés optimistes. Il fallait l'opérer de toute urgence : ils pensaient qu'en drainant le sang, l'inflammation du cerveau disparaîtrait et qu'il se réveillerait. Mais ils s'étaient trompés.

Holly lui rendait visite une fois par semaine. Fils unique, Justin n'avait pas beaucoup de proches. Elle était affligée de le voir toujours seul, étendu sur son lit d'hôpital, dans l'attente d'un miracle qui n'arriverait peut-être jamais. Elle n'était pas sûre d'être amoureuse mais elle savait qu'avec le temps, elle s'éprendrait de lui. Elle se sentait coupable de son état. Pourquoi n'avait-elle pas été plus prudente ? Laura lui avait conseillé d'entamer une thérapie qui l'avait beaucoup aidée. Tout le monde s'étonnait que Ted, un individu pacifique et ouvert au dialogue, ait passé sous silence l'infidélité de sa femme pendant un long mois avant d'exploser comme un volcan.

De son côté, Ted était entré dans une phase catatonique. On l'avait interné au Lavender Memorial, où il avait été suivi par Laura, qui avait contacté son médecin traitant, le docteur Carmichael.

CHAPITRE 22

Ted écouta le récit de Laura sans l'interrompre. Quand elle évoqua l'état dans lequel il avait mis Lynch, elle trouva qu'il manifestait une surprise somme toute pondérée.

— Il est toujours dans le coma ? demanda-t-il.

— Je crains que oui.

— Et c'est moi qui l'ai frappé, vous en êtes sûre ?

Laura fit oui de la tête.

— Il doit y avoir une explication, reprit-il, dubitatif. Pourquoi est-ce que j'aurais frappé un ami aussi sauvagement ? Qu'il ait eu une liaison avec ma femme n'est pas suffisant. Je ne me suis jamais comporté ainsi. J'étais probablement très en colère en le découvrant, mais de là à essayer de le tuer... Il y a autre chose.

— La réponse est dans votre tête et dans celle de Lynch, qui ne peut malheureusement rien nous apprendre pour le moment.

— Mon Dieu !

— Ne vous jugez pas trop sévèrement, Ted. Ce jour-là, vous n'étiez pas dans votre état normal, de même que les jours précédents. Holly dit que vous lui avez caché l'existence des photos pendant un mois et que ça ne vous ressemble pas de garder ainsi les choses pour vous.

Il acquiesça. Il y avait forcément une autre raison à son comportement. Il lui était difficile d'imaginer ce que Lynch avait pu lui faire, car il ne se souvenait plus du tout de leur amitié. Peut-être connaissait-il une facette de sa personnalité qui risquait de nuire à Holly.

— À quoi pensez-vous ? demanda Laura en remarquant son inquiétude.

— Holly vous a-t-elle fait des révélations sur Lynch ? Doutait-elle de lui ? J'imagine que si elle avait une liaison avec cet homme, c'est qu'elle le trouvait bien sous tous rapports, mais on ne sait jamais… on peut parfois tomber amoureux de la mauvaise personne.

— Je vois ce que vous voulez dire. Écoutez, pour être franche, Holly m'a parlé de lui comme d'un homme tranquille, très gentil et apprécié de son entourage. Quand ils ont commencé à éprouver de l'attirance l'un pour l'autre, c'est lui qui a refusé d'aller plus loin tant que le divorce n'était pas prononcé. Il voulait vous parler et tout vous expliquer. Bien sûr, cela ne signifie pas qu'il n'ait rien eu à se reprocher, mais c'est comme ça que Holly le voyait.

— Elle est très intuitive. Si elle vous a dit ça, c'est que c'est sans doute vrai.

— Mais je suis encline à partager vos soupçons, poursuivit Laura en fouillant dans un dossier qui contenait des pochettes en plastique. Quelque chose chez Lynch vous a poussé à agir de la sorte. Vous l'avez peut-être découvert en le faisant suivre. Je n'ai pas eu d'entretien avec le détective privé qui a pris les photos, mais Holly l'a vu. Il lui a dit qu'il s'était contenté de les suivre et de vous remettre la pellicule.

— Il s'appelle Pitterstone, c'est ça ?

— Vous vous rappelez son nom ?

— Wendell m'a parlé de lui. Mon Dieu ! Et dire que pendant tout ce temps, j'ai eu des conversations avec quelqu'un qui n'existait pas. Comment est-ce possible ?

— Votre amitié avec Lynch, sa liaison avec Holly, la maison au bord du lac… tout ça fait partie de Wendell. Votre cerveau a compartimenté ces renseignements pour les lui attribuer. En quelque sorte, on pourrait dire que vous n'y avez pas accès. Dans votre tête, c'est comme une pièce fermée à clé.

Ouvre la porte.

Laura s'était exprimée lentement, à croire qu'elle testait la capacité de son patient à assimiler l'information qu'elle lui fournissait à chaque mot qu'elle prononçait.

— Qu'est-ce que c'est ? demanda-t-il en désignant une petite photo ancienne qu'elle venait de sortir du dossier.

On y voyait Ted et Lynch jeunes, à une soirée donnée dans une des chambres du campus. Ils souriaient devant un poster d'Uma Thurman dans une séquence de *Pulp Fiction*. L'image rappela tout de suite des souvenirs à Ted. Elle était punaisée dans le couloir, près de sa chambre. L'actrice portait une perruque brune et fumait de manière provocante. Sur la photo, Ted, très mince, avait l'allure d'un jeune homme séduisant aux cheveux mi-longs. Il portait un bandana, comme Axl Rose, et tenait un gobelet. À côté de lui, Lynch avait l'aspect jovial que Ted avait décrit lorsqu'il avait sonné à sa porte… Il était d'une beauté magnétique.

— Je me souviens très bien de ce poster, mais absolument pas de Lynch, dit-il. Nous étions apparemment très proches.

Laura acquiesça et rangea la photo.

— Dans le rêve qui se déroulait près de la maison au bord du lac, il y avait un élément nouveau. Une certaine familiarité par rapport au lieu. Aujourd'hui, en me réveillant, j'ai pris conscience que j'étais incapable de me rappeler les traits de Wendell ou la couleur de ses yeux. Tout était flou dans ma tête. Était-il mince ? Portait-il des lunettes ? J'étais incapable de le préciser.

— Puisque nous abordons le sujet, j'ai une question à vous poser… Le nom de Wendell a-t-il une signification pour vous ?

— Vous voulez savoir si j'ai connu quelqu'un qui s'appelait comme ça ? Pas que je sache, répondit Ted après un moment de réflexion. En tout cas, je n'en ai aucun souvenir, mais au stade où j'en suis, j'ai encore pas mal de trous de mémoire.

Laura l'écouta en silence.

— Je n'arrive pas à croire que j'aie pu mettre un homme dans le coma, ajouta-t-il en prenant sa tête entre ses mains, désespéré.

— Arrêtez d'y penser. Je suis persuadée que votre psychose a commencé bien avant ce qui s'est passé avec Lynch. Longtemps avant. J'ai bien réfléchi avant de vous révéler l'inexistence de Wendell, que vous avez utilisé comme un masque derrière lequel vous cacher…

— Vous avez peur que j'entre de nouveau dans un des cycles précédents ?

— Non, je ne pense pas. Nous sommes allés trop loin pour que ce soit possible.

— Trop loin ?

— Tout à fait. Pensez au premier cycle. Vous vous apprêtiez à vous suicider à cause d'une tumeur au cerveau. Vous deviez aussi tuer Wendell, la part de votre être qui connaissait l'idylle entre Holly et Lynch et qui vous a poussé à frapper ce dernier. Dans un certain sens, ce cycle est parfait. D'après moi, vous comptiez vous supprimer après avoir vu Lynch, mais votre esprit s'est brouillé et vous n'êtes pas passé à l'acte. C'est à ce moment-là que vous avez imaginé ce cycle, que vous répétiez sans cesse : vous rencontriez Wendell et vous l'assassiniez, lui et tout ce qu'il représentait.

— Je vois où vous voulez en venir. Dans ce cycle, je n'avais pas de problèmes avec Holly.

— Et votre suicide était parfait.

— Et Blaine ? Qu'est-ce qu'il vient faire dans tout ça ?

Il venait de poser la question qu'elle redoutait et à laquelle elle ne savait pas répondre, surtout depuis qu'elle avait vu l'autocollant de Buzz l'Éclair. Elle ne voulait pas en parler maintenant et se contenta de lui expliquer sa relation avec Blaine comme elle l'avait fait quelques jours auparavant.

— Vous deviez trouver un moyen de justifier le meurtre de Wendell. Votre esprit a donc inventé une organisation formée d'individus suicidaires qui se tuaient les uns après les autres. Il fallait dissuader ceux qui étaient prêts à passer à l'acte. Comment y parvenir ? Rien de plus simple que de leur dire que leur geste affecterait leurs proches. Je suis sûre que vous y avez longuement réfléchi en songeant à vous supprimer. Vous comprenez maintenant pourquoi je vous ai dit que le premier suicide était parfait? Parce que vous régliez le problème de l'impact de votre disparition sur les êtres qui vous étaient chers. Tout concordait. Avant que vous ne soyez interné au Lavender, l'affaire Blaine faisait la une des journaux. J'ai quantité de coupures de presse là-dessus. Il est fort probable que vous l'ayez utilisée pour inventer ce cycle. N'oubliez pas l'autre élément important: Lynch était un parfait inconnu pour vous; seul Wendell l'avait déjà rencontré.

— Et pourquoi nos séances faisaient-elles partie de ces cycles? Pourquoi m'en suis-je souvenu, contrairement aux mois que j'ai passés au Lavender?

— Au début, les séances n'interféraient pas avec les cycles. Ce n'est qu'à compter du moment où nous avons commencé à explorer votre passé qu'elles ont joué sur leur déroulement. Avez-vous pris votre fer à cheval?

Il acquiesça. L'objet lestait la poche de son pantalon.

— C'est à partir de là que des failles sont apparues dans le premier cycle. Vous vous rappeliez avoir vu vos filles sur le chemin, chez Wendell, par exemple. Votre inconscient cherchait une façon de nuire à cette fin idyllique pour démasquer Wendell.

Il n'en croyait pas ses oreilles, mais trouvait le raisonnement de Laura d'une logique implacable.

— C'est pour ça que je n'assassinais pas Wendell dans le deuxième cycle, ajouta-t-il.

— Exactement. Dans le deuxième cycle, vous saviez que Lynch et Wendell se connaissaient et avaient fait leurs études ensemble. C'était votre histoire, Ted! Vous ne faisiez que découvrir ce qui vous reliait à Lynch. Mais Wendell ne voulait pas être démasqué pour que cette part de vous-même ne soit pas révélée. Voilà pourquoi il vous poussait à affronter Lynch en vous montrant par exemple les photos prises au restaurant. Dites-vous que pendant le deuxième cycle, vous étiez conscient des problèmes que vous traversiez avec Holly. Dans chaque cycle, vous vous approchiez un peu plus de la vérité…

— Raison pour laquelle Wendell cherchait à me dresser contre vous et Roger. Mon Dieu ! Je pense encore à ce type comme s'il existait en chair et en os !

Vous savez, là, dans votre tête, il y a pas mal d'idées compromettantes, dit Wendell en pointant l'index sur la tempe de Ted. Elles risquent de me nuire à moi aussi, inutile de le nier.

— Maintenant, je comprends mieux pourquoi Holly refuse de me voir.

— Non, vous vous trompez. Elle veut vous voir.

— Ah oui ?

— Elle sait que dans des circonstances normales, vous n'auriez pas fait de mal à Lynch. Elle espère que grâce au traitement, vous redeviendrez l'homme qu'elle a connu.

— Vous lui avez donc parlé ?

— Oui. Je lui ai téléphoné aujourd'hui, à la première heure, comme je vous l'avais promis. Maintenant que nous avons fait un grand pas en avant, je crois en toute honnêteté qu'il serait bon que vous voyiez vos filles. Holly les amènera dès que nous le lui demanderons.

Il fut gagné tout à la fois par la joie et par l'angoisse, mais le souvenir des moments heureux passés avec ses filles prit le dessus. Un *collage*[1] d'images de Nadine et de Cindy, d'étreintes, de baisers pour leur souhaiter bonne nuit après leur avoir raconté une histoire s'édifia dans sa tête. Il en avait les larmes aux yeux. Depuis qu'on l'avait interné au Lavender, sept mois plus tôt, c'était la première fois qu'il pleurait.

1. En français dans le texte. *(Toutes les notes sont de la traductrice.)*

CHAPITRE 23

Marcus était en train de donner des instructions à sa secrétaire pour ne pas être dérangé – il devait examiner les notes de frais et les envoyer à la direction –, mais à la seconde où il aperçut Laura dans le couloir, ses priorités changèrent.

— Quelle agréable surprise ! s'exclama-t-il.

Claudia, son assistante qui le connaissait comme sa poche, l'observa par-dessus ses lunettes rondes, hésitant entre le reproche et la compassion.

— Tu es occupé ? demanda Laura alors qu'ils entraient dans le bureau.

— Pas plus que d'habitude. Tu as l'air contente. Il y a du nouveau ?

— Ça se voit tant que ça ?

— Non, juste un peu.

— Je suis ravie, en effet, reconnut-elle. J'ai parlé à Ted de ce qu'il a fait à Lynch, et aussi de Wendell. Je lui ai tout raconté. Hier, il a fait un rêve révélateur et a presque tout découvert par lui-même, alors je me suis dit que c'était le bon moment. Je ne me suis pas trompée.

— Tant mieux, dit Marcus en poussant les documents éparpillés sur son bureau.

— Tu es sûr que je ne te dérange pas ?

— Absolument pas.

Il avait baissé d'un ton. Claudia avait beau être la discrétion même, il ne voulait pas qu'elle l'entende mentir de manière aussi éhontée. Il avait pris un retard monstre dans son travail administratif et chaque seconde comptait, mais si Laura se confiait à lui, il n'était pas question qu'il joue l'indifférence. Il préférait recevoir une remontrance de la directrice que de se montrer impoli vis-à-vis de Laura.

— Je crois que je vais bientôt toucher au but, Marcus.

— Je m'en réjouis.

— Tu fais partie de ce travail maintenant, tu n'arriveras pas à te débarrasser de moi aussi facilement, ajouta-t-elle en lui adressant un clin d'œil.

— Je ne sais pas si c'est positif ou négatif! s'exclama-t-il en riant. Mais quand tu écriras ton livre, essaie de ne pas mentionner notre petit arrangement à propos de l'admission de McKay.

— Je ne t'ai d'ailleurs jamais remercié. Je t'entraîne dans mes caprices et tu réponds toujours présent, alors merci.

Il ne sut pas quoi dire. S'apprêtait-elle encore à lui demander un service? Toute cette camaraderie le décontenançait. Cherchait-elle à le mettre en confiance pour qu'il l'invite à dîner ou au cinéma, ce qu'elle se ferait ensuite un plaisir de refuser? Par le passé, il avait souvent pris conscience de son incapacité à décrypter les appels du pied féminins, en particulier les siens.

— Comme je te l'ai dit, je suis heureux de pouvoir t'aider.

— Parfait, mais je ne suis pas venue pour ça, je ne veux pas non plus te faire perdre ton temps alors que tu es en plein dans les comptes..., reprit-elle en désignant les documents empilés sur le côté.

Voilà, nous y sommes.

— Ça te dirait de venir dîner à la maison?

Marcus s'attendait à tout sauf à une invitation de ce genre. En une fraction de seconde, il envisagea toutes sortes d'éventualités. Qu'elle le convie chez elle impliquait la présence de Walter, ce qui ne le dérangeait pas, mais excluait la perspective d'un dîner romantique. D'un autre côté, qu'elle lui permette d'accéder à sa routine familiale pouvait se révéler prometteur. Quoi qu'il en soit, il était enchanté.

— Bien sûr, dit-il.

— Génial ! Demain, 19 heures ?

— Très bien.

— Je demanderai à ma sœur de prendre Walter. Il adore dormir chez ses grandes cousines, ça lui permet de faire des bêtises en suivant leur mauvais exemple.

Marcus tarda à réagir. Était-ce un rendez-vous amoureux ?

— Bon, eh bien… à demain, conclut-elle en se levant. Je te laisse travailler.

Elle lui adressa un dernier sourire avant de fermer la porte. Une fois sortie, elle étouffa un petit rire. Elle avait fait exprès d'inviter Marcus, qui s'attendait une fois de plus à ce qu'elle lui demande une faveur liée au travail.

Claudia découvrit son air espiègle et la fusilla du regard, en gardienne du temple de Marcus. Laura se ressaisit et prit congé d'une inclination de la tête.

Bon début pour une allumeuse, n'est-ce pas ?

CHAPITRE 24

Assis sur le canapé, Walter attendait avec son sac à dos et quelques jouets qu'il avait choisis pour aller dormir chez ses cousines. Sa tante Dedee devait venir le chercher à 18 heures, mais il tenait à être prêt avant. *Au cas où elle arriverait plus tôt.* Walter n'allait jamais passer la nuit nulle part, pas même chez son père, qui n'avait pas prévu de chambre pour son fils. Le seul endroit où il dormait régulièrement, c'était chez sa tante et ses cousines, Grace et Michelle. Plus qu'une aventure, pour lui, c'était un défi. Ils se couchaient toujours tard et faisaient des tas de choses, comme camper dans le jardin ou jouer aux détectives. Âgée de quatorze ans, Grace, l'aînée, surveillait Walter et sa sœur et leur lisait des histoires pour adultes, des récits d'horreur.

En descendant l'escalier, Laura vit son fils silencieux, prêt à partir comme une flèche en serrant contre lui son sac à dos et ses jouets dès que la sonnerie retentirait. Une vague de tendresse la submergea. Il s'asseyait au même endroit quand il attendait son père qui, avec sa manie de toujours tout annuler au dernier moment, ébranlait la confiance de l'enfant. Raison de plus pour détester son ex, songea-t-elle.

— Elle va venir, maman ?

Laura s'installa à côté de lui et lui caressa la joue.

— Évidemment, mon chéri.

Walter hocha la tête, rassuré. Ce n'est qu'alors qu'il remarqua que sa mère avait fait un effort vestimentaire et s'était même maquillée. Il la regarda de la tête aux pieds.

— Marcus est ton fiancé ?

La question amusa Laura, qui n'en montra rien tant Walter avait l'air sérieux. Elle esquissa un sourire plein de douceur.

— Marcus est mon ami, on travaille ensemble et on a beaucoup de choses en commun.

L'enfant acquiesça. Le bruit d'une voiture qui passait dans la rue lui fit dresser l'oreille, mais comme elle ne s'arrêtait pas, il se concentra de nouveau sur sa mère.

— Tu as mis une robe.

— Elle te plaît ?

— Beaucoup. Papa a des petites amies, ajouta-t-il après avoir réfléchi un instant. Marcus pourrait être ton fiancé. Grace aussi, elle a un fiancé, mais c'est un secret, tante Dedee n'en sait rien.

— Pour le moment, je n'ai pas de fiancé. Quand ça arrivera, tu seras le premier au courant, d'accord ?

— Oui.

Ils entendirent Dedee arriver. Walter sauta du canapé et courut à la porte, ses affaires à la main. Il surprit sa tante alors qu'elle s'apprêtait à sonner.

— Comment va mon neveu préféré ? demanda celle-ci en l'étreignant.

— J'avais peur que tu ne viennes pas. Et Grace et Michelle ?

— Elles t'attendent à la maison. J'avais des courses à faire, c'est pour ça que j'ai un peu de retard.

L'enfant encore dans ses bras, Dedee regarda par-dessus son épaule et lâcha un *waouh* admiratif en voyant la tenue de sa sœur.

— Jessica Rabbit veut que tu lui rendes sa robe, dit-elle.

Laura fit la moue.

— C'est qui, Jessica Rabbit[1] ? demanda Walter.

1. Personnage de femme fatale dans *Qui veut la peau de Roger Rabbit*, de Walt Disney.

— Personne, répondit Laura. Ta tante sait beaucoup de choses.
— Ça oui ! s'écria le garçon sans saisir l'ironie de la réplique.
— Bon, Walt, on y va ? Michelle a passé la journée à ne parler que de toi.
— Au revoir, maman, dit Walter en souriant.
Il s'approcha de sa mère, qui se baissa pour l'embrasser.
Dedee profita qu'elle était hors du champ de vision de Walter pour pointer un doigt sur la robe de Laura et approuver son choix en levant le pouce.
— Salue les filles de ma part et amusez-vous bien !
— Toi aussi ! s'écria Dedee en sortant.
Laura les accompagna dans le jardin. Elle était toujours là alors que la voiture avait disparu depuis un moment dans la rue Embers.
Elle rentra vérifier la cuisson de la viande. Elle s'était décidée pour des côtes de veau accompagnées d'une salade de betterave et des radis, plat peu exigeant en matière de préparation. Le seul inconvénient était que les côtes devaient passer près de trois heures au four, mais elles étaient presque prêtes.
Marcus fut ponctuel. Il lui tendit la bouteille qu'il avait tenu à apporter et la complimenta sur sa robe. Dans son pantalon habillé et sa veste en lin, coiffé d'un chapeau gris original qu'elle ne lui avait encore jamais vu, il était lui aussi très élégant.
— Ça sent vraiment bon ! s'exclama-t-il.
— Tu sais que la cuisine n'est pas mon fort, mais j'ai mes spécialités. Viens, on va boire un verre en attendant que ça cuise.
Elle avait déjà dressé la table, mais au lieu de s'y asseoir, elle l'entraîna vers le canapé où ils échangèrent quelques banalités, parlèrent de Walter et de l'hôpital, après quoi la conversation dériva tout naturellement sur le cinéma, car ils avaient des goûts similaires. À un moment donné, Marcus lâcha une phrase en apparence insignifiante, qui les amena à aborder la fin de sa relation avec Carmen, sujet qu'il aurait préféré éviter. Laura l'interrogeant sans détour, il lui apprit qu'il pouvait désormais profiter comme il l'entendait de sa petite salle de projection. Il songea à ajouter

quelque chose pour lui faire comprendre qu'il ne jugeait pas ses relations avec les femmes au temps qu'elles passaient à regarder des films en sa compagnie, mais entrer dans les détails et lui expliquer pourquoi Carmen n'était pas son genre l'aurait obligé à décrire ce qui constituait à ses yeux le profil féminin idéal : quelqu'un qui ne songeait pas uniquement à s'amuser, qui avait des projets d'avenir et des rêves, qui attachait un minimum d'importance au travail qu'il accomplissait... Or cette personne se trouvait justement à côté de lui.

Il s'en tira cependant brillamment, heureux d'avoir su décrire sa rupture sans trahir ses sentiments. Laura l'écoutait, compréhensive. Elle était assez intelligente pour savoir qu'il s'intéressait à elle, inutile de lui faire un dessin. Et puis ils étaient là, côte à côte, élégamment vêtus, à savourer un verre de vin en attendant de passer à table. C'était donc un rendez-vous galant. Marcus avait si longtemps attendu ce moment qu'à présent, il ne savait plus trop sur quel pied danser. Laura l'avait invité à dîner ! C'était une raison suffisante pour qu'il aille de l'avant. Pourtant il refusait de se représenter le moment où il s'approcherait d'elle pour l'embrasser. Serait-ce aussi simple que ça ? Lui avouerait-il qu'elle occupait toutes ses pensées ? Il l'ignorait. Son esprit s'était mystérieusement dédoublé. Il voyageait dans un train où ses idées circulaient à deux à l'heure alors qu'à l'extérieur, les faits se précipitaient.

Le repas fut détendu. La viande était délicieuse et il prit plaisir à la déguster. Il n'avait pas l'intention de déclarer sa flamme à Laura la bouche pleine de betterave.

— J'ai lu le brouillon du premier cycle, déclara-t-il.

Elle lui avait envoyé le document par e-mail.

Avant d'arriver chez elle, il avait décidé de ne lui en parler que le lendemain, mais sa langue avait fourché, et à présent, ils étaient lancés.

— Qu'est-ce que tu en as pensé ? demanda-t-elle avec empressement.

— Je l'ai lu d'une traite hier, commença-t-il, toujours impressionné de voir combien son métier la passionnait. C'est captivant. Maintenant, je comprends mieux ton…

— Obsession, compléta-t-elle.

— J'allais dire ton implication et ton enthousiasme, mais il est vrai que tu es obsédée par ce patient. Bon. Pour commencer, c'est bien que tu présentes les choses de son point de vue à lui. Très réussi. Chaque cycle ayant été réel pour Ted, qui a oublié ses premiers mois passés à l'hôpital, je trouve judicieux que tu aies écrit ce rapport sous cet angle. C'est du reste ce qui m'a permis de relever certains détails.

— Lesquels ? s'écria-t-elle, les yeux écarquillés. Tiens, aide-moi à emporter les plats dans la cuisine et on se fera un café. Je me connais, je pourrais en discuter des heures.

C'était précisément ce qu'il craignait.

Ils firent deux allers-retours en silence, comme de vieux amis qui se connaissent parfaitement. Il s'imagina livré à ces occupations quotidiennes et fut parcouru d'un frisson. Il se sentait stupide.

Ils retournèrent au salon quand le café fut prêt.

— Je suis d'accord avec toi pour dire que le premier cycle est parfait. Wendell représente tout ce que Ted méprise en lui, et se dissocier de cet homme pour le tuer semble sensé. Mais maintenant que nous avons vu l'autocollant chez Blaine, il paraît logique de supposer que toutes les séquences de ce cycle partent d'éléments réels.

— Tu as raison.

— Essayons de les récapituler pour remonter au moment où chacun d'eux a dévié par rapport à la réalité. On obtiendra sûrement des faits intéressants à analyser.

Elle l'écoutait attentivement en tenant sa tasse à deux mains.

— Commençons par sa tentative de suicide avortée à cause de l'apparition de Lynch et de sa proposition. C'est simple : Ted voulait se supprimer pour des raisons que nous ignorons, et quelqu'un l'a interrompu. C'était peut-être Lynch, d'ailleurs, mais pour d'autres motifs que ceux avancés par Ted.

— Je ne pense pas que Lynch soit passé le voir, mais je suis d'accord pour dire que Ted a essayé de se supprimer.

— Ensuite, il y a l'assassinat de Blaine. Ted s'est rendu chez lui, il s'est caché dans le placard et a vu l'autocollant. Il n'avait manifestement pas l'intention de le tuer, mais il connaît cette maison, nous avons vu l'autocollant de nos propres yeux. C'est cette pièce qui ne s'encastre pas dans le puzzle.

— J'y ai réfléchi et je crois qu'on peut aussi envisager le fait que Ted ait vu l'autocollant à un moment plus reculé dans le temps, quand la maison était occupée par d'autres personnes, par exemple. Mais si c'est le cas, comment pouvait-il savoir que Blaine allait s'y installer ? Ça n'a aucun sens.

— Exact. Il n'a pas pu faire le lien entre l'autocollant de Buzz l'Éclair et ce qu'il a lu sur Blaine dans les journaux. On peut donc en conclure qu'il s'est récemment caché dans ce placard. À partir de là, la réalité diverge sans qu'on sache trop dans quelle direction. Tu ne penses pas qu'il a voulu le tuer ?

— Je n'écarte aucune possibilité. Ce qu'il a fait à Lynch avec la lampe est différent, ce n'était pas prémédité.

— Je suis d'accord. Continuons : l'épisode suivant est sa visite à Robichaud, son ancien camarade d'école. Tu as parlé avec lui, n'est-ce pas ?

— Oui, mais il ne m'a pas appris grand-chose de plus que ce que Ted m'a dit. Ted est allé le trouver pour rédiger son testament et lui a dit qu'il préférait avoir affaire à un avocat qui ne faisait pas partie de son cercle habituel, ce qui est très plausible.

— Oui, mais quand même… tous ces élèves surgis du passé chez Robichaud, tous ces compagnons qu'il n'a jamais revus, prouvent le malaise, ou un certain remords éprouvé au souvenir de ses années d'école parce qu'il s'est peut-être mal comporté à leur égard. Tu as bien fait d'évoquer son passé, en particulier les échecs, pour le ramener à la réalité.

— Merci Marcus, mais les échecs étaient constamment présents dans ses rêves... comme un hameçon sur lequel tirer. J'aurais voulu m'en rendre compte plus tôt.

— Ça n'aurait pas changé grand-chose et, si ça se trouve, ça n'aurait pas marché.

— C'est possible.

— Bon, d'après la chronologie, on arrive à la visite de Ted au bureau de Lynch, et c'est ce qui m'intéresse. Il s'agit de définir la frontière entre la réalité et la paranoïa de Ted. On sait qu'il y est allé et qu'il y a rencontré Nina, la secrétaire. Pourtant, dans sa déclaration, elle affirme ne pas l'avoir vu parce qu'elle serait arrivée en retard, c'est ça ?

— Oui.

— Et si elle avait menti ? Si, comme dans les séquences du premier cycle, cette première partie était vraie elle aussi ?

Ces mots laissèrent Laura songeuse.

— Tu crois que la police a vérifié ? enchaîna-t-il.

Laura en doutait. Elle avait vu deux fois Carl Braughter, le jeune inspecteur qui avait mené une enquête expéditive avant que Ted soit interné au Lavender. Le policier semblait s'être surtout intéressé aux actes de Ted. Celui-ci avait bel et bien frappé Lynch au point de manquer le tuer. La police l'avait trouvé sur les lieux, la lampe ensanglantée entre les mains. Il avait laissé ses empreintes partout. Pourquoi l'enquêteur se serait-il soucié de savoir si la secrétaire de Lynch avait menti sur un détail aussi insignifiant que son heure d'arrivée au bureau ?

— Ce que je veux dire, c'est que si chaque séquence du premier cycle part d'un fait réel comme le porte à croire la présence de l'autocollant, il se peut qu'il ait vu Nina ce jour-là. Autrement, pourquoi l'aurait-il incluse dans son récit ? Elle ne joue aucun rôle particulier dans cette histoire, en tout cas, aucun rôle évident, contrairement aux camarades de classe que Ted a croisés chez Robichaud.

Laura ne s'était jamais vraiment attardée sur la rencontre entre Nina et Ted, trop occupée par la conversation que ce dernier avait eue avec Lynch. Elle comprenait à présent qu'elle avait commis une erreur. Marcus avait raison. Pourquoi parler de la présence de la secrétaire si elle était arrivée en retard? Dans quel but? Elle se rappela une phrase que répétait son père, grand amateur de romans policiers: quand un détail semble déplacé, il faut s'y intéresser car il revêt sans doute une importance cruciale. La présence de Nina dans le bureau ce fameux jour était un détail de ce genre.

— Dans son récit, poursuivit Marcus, Ted l'a laissée partir quand il a commencé à parler avec Lynch, et c'est lui qui a exigé qu'elle ne prévienne pas la police. Et si c'était là que commençait son délire?

Laura sentait monter en elle l'excitation qui la gagnait chaque fois qu'elle découvrait une vérité révélatrice. Ce que disait Marcus faisait sens. Elle se leva précipitamment.

— Qu'est-ce qu'il y a?

— Attends-moi, s'il te plaît.

Elle revint une minute plus tard, un dossier jaune à la main.

— C'est une copie du rapport de police. J'ai dit à Braughter que c'était important que je l'aie pour le traitement de Ted, et il m'en a fourni une.

— C'est imprudent de sa part.

— Je peux être persuasive, tu sais, dit-elle en se passant une main dans les cheveux avant de s'asseoir. L'adresse de Nina figure sûrement au début de sa déposition.

Marcus profita qu'elle était plongée dans l'examen du rapport pour la regarder à loisir. Elle étudiait les photos du bureau de Lynch: des plans d'ensemble, son corps étendu sur le sol, la lampe en bronze avec laquelle Ted l'avait frappé, ses blessures à la tête, son visage couvert d'ecchymoses... Des photocopies de piètre qualité, dont une en particulier attira l'attention de Laura. Marcus se pencha et l'examina sans rien remarquer de spécial. C'était un cliché du vestibule où se trouvait le bureau de Nina.

— Là, dit Laura en pointant un doigt sur un des coins de la table.

Il s'agissait du carton contenant les *donuts* de chez Dunkin'.

— Elle les a apportés ce matin-là et en a même proposé un à Ted, déclara Laura.

— Un autre détail qui aurait dû nous mettre la puce à l'oreille et qui prouve que Nina a vu Ted ! Elle était encore probablement là quand Lynch est arrivé.

Laura se leva de nouveau, visiblement impatiente.

— Je n'arrive pas à y croire ! Pourquoi n'a-t-elle rien dit à la police ?

— Eh bien, si les faits sont survenus comme nous le supposons, Ted n'avait pas encore frappé Lynch quand elle a quitté le cabinet. Elle pensait qu'il s'agissait d'un problème entre deux amis.

— Mais il avait une arme !

— Si Lynch lui a demandé de se taire, il est possible qu'elle ait suivi ses instructions à la lettre. Le lendemain, quand la police lui a appris que son patron était dans le coma et qu'ils avaient arrêté le coupable, elle a peut-être estimé qu'il valait mieux passer sa présence au bureau sous silence. Que dit-elle dans sa déclaration ?

— Qu'elle avait demandé un jour de congé pour des raisons personnelles. Je doute que Braughter ait vérifié. Voilà, dit-elle après avoir cherché dans le dossier. Elle dit qu'elle avait rendez-vous chez l'ophtalmologue. Son téléphone et son adresse figurent dans sa déposition. Demain, tôt dans la matinée, je lui rendrai visite avant d'aller à l'hôpital.

— Tu veux que je t'accompagne ?

— Ce n'est pas nécessaire. Tu imagines ce que ça peut vouloir dire ? demanda-t-elle en s'asseyant tout près de lui. Si Nina a entendu une partie de leur conversation, de leur conversation réelle, elle sait certainement pourquoi Ted a tabassé Lynch de cette façon-là. Tu es un génie !

Elle posa ses mains sur les joues de Marcus, incapable de contenir son euphorie. L'espace d'une seconde, il crut qu'elle allait l'embrasser. Même si son geste était davantage dicté par l'émotion que par la passion, il saurait s'en contenter. Mais après l'avoir regardé un moment, elle s'écarta de lui. Il vit de l'incertitude passer dans ses yeux. C'était à lui de prendre l'initiative.

Mais il ne bougea pas.

Le reste de la soirée se déroula plus ou moins de la même manière. Ils parlèrent de Ted et de l'entretien entre Nina et Laura le lendemain. Marcus continuait de lutter contre la voix intérieure qui lui disait que le temps passait, qu'il fallait qu'il agisse. Il allait rater le coche et après, il lui serait de plus en plus difficile d'extérioriser ses sentiments. Laura semblant elle aussi déconcertée, des silences gênés s'installèrent entre eux et ils échangèrent des regards incrédules, mais Marcus semblait incapable de trouver assez de confiance en lui pour faire le premier pas. Dérouté, il n'avait rien vécu de tel depuis l'adolescence. Il savait pourtant parler aux femmes. Avec Carmen, ç'avait été simple : il l'avait vue seule, assise dans un salon de thé, lui avait demandé s'il pouvait s'asseoir à sa table et, moins d'une minute plus tard, ils discutaient comme de vieilles connaissances. Laura était différente. Il n'avait aucune excuse et sentait l'inquiétude et la consternation le gagner.

Elle finit par lui avouer qu'elle était un peu fatiguée et qu'elle comptait se lever tôt pour trouver Nina à son domicile. Il lui répondit que lui aussi avait besoin de dormir, la pria de l'appeler pour lui raconter comment s'était passé l'entretien, puis ils gagnèrent la porte en silence. Quand ils passèrent devant le miroir de l'entrée, Marcus regarda leurs silhouettes endimanchées et se sentit stupide. Il aurait pu rendre cette soirée inoubliable, mais ça n'avait pas été le cas. Sur le portemanteau, il prit le chapeau qu'il venait d'acheter pour l'occasion et le coiffa très lentement, comme s'il réfléchissait à un sujet transcendantal, et sa relation avec Laura en était un. Le moment était venu de saisir sa dernière chance.

— J'ai passé une très bonne soirée, commença-t-il, planté dans l'entrée.

Laura attendit, puis s'approcha, posa une main sur son épaule et l'embrassa sur la joue.

— Moi aussi. Je t'appelle demain.

Il traversa le jardin plongé dans la pénombre et se retourna à deux reprises pour la saluer, déjà rongé de remords, se reprochant chaque pas en direction de sa voiture. Quand il la regarda une dernière fois, elle n'était plus qu'une silhouette au visage flou sur lequel il ne vit aucune moue déçue se dessiner.

CHAPITRE 25

Laura supposa que Nina ne travaillait pas le samedi, mais elle ne voulut pas prendre de risque. À 7 h 30, elle sonna à la porte du modeste appartement de la jeune femme, rue Merrimack. Elle avait à peine dormi, en partie parce que sa soirée avec Marcus n'avait pas suivi le cours espéré, mais surtout parce qu'elle était sûre que la secrétaire de Lynch aurait des révélations à lui faire.

Un visage gonflé apparut derrière une fenêtre pour s'évanouir aussitôt. Quelques secondes plus tard, les cheveux en bataille et de mauvaise humeur, Nina entrebâilla la porte et aboya :

— Qui êtes-vous ?

— Nina Jones ?

— Qui êtes-vous ? répéta l'assistante de Lynch.

— Docteur Laura Hill. Ted McKay est mon patient.

Laura n'en dit pas plus, attendant la réaction de la jeune femme. Les yeux de Nina, réduits à deux fentes face au soleil matinal, s'entrouvrirent davantage.

— Je ne connais aucun…

— L'homme qui a mis votre ancien patron dans le coma, la coupa Laura en lui montrant le dossier qu'elle avait dans la main gauche. Ceci est la déposition que vous avez faite auprès de l'inspecteur Braughter, celle dans laquelle vous déclarez connaître McKay. Il me l'a confirmé. Je peux entrer ?

Nina ouvrit la porte.

— Il n'est pas encore 8 heures, bredouilla-t-elle en guise de formule de bienvenue.

Elle portait un ample tee-shirt et un short. Elle pivota et se dirigea vers une table couverte de bouteilles vides, d'assiettes et de gobelets en plastique. Laura lui emboîta le pas.

— Comment avez-vous dit vous appeler ?

— Laura.

— Vous avez des nouvelles de M. Lynch ?

— Il est toujours dans le coma et a peu de chances d'en sortir.

— Je suis désolée, vraiment désolée, murmura Nina en s'asseyant comme une petite fille, les bras autour de ses genoux. Je n'ai pas travaillé longtemps pour lui et n'ai pas eu le temps de bien le connaître. Il était très réservé, étrange mais gentil. Le type qui l'a frappé n'est pas en prison ?

— Ted McKay est interné au Lavender Memorial, dans un pavillon de haute sécurité.

Nina hocha la tête, sincèrement surprise.

— Je sais que ce jour-là vous étiez au bureau, Nina. Je comprends que vous n'ayez pas jugé utile de le signaler à l'inspecteur Braughter et il n'est pas nécessaire que vous le fassiez maintenant, mais il faut que vous me disiez ce que vous savez, c'est peut-être capital.

Sans trop de conviction, la jeune femme s'y opposa. Prête à tout pour recueillir des informations, Laura n'aurait pas hésité à la menacer de la dénoncer à la police en cas de nécessité, mais Nina était démunie, effrayée, et Laura comprit qu'il fallait la convaincre par la douceur. Elle se sentait suffisamment coupable d'avoir menti.

— Dans le rapport de police, on voit une boîte de *donuts* de chez Dunkin' que vous aviez apportée ce matin-là. Je vous dirais aussi que mon patient a beaucoup progressé ces derniers temps et qu'il se rappelle certains détails. Il a, par exemple, attendu que vous arriviez près de la porte du cabinet et vous a obligée à le laisser entrer. Vous avez patienté tous les deux, son arme braquée sur vous.

Il n'en fallut pas davantage pour que Nina s'effondre.

— Ne vous inquiétez pas. Comme je viens de vous le dire, je ne suis pas de la police, mais les renseignements que vous détenez peuvent être essentiels pour le traitement de Ted McKay. Cela m'aiderait à comprendre pourquoi il a agi aussi violemment. Lui et Lynch se connaissaient depuis l'université, vous étiez au courant ?

— Non.

— Nina, j'ai besoin que vous m'en disiez plus.

— J'ai déjà presque tout dit.

— Pas ce qui est survenu quand Lynch est arrivé au cabinet. Il me faut davantage de précisions.

La jeune femme enfouit sa tête entre ses mains et soupira.

— Je peux me préparer du café ? J'ai passé une sale nuit.

— Bien sûr.

— Vous en voulez un ?

— En fait, volontiers. Moi non plus, je n'ai pas beaucoup dormi.

Pendant que l'eau chauffait, Nina alla se brosser les dents et se coiffer dans la salle de bains. Quand elle revint, elle avait l'air plus réveillée, métamorphosée. Elle servit le café et posa les tasses sur un coin de la table, puis débarrassa vite les bouteilles et la vaisselle en plastique.

— Excusez le désordre, dit-elle. Hier soir, c'était l'anniversaire de ma colocataire.

— Ne vous en faites pas pour ça. Vous avez retrouvé du travail ?

— Oui. Un poste de secrétaire dans un autre cabinet d'avocats.

— Tant mieux. Nina, il faut que vous me racontiez ce qui s'est passé, demanda Laura en allant droit au but.

— Avant tout, j'aimerais que vous sachiez que si je n'ai pas dit à la police que j'étais là, c'est parce que M. Lynch me l'a demandé et que, d'après l'inspecteur, son agresseur avait été arrêté. En fait, je n'ai pas eu l'impression qu'il avait très envie de m'entendre.

— Je comprends.
— Comment s'appelle ce type, déjà ?
— Ted McKay. Vous ne l'aviez jamais vu avant ?
— Non. Il m'a attendue dans un coin, il avait un pistolet et paraissait très en colère. J'ai eu vraiment peur. Il m'a dit qu'il ne me ferait rien, m'a demandé s'il y avait du monde dans les autres bureaux et a précisé qu'on allait attendre Lynch parce qu'il devait lui parler. On est restés là je ne sais plus combien de temps, je ne me souviens plus trop. Tout ce que je sais, c'est que ce McKay a changé d'attitude. Il regrettait de m'avoir effrayée et a promis de ne me faire aucun mal. Au début, je n'osais même pas regarder son visage.
— Qu'entendez-vous par « changé d'attitude » ?
— Il semblait perdu et regrettait de s'être présenté de façon aussi brutale. Mais maintenant que vous me dites qu'il est fou, je comprends mieux. Il m'a même conseillé de manger un *donut* !
— Ted n'aurait pas levé la main sur vous.
— C'est possible, dit-elle d'un ton hésitant. Il ne l'a d'ailleurs pas fait. On a attendu Lynch dans son bureau. Quand il est entré, j'étais assise sur sa table de travail et il s'est tout de suite douté qu'il se passait quelque chose. Après, il a vu McKay près d'un des meubles de classement et s'est pétrifié, comme s'il avait croisé un fantôme. Moi qui avais réussi à me détendre un peu, ça m'a de nouveau flanqué la trouille. Lynch ne quittait pas McKay des yeux...
Nina but la moitié de son café avant de reposer la tasse sur la soucoupe.
— Lynch m'a regardée comme s'il venait de découvrir ma présence et m'a dit que lui et Ted étaient amis, que je ne devais pas me faire de souci. J'ai pensé que ce n'était pas vrai, qu'il disait ça uniquement pour me rassurer. Il a demandé à McKay de me laisser partir, mais au début, votre patient a refusé. Il ne semblait pas l'écouter. Lynch a essayé de le calmer en se rapprochant lentement, les mains tendues vers lui. Il lui disait que tout allait bien se passer, qu'il n'avait pas besoin d'une arme, que lui et une certaine

Holly comptaient tout lui avouer tôt ou tard, qu'ils attendaient juste le bon moment.

En entendant ces mots, Laura ne cacha pas sa surprise.

— Oui, moi aussi, j'ai tout de suite compris que Lynch et la femme de McKay avaient une aventure, mais McKay, lui, venait de le découvrir. Je ne me rappelle plus s'il est entré dans les détails, mais pour moi, c'était très clair. C'est ce que vous pensez vous aussi, n'est-ce pas ?

Laura était surtout déçue. Elle espérait que Ted n'était pas venu trouver Lynch dans la seule intention de lui parler de sa liaison avec Holly, puisqu'il le savait depuis des semaines. Pourquoi une réaction aussi violente a posteriori ?

— Mais McKay a répondu à Lynch qu'il ne tenait pas à aborder le sujet, poursuivit Nina en vidant sa tasse.

Ah, enfin !

— Lynch était très nerveux, enchaîna-t-elle. Je ne l'avais jamais vu dans cet état. Il a demandé à McKay de me laisser partir parce que je n'avais rien à voir dans cette histoire, et finalement, son agresseur a accepté en me disant qu'en prévenant la police, j'aggraverais la situation. Je comptais quand même le faire, mais Lynch m'a suppliée de me taire. Je ne le connaissais pas depuis longtemps, mais suffisamment pour savoir qu'il était sincère et ne jouait pas la comédie. J'ignore s'ils étaient mêlés à des affaires louches et, franchement, je m'en fiche. En tout cas, j'ai tenu parole et je n'ai pas prévenu la police. J'étais loin de me douter que McKay allait mettre Lynch dans le coma.

— Vous avez obéi à votre patron. Si vous aviez appelé la police, Lynch serait probablement mort à l'heure qu'il est.

— C'est exactement ce que m'a dit McKay. Qu'il tirerait s'il entendait des policiers arriver.

— Nina, êtes-vous sûre que Ted a affirmé que sa visite n'était pas liée à l'aventure extraconjugale de sa femme avec Lynch ?

— Sûre et certaine. Avant de sortir, je suis allée récupérer mon sac dans mon bureau. C'est à ce moment-là que McKay a dit ça à Lynch. Il était furieux.

— En quels termes s'est-il exprimé ?

— Il a dit : « Tu m'as suivi chez Blaine, je t'ai vu. » Je me rappelle parfaitement le nom parce que mon ancien petit ami avait un livre qui portait ce titre.

CHAPITRE 26

Ce samedi-là, Ted joua aux échecs. Il ne perdit pas une seule partie, même quand ses efforts se relâchaient et qu'il laissait une chance à ses adversaires. Aucun d'eux ne déployait de stratégie clairement définie. Ils connaissaient à peine quelques règles et mouvements basiques, si bien que Ted les écrasait facilement. Il fut prudent au début, craignant de les vexer ou de susciter leur animosité, mais il obtint l'effet contraire. Même Sketch, imbattable au pavillon C, lui témoigna respect et admiration. Entre deux parties, Ted leur parlait de son passé de petit champion et proposa de leur donner des cours. Tous étaient ravis, y compris Lester, qui pouvait être très agréable quand il ne partait pas dans ses délires extraterrestres.

Le lendemain, dans les douches, Sketch lui apprit qu'au pavillon B, les patients jouaient aussi aux échecs. Un jour, ils avaient organisé un tournoi et les avaient battus. Couvert de mousse, un grand sourire aux lèvres, il déclara à Ted que la prochaine fois, grâce à lui, ils étaient sûrs de gagner. En rêvant de cet éventuel succès, il eut une érection.

Ted s'était bien acclimaté au Lavender. Il s'était familiarisé avec les trois groupes de patients. En plus des joueurs d'échecs, il y avait les lunatiques, plus âgés, internés depuis des années et soumis à de lourds traitements médicamenteux. Certains étaient sérieusement affectés et passaient le plus clair de leur temps devant le poste de télévision ou s'isolaient dans un coin, les yeux hagards. Le troisième groupe était celui des promeneurs. Ils préféraient rester à l'air libre et occupaient le terrain de basket ou le jardin. Ils marchaient constamment, en général deux par deux.

Mike Dawson ne faisait partie d'aucun groupe. Il était trop au-dessus du lot pour cela. Ted se demandait pourquoi il l'avait abordé, lui qui n'avait jusqu'alors jamais partagé sa chambre avec qui que ce soit.

Mike le salua, assis sur son banc préféré, occupé à lire un livre en piteux état et différent de celui qu'il parcourait dans la matinée.

— Tu es une vraie machine à lire, lui lança Ted.

Mike corna une page et mit l'ouvrage de côté. Il n'utilisait jamais de signets.

— C'est le seul moyen que j'ai de sortir d'ici.

Ted s'installa près de lui. Plusieurs patients les observaient avec intérêt, attentifs à ce qui était en train de devenir entre eux un véritable rituel, mais aucun n'osa les rejoindre.

— Tu ne joues pas aux échecs avec tes amis, aujourd'hui? reprit Mike avec le plus grand sérieux.

Ted commençait tout juste à s'accoutumer au côté pince-sans-rire de Dawson.

— Pas aujourd'hui. Jouer me captive, je ne me concentre que sur l'échiquier, mais pour l'instant, j'ai d'autres sujets de réflexion.

— Tu penses toujours à ton ami?

— Oui, répondit Ted en sortant de sa poche la photo de Lynch à côté du poster d'Uma Thurman. Je me rappelle tout: le campus, la chambre et ce maudit poster... mais pas lui.

— Tôt ou tard, je te garantis que la valve s'ouvrira. J'ai connu ça, comme presque tous les patients qui sont ici. Cette valve, ton cerveau la ferme parce qu'il ne supporte pas la pression. Quand on guérit et qu'on est prêt à supporter certaines révélations, elle s'ouvre. Tu verras.

— C'est effrayant. Qu'est-ce qui m'a poussé à frapper un ami au point qu'il tombe dans le coma? demanda Ted. Au lycée, je cherchais des noises à tout le monde, j'étais un peu paumé. Je me suis calmé au fil des années. Je suis un homme tranquille, je ne comprends pas ce qui s'est passé.

— Ta femme pourra peut-être t'éclairer. Elle vient te voir demain, c'est bien ça ?

— Oui. Avec les filles. C'est idiot, mais je suis nerveux. Tu as des enfants ?

Mike fit non de la tête, les yeux dans le vague.

— J'avais un filleul.

Ils se turent quelques minutes.

— Mais tu comprends ce que je ressens, non ? insista Ted. Comment ma propre famille peut-elle me rendre aussi anxieux ? Ce sont mes filles et je veux les voir plus que tout au monde !

— Ce n'est pas facile de se montrer quand on est interné dans un asile.

— C'est ça. En principe, je devrais être dehors, les voir grandir... les protéger.

— Tout va bien se passer, ne t'inquiète pas.

— Tu sais, Mike, à propos de l'opossum, souffla Ted au risque de paraître vulnérable.

— Tu l'as revu ? demanda son ami en le regardant fixement.

— Non.

— Écoute, Ted, ce que je viens de te dire est vrai : ton cerveau guérira et ouvrira cette porte le moment venu. Tu te souviendras de ton ami et des raisons pour lesquelles tu l'as frappé. Tous ces... « cycles » dont tu m'as parlé sont une tentative de ton esprit pour fabriquer une illusion qui te protège, comme les toiles de fond des décors, au théâtre. Quand l'illusion disparaîtra, tu verras ce qui se cache derrière. L'opossum t'y conduira quand tu seras prêt, mais attention, ça peut se révéler dangereux.

CHAPITRE 27

Marcus n'avait presque pas fermé l'œil de la nuit, obnubilé par son dîner avec Laura et toutes les occasions qu'il avait manquées de l'embrasser. Sa matinée ne fut guère plus agréable. Il se terra dans son bureau en évitant de répondre au téléphone. À l'heure du déjeuner, il fut bien obligé de se rendre à la cantine, où il s'isola à une petite table pour quatre toujours inoccupée car trop proche des cuisines. Pour bien montrer qu'il ne voulait pas être dérangé, il s'était muni d'un gros manuel de pathologie qu'il n'avait aucune intention de lire, mais qu'il ouvrit devant sa salade, fermement décidé à avaler son repas en un temps record.

Il était rare que Laura déjeune à cette heure, mais ce jour-là, elle entra dans le réfectoire et regarda de tous les côtés. Dès qu'elle aperçut Marcus, elle leva la main pour le saluer et s'installa à sa table sans lui demander son avis.

— Il faut que je te parle, dit-elle.

À son excitation, il comprit que c'était pour le travail.

Tant mieux.

— Tu veux que j'aille te chercher quelque chose à grignoter ?

— Non, non, ça va. Je n'ai pas beaucoup de temps. Comme tu le sais, je suis allée voir Nina…

Il la regarda, interdit, puis se rappela le prénom de la secrétaire de Lynch.

— Ah oui ! Et tu as avancé ?

— Oui ! s'exclama-t-elle, enthousiaste. Elle a parlé quand je lui ai montré le carton de *donuts* sur une des photos du dossier. Tout s'est passé comme Ted le racontait dans le premier cycle, mais ensuite…

Elle s'approcha à quelques centimètres de son visage. Il lança des regards autour de lui et vit que certains de ses collègues les observaient.

— Ensuite, quoi ?

— Avant de partir, elle a entendu Ted dire à Lynch qu'il savait qu'il l'avait suivi chez Blaine.

Lui aussi passionné par le cas de Ted, il tenta d'analyser l'information. Cette simple phrase pouvait changer beaucoup de choses, à commencer par le fait que, comme Ted, Lynch connaissait Blaine. La visite chez ce dernier était apparemment la cause de l'affrontement entre les deux amis.

— Tu penses à quoi ?

— Eh bien, je me dis qu'il n'y a plus de doutes possibles maintenant : Ted est bien allé chez Blaine, et je crois que ce n'était pas simplement pour discuter avec lui. Il ne voulait pas forcément le tuer, mais au moins le passer à tabac.

— On est tout près du but, Marcus. La raison pour laquelle Ted s'est rendu chez Blaine est la clé de tout. Il comptait se suicider, mais avant, il est passé chez cet homme. Pourquoi ? Lynch l'a suivi parce qu'il avait des soupçons et il a fait échouer les plans de Ted. Ça te semble correct comme raisonnement ?

— Assez, oui, encore faudrait-il savoir ce qui relie Ted à Blaine.

— On est à deux doigts de réussir.

Si seulement…

— Ses filles ne doivent pas lui rendre visite bientôt ?

— Si, demain, et je t'avoue que j'ai un peu peur.

— Il ne faut pas.

Elle hocha la tête en songeant qu'un choc émotionnel pouvait parfois occasionner des régressions chez les patients. Elle se leva, prête à partir.

— Que comptes-tu faire de ces informations, Laura ?

— M'en servir lors de ma prochaine séance avec Ted. Mettre toutes les cartes sur la table.

— Laura…

— Oui ?

— J'ai vraiment passé une bonne soirée, hier, bredouilla-t-il, incapable d'ajouter quoi que ce soit d'autre.

Pour toute réponse, elle lui adressa un sourire compatissant qui le précipita dans les affres du désespoir.

CHAPITRE 28

Ted était seul dans une petite salle de loisirs joliment décorée. Laura avait veillé à ce que ses retrouvailles avec ses proches aient lieu dans cet endroit et non dans la pièce réservée aux visites du pavillon C, une pièce froide et laide que des fillettes de sept ans auraient assimilée à une prison. Ted l'avait suppliée de lui permettre de voir ses filles ailleurs. Elle avait accédé à sa demande et s'était débrouillée pour trouver une solution sans avoir à remplir toutes les formalités pour le faire sortir du pavillon C. À l'extérieur, trois vigiles étaient chargés d'assurer la sécurité, un posté devant la porte et deux face à la fenêtre.

Ted songea qu'il était agréable de regarder par une fenêtre dépourvue de barreaux. Angoissé comme il l'avait rarement été, il portait un pantalon bleu en lin et une chemise blanche un peu trop grande pour lui car il avait perdu du poids ces derniers mois. Sa minceur n'était pas le seul indice du temps passé au Lavender ; il trouvait aussi que ses vêtements manquaient d'élégance. Assis sur un petit canapé, il se tordait les mains. Il se leva et arpenta la pièce, fit le tour de la table pour se rasseoir sur une des chaises en bois, puis se releva. Dans un coin, il remarqua un petit réfrigérateur, des étagères sur lesquelles étaient posées quelques tasses. Il s'en approcha et, inconsciemment, les aligna du côté des anses. Laura venait de partir chercher Holly et les filles.

La porte s'ouvrit.

Laura entra seule, les mains dans le dos. Elle cachait quelque chose.

— Je suis désolée, Ted, mais vos filles ne pourront pas venir. Vous les avez tuées, c'est pour ça que vous êtes ici, mais j'ai une surprise pour vous..., ajouta-t-elle en lui montrant ses mains.

Elle tenait dans l'une d'elles un sac pelucheux qui commença à se tortiller. Avant que la queue se déploie, Ted remarqua un museau. L'opossum essayait de se libérer, mais Laura le tenait à bout de bras, raide comme une statue. L'animal poussa un cri aigu, semblable à celui d'un enfant. Laura trembla et se pencha, vite remplacée par un double plus rayonnant.

— Vous êtes prêt, Ted ? lui demanda-t-elle.

Il entendit les voix de Nadine et de Cindy avant qu'elles envahissent la pièce, joyeuses et pleines de vie, et se précipitent sur lui en le faisant tomber dans le canapé.

— Papa ! s'exclamèrent-elles à l'unisson.

Quand elles se serrèrent contre son torse, Ted souhaita que cette étreinte dure à jamais.

Nadine s'écarta la première, soucieuse de ne pas froisser le dessin qu'elle avait apporté. Moins démonstrative que sa sœur, silencieuse et songeuse, elle avait hérité du caractère de son père. Cindy était, elle, tout le portrait de Holly. Expansive, sans préjugés, elle se conduisait en petite cheftaine.

— Mon dessin ! s'écria Nadine.

— Ce n'est pas le tien, la corrigea Cindy. Papa, on t'a fait un dessin. Pourquoi tu pleures ?

Ted avait en effet les larmes aux yeux. Il les sécha d'un revers de main.

— Parce que vous m'avez beaucoup manqué.

Cindy se jeta sur lui.

— Toi aussi !

Nadine hésita avant de les rejoindre. Elle regarda le dessin qu'elle avait à la main et attendit. Ted lui sourit par-dessus l'épaule de Cindy. Unis par des liens particuliers, il leur suffisait d'un simple regard pour échanger leurs sentiments.

— On t'a fait un dessin, répéta Cindy en se dégageant. Donne-le-lui, Nadine. Regarde... on est tous sur la plage. Il y a maman, et nous...

— Ce n'est pas la peine de lui expliquer, l'interrompit Nadine.

Ted contemplait leur œuvre. Ils étaient tous les quatre debout, la mer s'étendait derrière eux. Ted avait sa canne à pêche, Holly portait son bikini rouge et les filles tenaient chacune un dauphin gonflable. C'était étrange, car en réalité, elles n'en possédaient qu'un, acquis l'été précédent et qui était constamment l'objet de disputes. Ted avait suggéré d'en acheter un autre, mais Holly avait tenu à ce qu'elles le partagent et elle avait raison.

— C'est magnifique, merci, dit-il.

— Où vas-tu le mettre ?

— Eh bien, j'ai une très jolie chambre. Je l'accrocherai là et pourrai le voir tous les jours.

— Quand est-ce que tu vas rentrer à la maison ? demanda Cindy sans détour, autre qualité qu'elle tenait de sa mère.

— Je ne sais pas. Sûrement très vite.

— Maman dit que cet hôpital est différent de celui où est papy. Qu'ici, on soigne les maladies de la tête, c'est vrai ? poursuivit-elle, curieuse.

— Oui, répondit Ted en souriant. J'ai eu très mal à la tête, des vertiges, c'est pour ça que je suis ici. Maintenant, je vais mieux.

Cindy soupira, soulagée.

— Nadine dit que tu vas avoir des tubes tout autour du crâne.

— Ça, c'est faux !

Ted prit Nadine par la taille et l'attira à lui pour qu'elle ne se sente pas délaissée.

— C'est normal que vous vous posiez des questions. Les maladies du cerveau ne se soignent pas avec des opérations, comme on l'a fait avec papy pour sa hanche. Il faut prendre des médicaments et... beaucoup parler.

— Parler ?

— Oui. On appelle ça des séances de psychothérapie.

— Comme dans la série que regarde maman !

— Exactement. Mais ici, les séances se font en direct, pas sur Internet.

— Et si on demandait à ton docteur de faire ça, tu pourrais rentrer à la maison ?

— Ce n'est pas aussi simple ! dit-il en riant. L'important, c'est qu'on soit bientôt de nouveau ensemble.

Toutes deux acquiescèrent, pleines d'espoir, et Ted tâcha de graver leur expression de joie ainsi que le besoin qu'elles avaient de lui dans sa mémoire. Avait-il réellement voulu se suicider ? À quoi pensait-il donc ? Il comprenait de moins en moins le Ted qui avait frappé son ami, le suicidaire qui comptait laisser deux fillettes de sept ans seules avec leur mère.

Il n'avait plus rien en commun avec cet individu, cela ne faisait aucun doute. Quand il sortirait du Lavender, il reprendrait son entreprise et sa vie en main. Avec un peu de chance, Lynch serait sorti du coma et il pourrait lui demander pardon.

Ils passèrent plus d'une demi-heure ensemble. Elles lui parlèrent de l'école, des poupées que leur mère leur avait offertes – Ariel et Alex – et d'une nouvelle amie qui avait deux ans de plus qu'elles et qu'elles avaient rencontrée dans le quartier où vivait leur grand-père. Elle s'appelait Haley et avait une sœur lycéenne qui connaissait des tas de choses... Elle leur avait par exemple appris à se maquiller, mais c'était un secret, leur mère ne devait surtout pas l'apprendre. Ted leur promit de ne rien dire. Il fut ému de constater que certaines réalités n'avaient pas changé et resteraient sans doute à jamais ainsi : Holly était toujours la force répressive. En se faisant cette réflexion, il se demanda pourquoi elle n'était pas entrée avec les filles.

CHAPITRE 29

Laura emmena Cindy et Nadine en leur promettant qu'elles iraient dire au revoir à leur père avant de partir. Holly entra dans la salle, le regard fuyant. Elle s'était coupé les cheveux et les avait teints d'une couleur plus sombre.

— Bonjour, lui dit Ted.

En la voyant, il se leva et se dirigea vers elle.

— Bonjour, Ted. Je suis contente que tu ailles bien, murmura-t-elle en lui adressant un petit sourire.

Elle prit place sur une chaise après avoir posé son sac sur la table avec mille précautions.

— Tu as discuté avec le docteur Hill ? lui demanda-t-il en s'asseyant à son tour et en laissant un siège libre entre eux.

— Oui, je l'ai vue plusieurs fois ces derniers mois. Aujourd'hui aussi, nous avons discuté. Elle m'a dit que tu avais beaucoup progressé.

— C'est vrai. Depuis quelques semaines… enfin, j'ai l'impression d'avoir eu quelques réminiscences ces derniers jours. Avant, j'étais un peu perdu, mais avec l'aide de Laura, je commence à me rappeler des choses.

Holly l'écoutait en hochant la tête.

— Elle m'a dit que ça nous aiderait peut-être de nous voir un peu, toi et moi, dit-elle en portant une main à son front. Je ne veux pas jouer les victimes, mais ç'a été très dur pour moi.

Les filles te réclamaient tout le temps et je ne savais plus quoi leur dire.

— J'imagine. Je sais que c'est ma faute. J'ai pris toutes les mauvaises décisions possibles et c'est pour ça que je suis ici. Mais je vais sortir, Holly, et j'assumerai mon rôle de père. Tu as des soucis d'argent ?

— Non, répondit-elle en esquissant une moue, à croire que c'était le cadet de ses soucis. Travis s'est occupé de tout, ajouta-t-elle en guettant sa réaction.

— Oui, oui. Je me souviens parfaitement de Travis.

Ils observèrent un moment de silence, puis Ted estima qu'il était de sa responsabilité d'aborder un sujet douloureux.

— Comment va Lynch ?

— C'est incroyable que tu aies oublié Justin. Tu ne l'appelais jamais par son nom avant.

Il haussa les épaules.

— Toujours dans le même état, souffla-t-elle.

— Tu ne peux pas savoir comme je suis désolé. Je… je ne sais pas ce qui s'est passé ce jour-là. J'ai un trou de mémoire énorme…

— Oui, c'est ce que m'a dit le docteur Hill.

— En tout cas, je veux que tu saches qu'en ce qui me concerne, lui et toi…

— Laisse tomber, Ted, je t'en prie. Je n'ai pas besoin de ta permission.

— Je regrette infiniment.

— Le docteur Hill voulait qu'on parle de la situation de notre couple avant que tu sois interné. Tu te rappelles ?

— Pas grand-chose, avoua-t-il en baissant la tête. Je sais que j'étais un peu… un peu distant.

— Ah, tu te souviens au moins de ça.

Elle ne s'était pas adressée à lui sur le ton du reproche, mais il la connaissait assez pour avoir remarqué son irritation.

— Tu t'enfermais dans ton bureau, tu passais presque tout ton temps à la maison du lac. Tu faisais comme si je n'existais pas,

Ted. Quand on bavardait, je monologuais, alors j'écourtais nos entretiens parce que je n'aime pas les discours à n'en plus finir. Ma présence te gênait. Nous nous en sommes rendu compte l'un et l'autre, et puis les filles ont vu elles aussi que quelque chose ne tournait pas rond.

— Malheureusement, j'ai des souvenirs très nets de cette période.

— Je vais être franche avec toi, sans quoi notre discussion n'aura aucun intérêt. À un moment donné, j'ai cru que tu avais une maîtresse, que c'était pour ça que tu partais pour ton travail et que tu t'isolais dans notre maison de campagne. Ç'aurait été logique. Et tu sais quoi ? Ça m'aurait fait plaisir, même si ça semble ridicule. Je savais que tu ne m'aimais plus.

— Holly, je…

— Laisse-moi continuer, s'il te plaît. Au début, j'ai téléphoné à ton bureau quand tu étais en voyage, je tirais les vers du nez à Travis ou à ta secrétaire pour obtenir quelques renseignements que je comparais ensuite à ceux que tu m'avais donnés. Mais les lieux, les horaires, les clients, tout concordait. Ce qui n'allait pas, c'était la manière dont moi, je me comportais. Ça ne me ressemblait pas. Je ne voulais pas mener d'enquête comme un détective privé alors que toi, de ton côté, tu ne t'es pas gêné pour le faire… J'étais perdue, Ted, ajouta-t-elle après avoir marqué une pause. Quand j'essayais de te parler, ça ne servait à rien. Je commençais à envisager de divorcer, je m'étais habituée à cette idée, j'avais rassemblé tout mon courage pour ça. C'est à ce moment-là que je me suis proposé d'en discuter avec Justin. Je n'ai même pas cherché à le cuisiner sur une éventuelle liaison entre toi et une autre femme, non. Je suis allée le trouver parce qu'il te connaît aussi bien que moi, si ce n'est plus, et je voulais qu'il me dise s'il pensait lui aussi que tu avais changé ou s'il t'était arrivé quelque chose que j'ignorais. J'avais besoin de me le faire confirmer d'une façon ou d'une autre parce que… c'était ça ou… bon…

— Tu étais en train de perdre pied, compléta Ted en souriant. Je comprends, mais tu ne dois pas t'inquiéter pour ça.

Holly hocha la tête sans lui rendre son sourire.

— J'ai donc vu Justin, qui m'a appris que vous ne vous fréquentiez plus, que tu t'étais éloigné de lui, exactement comme avec moi. On s'est retrouvés deux ou trois fois, juste pour parler de toi et de cette situation. De fil en aiguille, on a éprouvé de l'attirance l'un pour l'autre. Ce n'était pas l'idéal, loin de là. Quand on a pris conscience que c'était une relation sérieuse, toi et moi, on ne s'adressait presque plus la parole et tu étais même devenu fuyant avec les filles. Finalement, j'ai décidé de t'annoncer que je voulais divorcer.

— Ça oui, je me rappelle. C'était dans le salon. À partir de là, la tension s'est légèrement dissipée entre nous.

— J'ignorais en revanche que tu voyais le docteur Carmichael et que tu avais demandé à un ancien camarade d'école de rédiger ton testament. Je ne savais pas non plus que dans le coffre-fort, il y avait ces photos de Justin et moi au restaurant. Tu étais au courant depuis près d'un mois, Ted ! Et tu ne m'as rien dit, même quand on a parlé du divorce.

— Je ne sais pas pourquoi j'ai fait ça, Holly, répondit-il en écartant les bras en signe d'impuissance. Il faut que tu me croies.

— Oui, j'aimerais te croire.

— J'ai frappé Lynch, euh… Justin… pour je ne sais quelle raison, mais ça n'avait rien à voir avec toi… euh, je veux dire… avec votre liaison, j'en suis convaincu. Je veux ton bonheur, Holly. Le tien et celui des filles.

Elle acquiesça une nouvelle fois.

— Le docteur Hill m'a informée de tes progrès. Je sais que ç'a été difficile. Elle m'a dit que tu vivais… dans une sorte d'univers irréel.

— Oui. C'est horrible. Comme si quelqu'un m'avait volé mes derniers souvenirs et les avait chamboulés avant que je me retrouve ici. J'ai l'impression de vivre dans un rêve. Il y a un nom, Wendell, qui revient constamment. Ça t'évoque quelque chose ?

— Rien du tout. Le docteur m'a posé la même question et je n'ai pas pu lui répondre. Qui est ce Wendell ?

— Apparemment une part de moi. Dans ma tête, il y a une espèce de débarras où ont atterri certains souvenirs, mais je n'en possède pas la clé. Et ce débarras s'appelle Wendell. Je vois cet homme constamment, et il se trouve que c'est moi… Je sais, ça paraît absurde, mais au début, j'étais prisonnier de cycles qui se répétaient sans cesse. Grâce à Laura, j'ai réussi à en sortir. Je sens que je suis tout près de la vérité. Je vais enfin démasquer Wendell.

Ted s'était aperçu qu'elle le regardait bizarrement. Comme s'il était fou, et pour cause. Bien entendu, il n'avait pas l'intention de lui toucher un mot de l'opossum et de ce qu'il avait vu par la fenêtre…

— Qu'est-ce qu'il y a, Ted ?

Il ignora sa question, marcha jusqu'au canapé et prit le dessin de Cindy et Nadine. La plage. Le bikini rouge. S'agissait-il d'une coïncidence ?

— Pourquoi nous ont-elles dessinés sur la plage ?

— Je n'en sais rien, répondit-elle en fronçant les sourcils. C'est important ? Je leur ai dit que ce serait une bonne idée qu'elles t'apportent un dessin, alors elles t'en ont fait un. J'imagine que les vacances sont un moment de joie et que c'est pour ça qu'elles ont choisi la plage.

Il reprit place sur la chaise, les yeux rivés sur le dessin. Contenait-il davantage de détails révélateurs ? A priori non. La canne à pêche, les dauphins gonflables… D'un doigt, il suivit les contours des transats, observa les personnes qui prenaient le soleil, les palmiers… non, aucun autre détail n'attira son attention. Ses filles n'avaient pas dessiné d'opossums ou de châteaux roses. Rien ne le renvoyait à ses hallucinations.

— Tu te sens bien, Ted ? Pourquoi la plage t'intrigue-t-elle autant ?

— Non, ce n'est rien. Il y a quelques jours, j'ai fait un rêve, c'est un hasard. Tu portais ton bikini rouge et…

Elle ne semblait pas franchement réjouie que son ex-mari rêve d'elle en maillot de bain.

Il laissa le dessin de côté.

Ils échangèrent encore des banalités sur la famille, mais Ted n'arrivait plus à se concentrer sur la conversation. Quand les filles vinrent lui dire au revoir, il avait presque oublié le dessin posé sur la table. Il les embrassa toutes les deux et leur dit qu'il sortirait bientôt de l'hôpital.

Il n'aurait jamais dû leur faire cette promesse.

CHAPITRE 30

Le dessin de Cindy et Nadine était la seule image scotchée sur le panneau de liège vissé au-dessus du bureau de Ted. Mike Dawson, qui passait dans le couloir pour se rendre dans la cour, vit son compagnon de chambre le regarder, et s'approcha.

— Ici, on n'a pas le droit d'utiliser des punaises, déclara-t-il après s'être éclairci la gorge. Tu n'es pas le premier à t'interroger sur la présence de ces panneaux de liège.

Ted se retourna en lui adressant un vague sourire. Il ne pensait pas du tout à cela.

— J'ai besoin de voir ce qui se cache derrière le rideau, Mike.

Son ami mit quelques secondes à comprendre ce qu'il voulait dire.

— Tu es encore bouleversé par la visite de tes proches, c'est ça ?

— Non, enfin… il ne s'agit pas seulement de ça. Il faut que je sache la vérité pour pouvoir sortir d'ici et être avec mes filles.

Mike l'écoutait, compréhensif.

— Comment retrouver cette saloperie d'opossum, Mike ?

CHAPITRE 31

Il avait plu toute la matinée et une couche de nuages noirs laissait présager le pire pour ce jeudi après-midi. Une journée hivernale au milieu du printemps.

Presque tous les patients étaient dans la salle commune. Sketch et Lolo s'affrontaient aux échecs sous la surveillance de Ted, considéré non comme un rival, mais comme une force invincible, un puits de savoir. Quand ils terminaient une partie, Ted la rejouait intégralement sans commettre la moindre erreur, à la grande joie de ses compagnons. Ils se réjouissaient à l'idée de battre les patients du pavillon B lors d'un éventuel tournoi. Lester avait cessé de manifester son hostilité à l'égard de Ted et s'était joint à l'équipe des joueurs.

Mike vint les trouver pour demander à Ted de le rejoindre dans le parc. Il était avec Espósito, l'homme obèse et peu bavard qui disait voir des animaux. Ted suivit Dawson en silence. Les autres voulaient les accompagner, mais Mike les découragea d'un regard menaçant, ajoutant, au cas où ils n'auraient pas compris, qu'il valait mieux qu'ils restent dans la salle. Ted s'étonna de la terreur qu'il était capable d'inspirer quand il affichait un air autoritaire et implacable. Sketch, Lolo et Lester hochèrent la tête sans piper mot et retournèrent à leur table. Ted alla chercher son manteau et ils sortirent. Semblable à un ballon flottant au ras du sol, Espósito les suivait.

Deux autres patients se trouvaient dans la cour. Mike les appela pour leur dire qu'ils devaient rentrer, ils obtempérèrent sans broncher. Il ne s'adressa à Ted qu'après s'être assuré que personne ne les observait depuis le bâtiment, et lui précisa qu'il n'avait aucun secret à lui révéler, mais qu'il ne voulait pas voir de spectateurs postés aux fenêtres. Ils se dirigèrent vers leur banc habituel. Ted pensait que Mike souhaitait lui parler de l'opossum, mais il se demandait pourquoi il avait tenu à la présence d'Espósito, qui marchait à petits pas en se dandinant et en lançant des regards apeurés à Dawson. Quand ils eurent atteint le banc, Mike pria Ted d'en prendre une des extrémités.

— Dépêche-toi, lui ordonna-t-il pendant qu'ils le portaient. Quelqu'un pourrait nous voir et prévenir les vigiles. Continue, ne t'arrête surtout pas.

Ils gagnèrent le terrain de basket, suivis d'Espósito, mais quand ils furent près du rond central, la porte principale du pavillon C s'ouvrit devant McManus et un autre employé.

— Hé ! leur cria ce dernier. Qu'est-ce que vous fabriquez ?

— Continue, dit Mike alors qu'ils étaient à deux mètres du milieu du terrain. Voilà. Pose le banc ici et assieds-toi. Toi aussi, Espósito.

Ils obéirent. Mike et Ted chacun à un bout, Espósito entre eux. Ils tournaient le dos au bâtiment et ne virent pas McManus et le vigile s'approcher et se planter devant eux.

— Qu'est-ce que vous fichez ?

La scène était surréaliste. Les trois occupants du banc demeurèrent impassibles, les mains sur les genoux, esquivant les regards de McManus comme si s'installer au milieu d'un terrain de basket était la chose la plus normale du monde.

— Alors ?

Dawson leva une main en signe de paix.

— Calmez-vous, je vais vous expliquer.

Il montra un arbre en hochant la tête.

— Il fait vraiment moche, déclara-t-il d'un air consterné, le nez en l'air. Le vent agite la cime de cet arbre, si bien qu'il pleut sur nous… Horrible, n'est-ce pas, les amis ?

— Arrêtez tout de suite, Dawson ! hurla le vigile. Je vous ai observés, vous ne vous êtes même pas assis !

Mike acquiesça en souriant et prit un air faussement contrit. Il fit de nouveau le geste de les calmer et sembla réfléchir avant de lui fournir une réponse, légèrement penché vers l'avant.

— Ça ne tourne pas très rond chez ces deux-là, dit-il à McManus, comme s'il lui confiait un secret. Je ne sais pas ce qu'ils ont dans la tête, ajouta-t-il en pointant un doigt sur sa tempe.

— Mon Dieu, Dawson ! Vous savez bien que vous ne pouvez pas déplacer les bancs partout où ça vous chante. Remettez-le à sa place.

— Myers, le banc est déjà là, souffla-t-il d'un ton quelque peu menaçant. Nous allons rester un peu ici, vous savez bien comment nous sommes…

Le vigile secoua la tête.

— Bon, je vais rentrer…, murmura McManus, agacé.

— On laisse passer, mais c'est la dernière fois, Dawson, lâcha Myers en soupirant. Vous savez bien que dès que vous faites quelque chose, tous les autres vous imitent. Je n'ai pas envie d'avoir une armée de fous déchaînés dans ce parc.

— Entendu, chef. Maintenant, avec votre permission, nous aimerions profiter de ce soleil radieux. Vous avez pris votre protection solaire, les amis ?

Le vigile tourna les talons.

— J'espère que ça en vaut la peine, lança Mike à Ted après avoir repris son sérieux.

La ligne qui divisait le terrain en deux – la limite entre le monde réel et le monde de la folie – était à quelques centimètres de leurs pieds.

— Qu'est-ce qu'on fait ici, Mike ?

— Tu voulais voir l'opossum, non ?

Espósito savait manifestement de quoi il retournait car il gesticula, mal à l'aise, en bousculant ses compagnons.

— Du calme, Espósito.

— Oui, je veux le voir, mais…

— Voici la ligne, dit Mike en lui montrant le trait de peinture blanche à peine visible sous les flaques d'eau. Plus on en est proche, plus on a de chances de l'apercevoir. Oh, zut, j'ai oublié d'apporter mon livre !

Ted se tassa sur le banc, incapable de parler davantage. Pendant une seconde, il entrevit le vrai Mike. Pas l'homme menaçant et sage avec ses livres et ses théories extravagantes, mais le fou qui occupait une place de choix au Lavender Memorial. Il regarda autour de lui et comprit combien ils étaient ridicules.

— Tu dois y croire, dit soudain Espósito.

C'était la première fois que Ted entendait le son de sa voix.

— Tais-toi, lui enjoignit Mike.

Allaient-ils voir l'opossum apparaître aussi simplement ? Ted se surprit à chercher derrière lui, du côté du petit bois et des autres bancs, pour voir l'animal puant, et se sentit stupide.

— Excuse-moi, Mike, mais nous sommes souvent venus ici, tout près de cette ligne, et je n'ai jamais rien vu. Qu'est-ce qui te fait penser qu'aujourd'hui ce sera différent ?

— La présence du grand nigaud qui est à côté de nous, rétorqua Dawson en assenant de petites tapes au dos d'Espósito. Je ne t'ai pas dit qu'il les voyait constamment ? Ce type est comme une lampe gigantesque qui attire tous les animaux, pas seulement les insectes, hein, Espósito ?

— Euh... ça fait longtemps que je n'ai rien vu.

— Alors ça ! C'est un mensonge aussi gros que ton cul ! s'esclaffa Dawson. Bon, en tout cas, on a vu tous les trois des animaux, alors plus on est de fous, plus on rigole, non ?

Il se pencha en avant pour lancer un regard fulminant à Ted.

— Dis, tu veux le voir, oui ou non ? Toute cette mise en scène t'est destinée, mon vieux !

— Oui, tu as raison, excuse-moi, répondit Ted.

Après tout, qu'avait-il à perdre ? Si s'asseoir au milieu d'un terrain de basket en compagnie de deux timbrés pouvait l'aider à découvrir la vérité, pourquoi ne pas tenter le coup ?

— Je suis prêt, affirma-t-il d'une voix ferme. Allez, Espósito, concentre tes pouvoirs d'Aquaman pour entrer en communication avec eux.

— Ça ne marche pas comme ça, répliqua le gros homme de sa voix fluette.

Ni Ted ni Mike ne cherchèrent à en savoir davantage.

Ils se contentèrent d'attendre en silence. Depuis le bâtiment du pavillon C, ils devaient offrir un spectacle risible. Trois hommes sur un banc, de dos, au milieu d'un terrain de basket. Woody Allen aurait pu exploiter l'idée dans un de ses films. *Trois Hommes et un opossum*, prochainement sur vos écrans.

Vingt minutes plus tard, ils étaient toujours là et n'avaient pas échangé un mot. Ted esquissa soudain un sourire. Il n'avait pas vu l'opossum, mais songeait à ses filles, qui jouaient à « celle qui parle la première a perdu », presque toujours à la demande de Nadine quand elle se lassait d'entendre Cindy papoter et lui donner des ordres. Ted se demanda qui parmi eux trois ouvrirait la bouche en premier. Sûrement pas Espósito, toujours muet comme une carpe. Quant à Mike, il semblait plongé dans une étrange rêverie. Ted était le seul à ne pas s'intéresser réellement à ce qu'ils faisaient. Cela lui semblait parfaitement idiot. Malgré son manteau, il commençait à avoir froid. En essayant de trouver une position plus agréable, il sentit le poids du fer à cheval au fond de sa poche. C'était ça ! L'opossum ne viendrait jamais tant qu'il aurait cet objet sur lui. D'un bond, il se leva et le montra sans rien dire à ses compagnons, qui le regardèrent d'un air entendu. Il pensait le jeter au loin, mais il ne voulait pas attirer l'attention de McManus et du vigile. Il se contenta donc de le poser au bord du terrain.

— Couvre-le, lui ordonna Espósito.

— Avec quoi ?

— Ton manteau, par exemple, suggéra Mike.

Ted soupira en songeant au rhume qu'il ne manquerait pas d'attraper. Mais il s'exécuta, jugeant ce conseil saugrenu des plus avisés. Il s'assura au préalable que personne ne regardait par les fenêtres et revint rapidement s'asseoir en se frottant les mains.

— Pousse-toi, Espósito. Laisse-moi me mettre au milieu.

Le gros homme se déplaça.

— Ils arrivent, annonça-t-il ensuite sans la moindre hésitation.

Ted examina les lieux, mais ne remarqua rien de particulier. Il savait pourtant que quelque chose perturbait l'air. Dans une des flaques, au-delà de la ligne, il crut distinguer un reflet rouge qui bougeait.

— Le rouge est ma couleur préférée, poursuivit Espósito d'une voix plus grave que d'habitude.

— Qu'est-ce que tu dis ? s'étrangla Ted.

Il ne reçut aucune réponse, mais vit le reflet rouge. Impossible à confondre, il s'agissait du bikini de Holly, dont le corps svelte venait d'apparaître. Une rafale de vent rida la flaque et l'image s'évanouit, mais elle avait bel et bien été là, aucun doute sur ce point. Quand il se releva, il eut l'impression d'être pétrifié.

Le château rose se dressait d'un côté du terrain. Ce n'était ni un reflet, ni une vision translucide. Ted le montra du doigt.

— Nous le voyons nous aussi, affirma Mike.

— C'est le château de mes filles, souffla Ted.

Il marcha dans cette direction. Seul. À mi-chemin, il se retourna et s'aperçut que Mike avait l'air soucieux et qu'Espósito s'était recroquevillé sur le banc, la tête rentrée dans ses épaules volumineuses. On aurait dit deux individus installés dans d'effrayantes montagnes russes. Il eut envie de les rejoindre, de se mettre en sécurité auprès d'eux.

Plus loin, la silhouette de McManus se découpait derrière la porte. Lui aussi avait sûrement vu le château. Ted reprit sa marche vers le petit monument rose entre les arbres et le terrain de basket. Il s'accroupit devant, regarda par une des fenêtres latérales. Il n'avait pas l'intention d'entrer ni même de le toucher, persuadé que l'opossum était à l'intérieur, mais ce n'était pas le cas. Il s'écarta, se gratta la tête. Blanche-Neige, Cendrillon, Ariel et Pocahontas lui donnaient l'impression de l'observer. *Que vas-tu faire, maintenant?* Il fit le tour du château. Esmeralda et la Belle au bois dormant (il ne se rappelait plus son nom) étaient peintes sur la façade. C'est alors qu'une image le frappa. Il se vit tenant Cindy par la main et contournant ce même château dans le magasin ToysRus pendant que la fillette lui racontait l'histoire de chaque princesse.

Aurore!

La voix de Cindy venait de lui fournir la réponse. La Belle au bois dormant s'appelait en effet Aurore. Un frisson lui parcourut le dos. C'était le premier souvenir qu'il volait à Wendell. Il continua de faire le tour du château.

— Et elle, c'est Belle..., disait Cindy.

— Dans *La Belle et la Bête*, précisait Ted.

— Oui. Et là, c'est Pocahontas, et ici, Mulan.

Aucune princesse n'était représentée à l'arrière du château. Il n'y avait qu'un mur de brique peint sur le bois. Ted faisait quelques pas en arrière pour avoir davantage de recul et l'étudier quand son pied droit buta contre quelque chose. L'opossum! Il sursauta et s'éloigna. Ce n'était pas l'animal qu'il redoutait, mais un couteau de boucher.

— Il n'est pas au Lavender, papa. Le château non plus.

Ted se pencha et s'empara du couteau. En le tournant légèrement, il remarqua que la lame était tachée de sang.

Le rouge est ma couleur préférée.

Pourquoi ce couteau était-il là? Ted consulta Dawson et Espósito du regard, comme s'ils pouvaient répondre à ses interrogations. Ils ne réagirent pas, figés dans la même position depuis de longues minutes. Ted voulut lever la main en espérant qu'ils feraient de même, puis il se ravisa. Il savait qu'ils ne bougeraient pas. C'est alors qu'il entendit des pas dans l'herbe et vit l'opossum aller de-ci de-là, sans trop s'intéresser à lui. Il flairait le sol et levait la tête par instants. Ted le suivit, le couteau à la main, comme un chasseur silencieux.

Il pénétra dans le petit bois du parc, où il n'était encore jamais allé, et perdit ses compagnons de vue. Il marchait sur un sentier de terre bordé d'arbres. L'opossum le précédait et le guidait.

L'animal s'arrêta aux abords d'une clairière et lui adressa un sourire qui lui parut diabolique. Sa queue serpentait derrière son corps trapu. Après avoir parcouru plusieurs mètres, Ted comprit pourquoi l'animal affichait un air narquois : un jeune homme mort gisait dans l'herbe. Ted savait qu'il était mort. À plat ventre, il avait les bras en croix. Il reconnut aussitôt la veste et la casquette de l'université du Massachusetts qu'il avait si souvent portées quand il était étudiant. Il ne distinguait pas le visage du malheureux et n'avait guère envie de retourner le corps pour l'examiner.

Il se rappela alors qu'il serrait toujours le couteau dans sa main. D'instinct, il étudia de plus près la victime et vit une entaille au niveau du cou et une tache de sang sombre dans l'herbe.

Qui es-tu ?

Il contourna le cadavre, éprouvant soudain le besoin de le bouger, de voir son visage.

— Ted..., résonna une voix dans son dos.

Il pivota.

C'était McManus. Mike et Espósito se tenaient derrière lui, à l'évidence très inquiets. Ted regarda un instant derrière lui pour s'assurer d'une réalité qu'il pressentait déjà : dans la clairière, aucun étudiant de l'université du Massachusetts n'était étendu. Il n'y avait pas non plus d'opossum souriant. Il leva les paumes pour signifier aux autres qu'il capitulait. Qu'avait-il fait du couteau qu'il venait de trouver ?

Ils regagnèrent le pavillon C en silence.

— Tu l'as vu ? demanda Mike.

Ted hocha la tête de manière imperceptible.

— Je ne suis pas sûr d'avoir découvert ce qui se cache derrière le rideau, Mike. Pour être franc, je ne sais pas quoi penser de ce que je viens de voir.

L'image du jeune homme mort le poursuivait. De qui s'agissait-il ?

CHAPITRE 32

Ils discutaient depuis une demi-heure dans la salle d'évaluation du Lavender Memorial. Laura lui avait brièvement décrit son entrevue avec Nina, mais avait passé sous silence la révélation finale de la jeune femme.

— La police ne l'a jamais interrogée, pourtant elle était là, avec vous, dans le bureau de Lynch.

Ted avait la tête ailleurs, encore perturbé par la visite de ses filles et de Holly et son étrange aventure dans le parc de l'hôpital.

— Est-ce vraiment important ?

— Je ne vous ai pas encore tout dit, mais je crois que oui, parce que ça confirme que tout ce que vous racontiez dans le premier cycle a une base réelle. Ça pourrait nous aider à reconstituer les derniers jours que vous avez passés avant d'être interné ici.

— Mais... pourquoi serais-je allé chez un type comme Blaine ?

— C'est justement de ça que je voulais vous parler. Quand Nina s'apprêtait à quitter le cabinet, elle vous a entendu reprocher à Lynch de vous avoir suivi chez Blaine.

Intrigué par cette phrase, Ted la répéta à voix haute.

— Je ne comprends pas en quoi j'aurais pu être lié à cet homme.

— En tout cas, nous savons à présent que vous vous connaissiez. Peut-être que personne n'était au courant de vos relations, pas même Holly. Quand vous avez appris que Lynch vous avait suivi, vous étiez hors de vous.

Laura se montrait énigmatique à dessein. Par moments, elle lui lançait des regards incisifs. C'était du moins l'impression qu'elle lui donnait.

— Attendez… Qu'insinuez-vous au juste quand vous mentionnez nos « relations » ?

— Rien du tout, n'en tirez pas de conclusions hâtives, Ted. Mais je crois qu'il est important de le vérifier. Qu'avez-vous ?

Il baissa les yeux.

— En fait, j'ai un service à vous demander. Depuis que j'ai vu les filles…

— Oui… ?

Il paraissait effondré et se rappelait la promesse qu'il avait faite à Cindy et Nadine avant qu'elles partent.

— Ted, vous pouvez vous exprimer avec franchise. Dites-moi ce que vous avez ressenti après la visite de Holly. Nous devons aborder le sujet.

— Il faut que je sorte d'ici, Laura, lui annonça-t-il sans détour. Un jour ou deux, pas plus, pour aller dans la maison du lac et retrouver mon univers. Je suis incapable de me connecter à une réalité dont je n'ai presque aucun souvenir. Être ici m'a aidé, je l'avoue, mais je sens qu'il est temps de me rapprocher de l'endroit où tout a commencé.

— Je ne sais pas si c'est le moment, Ted. Nous sommes en train de faire de gros progrès.

— Je sais et je vous en suis profondément reconnaissant. Si j'ai revu mes filles, c'est grâce à vous. Mais je dois recouvrer la mémoire et j'y arriverai à la maison au bord du lac, j'en suis sûr.

— Qu'est-ce qui vous fait dire ça ?

Pour la convaincre, il était obligé de lui parler de ce qu'il avait vu dans le parc.

— J'ai fait un rêve très étrange. C'était… une sorte de vision. D'abord, il y avait le château rose des filles. Je m'en approchais, l'observais et remarquais un sentier à l'arrière. Je crois que Cindy était avec moi, mais ensuite elle partait. Je restais seul sur le chemin pendant je ne sais combien de temps, mais je savais qu'au bout, une révélation m'attendait, la clé de toute mon histoire.

Laura écrivait à toute vitesse ses phrases dans un carnet.

— Je découvrais un cadavre, un étudiant d'UMass. Il portait la veste de l'université et une casquette. Une flaque de sang s'étalait sous son corps. Je ne voyais pas son visage.

— Quand avez-vous fait ce rêve ?

— Hier.

Il n'osa pas lui avouer qu'il avait eu cette vision en étant parfaitement éveillé, et que Mike et Espósito l'observaient depuis le terrain de basket. S'il nourrissait quelque espoir de pouvoir sortir, il ne risquait pas de lui raconter qu'un opossum sorti tout droit de son imagination l'avait mené jusqu'au cadavre.

— Y a-t-il eu autre chose ?

— Non, c'est tout. Je ne sais pas ce que signifient le château et cet étudiant mort, ça m'échappe complètement, mais je suis persuadé que j'aurai la réponse sur le sentier de la maison au bord du lac. J'ai ressenti quelque chose de si intense qu'ensuite, j'ai été incapable de penser à rien.

— Parfois, les rêves ont le pouvoir de nous convaincre de réalités qui ne sont pas vérifiables quand nous sortons du sommeil.

— Oui mais cette fois, c'était différent. Dans un certain sens, c'était comme si… comme si une partie de moi me parlait et me donnait des explications.

Il exagérait et il le savait, mais il devait convaincre Laura d'autoriser cette sortie. En l'observant avec plus d'attention, il comprit qu'il avait au moins éveillé sa curiosité.

Elle continuait de prendre des notes.

— Ce que vous avez vu sur le sentier vous renvoie-t-il à vos années d'études ?

— Pas vraiment. Enfin… la veste et la casquette ont un sens, mais je ne me souviens plus trop de l'université. Certains détails sont très précis, comme le visage de mes professeurs, nos parties de poker ou les petits jobs que j'ai eus, mais d'autres moments de ce passé sont complètement flous. Tout ce qui a trait à Lynch, euh... à Justin, par exemple. Nous avions la même chambre, nous étions amis et j'imagine qu'il est logique que je ne me rappelle pas tout ce qui le concerne.

Elle acquiesça.

— Alors qu'en pensez-vous ? Me permettrez-vous d'aller à la maison du lac ?

Elle fit doucement non de la tête, une lueur de tristesse au fond des yeux.

— Ce n'est pas le moment, Ted. Désolée. Je n'écarte pas l'hypothèse d'une sortie thérapeutique très bientôt. Nous le faisons quand nous pensons que ça peut être utile.

Il se leva, libéré des menottes et de ses chaînes aux pieds. Posté dans la pièce contiguë, McManus ne le quittait cependant pas des yeux.

— Je comprends ce que vous voulez dire et j'ai entièrement confiance en vous. Je vous demande juste d'y réfléchir. Si ce sentier n'existe pas ou ne conduit nulle part, nous n'aurons rien perdu.

Il s'était avancé d'un pas, comme un élève qui récite sa leçon. Laura l'observait par-dessus ses lunettes.

— J'y réfléchirai, mais il faut que je vous dise que la décision ne m'appartient pas. Je ne suis pas la directrice de ce pavillon.

— Bien sûr, dit-il en se rasseyant. Il me suffit de savoir que vous y songerez.

— C'est promis.

CHAPITRE 33

Marcus n'avait pas revu Laura depuis son déjeuner expéditif à la cantine, mais il pensait constamment à elle. Quand elle l'appela pour lui dire qu'elle avait besoin de discuter avec lui de Ted McKay, il accepta et prit une décision : il n'attendrait pas une minute de plus et lui avouerait ses sentiments. Il en avait assez de se trouver des excuses. Ted McKay patienterait, comme le reste du monde.

Laura le trouva assis dans un des deux fauteuils disposés devant la fenêtre.

— Je peux entrer ?

— Bien sûr.

Elle s'installa dans l'autre siège, placé selon un angle d'environ quatre-vingt-dix degrés de l'autre. Il regardait à l'extérieur, cherchait ses mots ou, plutôt, tâchait de s'armer de courage.

— Ça va, Marcus ?

— Oui, très bien. Je suis juste un peu…

Elle se pencha vers lui pour l'inciter à poursuivre. Il reformula sa phrase dans sa tête, prit sa respiration et se lança :

— Je pense constamment à toi, commença-t-il.

Elle sourit, à la fois heureuse et pleine de compassion.

— L'autre soir… j'avais vraiment envie de t'embrasser.

Elle posa une main sur son avant-bras.

— Attends. Essayons de faire les choses correctement. Pourquoi tu ne m'invites pas chez toi samedi prochain ? Dès que tu m'ouvriras la porte, on s'embrassera avant même de se dire bonjour, d'accord ?

Il acquiesça d'un signe de tête.

— Rendez-vous romantique, conclut-elle en se levant.

— Je croyais que tu voulais...

Elle sortit du bureau, ferma la porte derrière elle, puis la rouvrit.

— Docteur Grant ? Je peux vous parler ? demanda-t-elle.

Il s'esclaffa.

Elle s'assit devant sa table de travail, et lui derrière, à sa place habituelle.

— Ton assistante me croit folle, souffla-t-elle en étouffant un petit rire.

— Tu l'es un peu, admit-il. Merci pour... enfin tu sais bien... Pourquoi voulais-tu me voir ?

Les traits de Laura s'altérèrent pendant quelques secondes.

— Ted s'est rappelé certaines choses de son passé. J'ai l'impression qu'il est temps de mettre les bouchées doubles.

Elle lui décrivit le rêve de son patient et lui parla du sentier derrière le château rose.

— Ted veut revoir la maison au bord du lac, lui expliqua-t-elle. Il pense que ce chemin peut l'aider à se souvenir ou qu'il lui révélera la vérité. J'y ai réfléchi et j'aimerais essayer, Marcus.

— Tu es sûre que le moment est bien choisi ? demanda-t-il après une hésitation.

— Honnêtement, non, mais jusqu'à présent, dans son traitement, je n'ai pas vraiment respecté les règles de rigueur. L'autre jour, ses filles sont venues lui rendre visite... elles sont adorables. Si Ted a besoin de revoir cette maison pour ouvrir la dernière porte, je crois qu'il faut tenter. Au pire, ça ne marchera pas.

— C'est à toi de décider, Laura. Tu sais bien qu'en tant que directeur du pavillon C, tout ce qui se passe ici relève de ma responsabilité, mais c'est toi qui suis Ted McKay. Fais une demande et j'autoriserai sa sortie. Quand comptes-tu l'organiser ?

— Samedi ?

Marcus écarquilla les yeux, stupéfait.

— J'ai toute la journée de libre ! s'exclama-t-elle en riant. Walter passe le week-end chez ses grands-parents avec son père, c'est parfait. J'organise la sortie avec Ted dans la matinée et on sera de retour l'après-midi, ce qui me laisse largement le temps de me préparer pour notre rendez-vous. Je sais que c'est à moi de décider, mais je préfère quand même avoir ton avis.

— Jusqu'à présent, tu as écouté ton instinct et ça a plutôt réussi. C'est toi qui as fait le lien entre les échecs et le fer à cheval, toi qui as voulu le transférer au pavillon C. Je sais combien McKay compte pour toi, alors suis tes intuitions. Si tu penses qu'il doit revoir cette maison, fais-le sortir.

— Merci, Marcus.

— Je vais en parler à Bob, mon ami dans la police. Tu te souviens de lui ?

Elle hocha la tête en étouffant un petit rire.

— Robert Duvall, comment l'oublier ?

— C'est ça ! s'exclama-t-il, hilare. Ne l'appelle surtout pas par son nom complet. Je vais lui demander s'il a des informations au sujet de l'assassinat d'un étudiant, si toutefois ce crime a bien eu lieu quand Ted faisait ses études. C'était en quelle année ?

— Il est entré à l'université en 1993. Ce serait génial de savoir s'il y a eu un assassinat à UMass à l'époque.

— Quant à la sortie, je vais prendre des mesures de sécurité. Ted sera menotté, aura des chaînes aux pieds, et un vigile armé vous accompagnera.

— Parfait.

— Bon, je sais déjà ce que tu vas me répondre, mais j'aimerais venir avec vous…

— Tu te doutes bien que je vais refuser. Je préfère être avec quelqu'un qu'il connaît déjà.

— Je vais voir quel vigile est de service samedi. Il sera ravi de se faire une promenade.

— C'est à trois heures d'ici, lui précisa-t-elle.

Marcus comprit qu'elle avait fait exprès de garder cette information pour la fin.

— Laura Hill, vous êtes incorrigible.

— Je te promets d'être à l'heure pour notre rendez-vous, dit-elle en se levant.

— Fais-moi parvenir la demande d'autorisation de sortie, je la signerai ce soir.

— Merci beaucoup.

— On se verra sûrement avant. Sinon, bonne chance.

— Samedi, je te promets qu'on ne parlera pas de Ted McKay.

— Je ne sais pas si je dois te croire.

Elle sourit.

— N'oublie pas ce que tu auras à faire quand tu m'ouvriras.

— Je n'oublierai pas.

QUATRIÈME PARTIE

CHAPITRE 1

1993

Plus de vingt mille étudiants étaient inscrits à UMass en 1993. La plupart étaient logés dans l'une des cinquante résidences pour étudiants, qui comprenaient des chambres doubles attribuées aux élèves selon un processus censé tenir compte de leurs préférences. Ils devaient pour cela remplir un formulaire détaillé qui permettait ensuite à l'administration de faire une sélection supposée infaillible. C'est du moins ce dont se vantait la brochure de présentation de l'université.

Mais quand il rencontra son compagnon de chambre, Ted McKay songea que les personnes qui l'avaient choisi n'avaient pas la moindre idée de ce qu'elles faisaient. Il ne voyait pas comment quelqu'un comme Justin Lynch et lui pouvaient s'entendre. Il suffisait de les voir pour se rendre compte qu'ils vivaient chacun sur deux planètes différentes. L'administration leur avait sans doute attribué la même chambre sous prétexte qu'ils étaient tous les deux bénéficiaires d'une bourse et d'un prêt qui les obligeaient à avoir des résultats supérieurs aux autres étudiants, en conséquence de quoi ils étaient logés dans une des résidences pour boursiers, la Shepherd House, surnommée « le Bloc » en raison de son architecture. Ils partageaient donc la chambre 503 du fait de leur précarité économique… autrement dit de leur pauvreté, ce grand facteur d'égalité ! Leur seul point commun était leur passion pour Nirvana, mais qui n'appréciait pas ce groupe en 1993 ?

Jeune homme d'une beauté exceptionnelle, Justin Lynch avait d'immenses yeux bleus et la mâchoire carrée. Après quelques jours de cohabitation tendue, Ted dut admettre que ses cheveux étaient toujours bien coupés et dociles, même lorsqu'il n'allait pas chez le coiffeur. Lynch attirait les filles de tous âges, qui s'arrangeaient pour pénétrer dans la Shepherd House et rôder du côté de la chambre 503 ou de la salle commune, au cinquième étage. Certaines n'hésitaient pas à aborder Ted pour l'interroger sur son compagnon de chambre. Les moins intrépides se contentaient de lui demander s'il avait une petite amie ; d'autres étaient plus directes et essayaient d'entrer dans la chambre pour s'en rendre compte par elles-mêmes. Ce côté don Juan agaçait particulièrement Ted, qui avait plus de mal avec la gent féminine. Il était un peu jaloux, certes, surtout parce que ce genre de coureur de jupons lui rappelait son père, comme il l'avait déclaré à la psychologue lors de son entretien. Celle-ci avait fouillé dans son passé et s'était intéressée au divorce de ses parents. Il lui avait alors révélé que son père avait eu une maîtresse pendant des années. Quand elle avait voulu connaître son avis sur la question, Ted s'était dit que c'était la question la plus stupide qu'on lui avait jamais posée. Il lui avait ensuite avoué qu'il détestait son père et tous les hommes qui trompaient leur femme. Indigné, il s'était demandé pourquoi l'administration lui avait attribué une chambre avec un individu qui représentait ce qu'il abhorrait le plus au monde. Il s'était promis que dès que le défilé de filles devant leur porte commencerait, il aurait une discussion avec ce Justin, qui disait en outre avoir une petite amie dans sa ville natale, petite amie dont il avait accroché la photo sur un mur.

Ted n'avait guère fait meilleure impression à Lynch, qui n'appréciait guère sa rudesse, son blouson en cuir et ses mauvaises manières, et trouvait son côté rebelle lamentable. À l'arrière de son Opel Commodore, une véritable épave, il avait même placardé un autocollant portant l'inscription *Hors-la-loi*. Mais ce n'était pas le pire. Ce qui l'irritait au plus haut point, c'est qu'alors qu'il se consacrait sérieusement à ses études, travaillait à la bibliothèque et s'usait les yeux à lire, Ted, version grossière de John Travolta, séchait certains cours et gagnait sa croûte en aidant au réfectoire et en organisant des parties de poker marathoniennes au sixième étage. Lynch se tuait au travail et le voyait rentrer les yeux gonflés et sentant la cigarette à plein nez. Parfois, il ouvrait un livre de mathématiques ou de finances, mais ne passait jamais plus d'une demi-heure dessus. Il s'endormait en général sur le manuel, tout habillé. Lynch savait qu'étant boursier, Ted ne pouvait pas se permettre d'échouer. Il pensait qu'il allait rater les examens du premier semestre et attendait ce moment avec impatience, en espérant avoir ensuite un autre compagnon.

Les premiers mois de leur relation les virent se limiter au strict minimum. Ils n'entraient en communion qu'en écoutant Nirvana ou Pearl Jam sur la chaîne Sony de Lynch. En dehors de courtes conversations qui tournaient toujours autour de la musique, ils n'avaient aucun sujet de discussion, ne parlaient jamais de leurs jobs et évitaient de s'asseoir à la même table à la cantine. Même leurs cercles d'amis en gestation semblaient appelés à ne jamais se croiser.

Ted fut le premier à s'apercevoir qu'au bureau des admissions, ils étaient peut-être des génies et qu'il avait mal jugé Lynch. Car les filles ne défilaient jamais dans leur chambre, et la seule à y être admise le fut sur la demande de Ted. Lynch n'avait à l'évidence pas envie de tromper sa petite amie. De plus, que des inconnues viennent le chercher sans la moindre pudeur semblait le déranger considérablement. Tout homme aurait rêvé d'avoir son magnétisme ; d'autres jeunes gens bien moins séduisants que lui faisaient à tout bout de champ « grincer les ressorts de leur lit », expression consacrée à UMass pour dire qu'on avait couché avec une fille, ce qui en disait long sur l'état de la literie. Pourtant, malgré toutes les occasions qui ne manquaient pas de se présenter, Justin Lynch ne fit jamais venir la moindre fille. Ted en vint à se demander s'il n'était pas gay et s'il n'avait pas punaisé l'image de sa fiancée sur le mur pour cacher ses véritables penchants sexuels. Après l'avoir surpris plusieurs fois au téléphone avec elle, il révisa son jugement. C'était un jeune homme fidèle qui possédait un charme dont il n'abusait pas. Un type étrange, donc, et qui commençait à l'intriguer.

Au mois d'octobre, Lynch eut deux B et un C aux partiels. Il était euphorique et s'étonna des notes de son compagnon de chambre qui, lui, avait décroché des A dans toutes les matières. C'était impossible, il avait sans doute triché, car il l'avait vu tous les jours et savait qu'il ne passait pas plus d'une heure à étudier, et ne risquait pas de le faire quand il travaillait à la cantine. Il n'avait même jamais de livres avec lui ! Quel était son secret ? Au fil des semaines, il découvrit que Ted était doté d'une intelligence hors du commun et d'une prodigieuse mémoire visuelle. Voilà pourquoi il brillait aussi bien dans les disciplines analytiques que dans les matières où il fallait tout apprendre par cœur. Il lisait à une vitesse affolante, trois ou quatre fois supérieure à celle d'un étudiant moyen, et rien ne lui échappait. Lynch apprit aussi que les heures qu'il dédiait aux parties illégales de poker, qu'il avait étendues à des bouis-bouis hors du campus, lui permettaient de gagner sa vie. Quand leur relation se présenta sous de meilleurs auspices, Ted lui avoua qu'il détestait ce jeu, mais qu'on l'appréciait suffisamment pour le laisser évoluer dans différents groupes sans qu'il éveille les soupçons. Un joueur qui gagne beaucoup plus qu'il ne perd finit tôt ou tard par être écarté. Ted mémorisait facilement les cartes et prenait des décisions stratégiques en quelques secondes, opposant ainsi des armes redoutables au hasard. Les étudiants ne jouaient jamais de grosses sommes, mais Ted se débrouillait toujours pour avoir de quoi couvrir les dépenses que sa bourse ne lui permettait pas de faire et financer l'hospitalisation de sa mère.

Au bureau des attributions des chambres, ils avaient somme toute bien fait leur travail, car Ted et Lynch se lièrent vite d'amitié.

CHAPITRE 2

1993

Le profond respect qu'ils avaient l'un pour l'autre fut le prélude à leur amitié. Ted ne s'était pas vraiment fait d'amis ; ses partenaires au poker l'appréciaient, mais ce n'était pas réciproque. Avec eux, il faisait semblant. Quel que soit le milieu qu'il fréquentait, il agissait de manière rationnelle, hypocrite, en veillant à ne pas dévoiler ses sentiments. Justin fut la première personne à laquelle il porta un réel intérêt, ce qui était nouveau car au lycée aussi, il avait eu une attitude fuyante à l'égard des autres.

De son côté, Justin s'était lié à certains étudiants, mais il renonça vite à leur amitié pour s'isoler dans son monde. De nature solitaire, sa relation avec Ted lui fut bénéfique dans la mesure où elle lui apportait l'assurance dont il avait besoin pour s'affirmer. Cette soudaine acceptation de son être se traduisit par de nombreux changements dans sa vie, qui se manifestèrent tout au long de la première année qu'il passa à l'université.

Par un froid après-midi d'hiver, peu avant Noël, Justin essayait de se concentrer sur un essai qu'il devait écrire pour son cours d'écriture créative. Il avait mis Kurt Cobain à plein volume. Ted avait fini sa journée d'étude : une demi-heure allongé sur son lit avec plusieurs manuels de mathématiques et de statistiques qu'il feuilletait en même temps, à croire qu'il avait non pas des mains, mais des tentacules. Le voir « étudier » ainsi aurait découragé n'importe quel élève appliqué. Il s'apprêtait à monter au sixième étage, où les parties de poker s'éternisaient. Les autres joueurs s'étaient améliorés, et il avait remarqué que deux ou trois d'entre eux avaient élaboré une technique pour le neutraliser au moyen de signes subtils. Ted avait prévu le coup et parvenait encore à mettre ses adversaires en échec. Il pouvait aussi éviter la table des tricheurs ou chercher d'autres endroits où organiser des parties hors du campus. Mais il avait encore de la marge. Sans réfléchir, il posa à Justin la question à laquelle celui-ci s'attendait probablement. Ce dernier lui parlait toujours de sa mère, jamais de son père. Ce jour-là, constatant qu'il n'arrivait pas à se plonger dans ses livres, faisait les cent pas dans la chambre et regardait sans cesse par la fenêtre en jouant avec une balle de tennis qu'il lançait contre le mur, il se jeta à l'eau, pratiquement sûr que son compagnon lui répondrait que son père était décédé.

Il se trompait : le père de Justin était bien vivant et habitait à Deerfield avec sa femme et le frère du jeune étudiant. Justin le méprisait. Autre coïncidence destinée à les rapprocher !

— On ne se parle presque plus, personne ne sait pourquoi, poursuivit Lynch.

Il enfila sa veste de l'université et ouvrit la fenêtre. Un souffle d'air froid s'engouffra dans la pièce. Il s'assit sur le rebord et alluma une cigarette de façon machinale. Le regard dans le vague, auréolé de fumée, il semblait résolument tourné vers le passé.

— Même mon père ignore pourquoi je suis fâché, tu y crois, toi ? Je ne le lui ai jamais dit et ne le ferai peut-être jamais.

Ted s'assit sur son lit. Sa partie de poker attendrait.

— Je te comprends. Avec mon père, c'est pareil.

Justin hocha la tête. Il frissonnait, le visage tourné vers l'extérieur.

— Il pense que c'est l'âge, que je traverse une période rebelle et que ça passera. Ma mère est du même avis. Pourtant je n'ai pas le même comportement avec elle, du moins j'essaie. Mon père est tellement bête qu'il ne lui viendrait pas à l'idée de se remettre en question. Quand j'étais petit, nous étions inséparables. C'était mon idole, je voulais l'imiter en tout. La personne idéale à mes yeux.

Justin s'empressa de fermer la fenêtre après avoir fumé sa cigarette. Il se frotta les mains et s'approcha du radiateur pour se réchauffer.

— Mon père et moi, on se ressemble comme deux gouttes d'eau, lâcha-t-il d'un air résigné. On dirait des clones. Si je te montrais une photo vieille de trente ans, il te suffirait de faire abstraction de ses grosses lunettes et de ses pattes d'eph pour nous confondre. J'imagine que cette ressemblance a influencé nos rapports, mais peut-être pas, je ne sais pas. Nous avions une relation très spéciale. Il ne s'entendait pas aussi bien avec mon frère, par exemple. Tu as des frères et sœurs, toi ?

Ted répondit par la négative.

— Désolé de t'embêter avec ça, tu dois y aller…

— Non, ne t'inquiète pas. Continue.

— Mon père est électricien. Il travaille à son compte. Quand j'étais petit, j'avais hâte d'être en vacances pour pouvoir l'accompagner. Je montais dans sa fourgonnette et on allait acheter du matériel avant de nous rendre sur les chantiers. Il disait que j'étais son assistant et qu'un jour, je serais comme lui. Je n'aspirais qu'à ça, je te jure. À l'époque, quand on me demandait quel métier je voulais faire plus tard, je répondais « électricien ».

Il fit claquer ses doigts.

— Il allait régulièrement chercher des fournitures dans trois ou quatre magasins, flirtait tout le temps avec les vendeuses et, pour plaisanter, il me demandait de ne rien dire à ma mère. Bien sûr, je me taisais. Quand il travaillait chez une femme, il m'ordonnait de rester muet comme une carpe à la maison. « Tais-toi, parce que si maman l'apprend, elle sera triste. » Il ajoutait qu'il l'aimait, que les hommes adoraient charmer les femmes et autres conneries de ce genre, précisa Justin en hochant la tête. Je sais que ça paraît idiot aujourd'hui, mais j'étais persuadé que tous les hommes étaient comme lui, Ted. Il me disait : « Tu as vu la vendeuse regarder mes biceps ? C'est pour ça que je les lui ai collés sous le nez... » C'était toujours pareil. Dès qu'une jolie femme apparaissait à la télé, il me faisait signe lorsque ma mère s'éloignait. Je n'avais que huit ans ! Ça a duré longtemps, mais quand j'en ai eu douze, j'ai compris qu'il ne se contentait pas de flirter et que, de temps en temps, il trompait ma mère.

Ted l'écoutait avec plus d'attention qu'il n'en avait jamais témoigné à personne. De nombreuses pensées se bousculaient dans son esprit, parmi lesquelles la quasi-certitude que Justin et lui ne partageaient pas la même chambre par hasard. Au service des admissions, ils avaient vraiment fait du bon travail en les mettant ensemble.

— Mais tu ne sais pas le pire ?

— Non...

— À seize ans, j'ai commencé à me conduire comme lui, persuadé que c'était normal. Je suis intelligent, Ted... pas autant que toi, ajouta-t-il en riant, mais je ne suis pas stupide. Et je peux t'assurer que JAMAIS je n'avais mis en doute ce que mon père m'avait appris. Je buvais littéralement ses paroles, comme si c'était la vérité suprême. Mais je me suis rendu compte à l'époque que ma mère, qui n'avait rien d'une sotte elle non plus, avait de sérieux soupçons et était même sûre qu'il avait des liaisons extraconjugales. J'aime ma mère plus que tout au monde. Comment ne pas m'interroger sur des réalités qui risquaient de la blesser ?

— Heureusement, tu t'en es aperçu à temps, c'est ça l'important.

— Oui, j'imagine.

Nevermind s'était terminé. Il régnait à présent dans la chambre le silence qu'on peut espérer avoir un vendredi soir dans une résidence pour étudiants. Le week-end, l'administration était un peu plus flexible quant au bruit.

— C'est drôle, je n'ai jamais parlé de cette histoire à qui que ce soit. Au bureau des admissions, la psychologue m'a demandé comment je m'entendais avec mon père et je lui ai dit que notre relation était désastreuse, mais je ne suis pas allé plus loin. Personne ne sait pourquoi je le déteste.

Ces aveux laissèrent Ted sans mots. Il était ému ou, du moins, croyait l'être.

— Au début, il ne comprenait pas que je m'éloigne de lui. Il n'a toujours pas compris, mais il s'est fait une raison. Il continue d'essayer de me récupérer et me parle des femmes en s'imaginant trouver un terrain d'entente avec moi. C'est franchement lamentable. L'an dernier, j'ai présenté ma petite amie à mes parents. C'est la première fille que j'amenais chez moi. Elle s'appelle Lila, je t'ai déjà parlé d'elle, dit-il en se tournant vers la photo punaisée au mur. Comme tu peux le constater, elle n'a pas un physique qui attire l'attention. Mais…

Il se leva, enfouit sa tête entre ses mains.

— Mon Dieu ! Qu'est-ce que j'ai ? Je n'arrête pas de parler, tu vas penser que…

— Ne te fais pas de souci pour ça. Un autre jour, c'est toi qui devras m'écouter parler de mon père, et je te garantis qu'au niveau de la stupidité, il peut rivaliser avec le tien, le rassura Ted en le prenant par les épaules, sans la moindre intention de lui révéler quoi que ce soit pour le moment. Que s'est-il passé avec Lila ?

— Quand elle est partie, mon père m'a dit qu'il pouvait me trouver une fille beaucoup mieux qu'elle. Il m'a lancé un clin d'œil et a souri. Incroyable, non ? J'avais rencontré Lila par hasard, grâce à un ami, et la première chose qui m'est venue à l'esprit a été de me demander ce que mon père penserait d'elle… J'avais anticipé toutes ses réflexions. Je le connais comme ma poche.

— C'est sûrement pour ça que tu l'as choisie.

— Sans doute. Mais en dehors de ça, on a beaucoup de points communs, reprit Justin en riant. Le problème, c'est que, dernièrement, nos conversations s'essoufflent, peut-être parce qu'on est loin l'un de l'autre, je ne sais pas… Mais, tu ne devais pas monter au sixième pour tous les plumer au poker ?

Ted haussa les épaules.

— Je vais les laisser mariner. Hier, j'ai gagné pas mal d'argent. Tu veux aller boire une bière ? Je t'invite.

— Avec plaisir !

Ted enfila sa veste et un bonnet avec des oreillettes. Justin le suivit. C'était prématuré, mais Ted commençait à se dire qu'il avait enfin trouvé un véritable ami.

Pour la première fois de sa vie.

CHAPITRE 3

1994

L'hiver rude de 1994 marqua une étape importante dans la vie de Justin Lynch. Il rompit avec Lila au cours d'une brève conversation téléphonique et ses notes chutèrent de manière vertigineuse. Les deux choses n'étaient pas liées, mais elles avaient la même origine. Le jeune homme commençait à prendre conscience qu'il avait voulu aller à l'université pour ne pas devenir électricien comme son père. C'était une manière de le punir, de lui échapper. Sa liaison avec Lila partait d'un principe similaire, c'était évident. Il avait décidé de sortir avec la fille sur laquelle son père, le Casanova de Deerfield, n'aurait jamais jeté son dévolu ni pour lui-même, ni pour son fils. Il avait fait pareil avec son avenir professionnel. C'était nul. Son père était un trou noir dont la force l'attirait vers un vide inexorable. Qu'il agisse pour lui plaire ou parce qu'il le détestait, son univers tournait toujours autour de sa personne.

Il se demandait – sans doute un peu tard à son sens – ce qu'il allait faire de sa vie. Comptait-il vraiment étudier la littérature anglo-saxonne ? Lire était l'une des rares activités qui lui promettait un semblant de rédemption et lui laissait entrevoir un peu de beauté dans un monde très sombre. Il ignorait en revanche s'il était prêt à se sacrifier pour ses études et à s'astreindre au rythme universitaire et à la préparation des examens. Il éluda la question en laissant filer lentement ses bonnes résolutions et s'immergea dans la lecture de Kafka, Melville, Borges et Lovecraft. Il se passionna jusqu'à l'obsession pour la poésie de Sylvia Plath, qui avait passé une grande partie de sa vie déprimée et s'était suicidée à trente ans. Bien entendu, ce n'étaient pas des lectures idéales pour quelqu'un qui sombrait chaque jour davantage.

Ted assista à cette déchéance et fut le seul à tenter de l'aider. Il lui enjoignait par exemple de se raser ou de se doucher, l'accompagnait en cours et le conseillait. Mais ses efforts restaient sans effet.

Justin tenait un journal dans lequel il s'épanchait et, de son écriture serrée, écrivait de mauvais poèmes et des textes désespérés. Il l'emportait partout avec lui. La nuit, il faisait de longues promenades sur le campus, s'allongeait dans l'herbe et, parfois, s'endormait. Il eut même quelques incidents avec les vigiles du fait de ces habitudes nocturnes. Au sixième étage, Ted se mesurait à des adversaires de plus en plus impitoyables. Il rentrait tard et trouvait la chambre déserte.

Une nuit, exténué, il s'étendit sur son lit en observant celui, vide, de son ami, et décida, lui qui n'avait jamais secouru personne, de secouer Justin pour le sortir de cette spirale sans fin. Il se leva et passa en hâte quelques vêtements. Il connaissait son parcours et le trouva derrière la bibliothèque, assis sur un banc, dans un petit parc laissé à l'abandon. Il n'aurait pas remarqué sa présence dans cet endroit mal éclairé s'il n'avait aperçu le bout incandescent de sa cigarette.

Il s'assit à côté de lui en silence et lui posa une main sur l'épaule.

— Je suis devenu très prévisible, lâcha Justin.

Une buée blanche s'échappa de sa bouche. Il faisait un froid de canard, la neige n'allait pas tarder à tomber.

Ce jour-là, Ted lui parla de son père pour la première fois. Il n'entra pas dans les détails, se contentant de lui fournir le minimum indispensable pour lui faire comprendre que lui aussi savait ce que c'était d'avoir un père peu soucieux de préserver sa famille.

Il lui parla de Miller et de la double vie de son père. Justin parut moins impressionné par le récit de Ted que par la confiance que lui accordait son ami. Jusqu'alors, cette partie de sa vie avait été pour lui une énigme.

— Moi aussi, je déteste mon père. Et je ne vais pas essayer de te convaincre que le monde est un paradis parce que ce n'est pas vrai. Tout ça à cause de types comme mon père et le tien, et aussi des bons à rien avec lesquels je joue au poker, tous des blancs-becs mal élevés. Tu sais, je ressens la même chose que toi, le même vide.

Ted observa un long moment de silence. Justin l'imita.

— Ils sont coupables, reprit Ted d'un ton sinistre. Le problème consiste à se demander comment réagir…

— Je l'ignore. J'en ai assez de mentir à ma mère. Je crois que je vais arrêter mes études.

— Je te le déconseille. Les gens comme eux seraient trop contents que tu baisses les bras. Tu ne comprends pas ? C'est ce qu'ils veulent. Céder peut paraître la solution la plus simple, mais non. Il faut que tu persévères. Moi, je serai diplômé de cette université de merde, je me marierai, j'aurai des enfants et une grande maison, et aussi une maison de campagne. Je vais être riche !

— J'aimerais avoir ton assurance, Ted McKay, lui renvoya Justin en souriant.

— J'ai une mémoire d'éléphant, c'est vrai, et elle me rend service. Chacun ses points forts. Ne me dis pas que tu ne connais pas les tiens. Il faut que tu les exploites, que tu trouves le moyen d'apaiser la bête qui est en toi, d'apprendre à cohabiter avec elle.

— Présentées de cette manière, les choses semblent simples.

— Elles le sont, crois-moi. Cette noirceur que tu vois est… une sorte d'horrible parasite qui t'accompagnera toute ta vie. Ne le laisse pas te dévorer.

Justin écrasa sa cigarette sous sa botte.

— Et cette fille dont tu m'as parlé, celle qui suit les cours d'écriture créative ?

— Denise Garrett ?

— Oui.

— Je ne sais pas. On discute de temps en temps, mais je n'ai vraiment pas la tête à ça en ce moment.

— Invite-la au cinéma ou ailleurs. Ça serait un bon début.

Son ami hocha la tête.

— Et maintenant, allons marcher un peu parce que je ne sens plus mes oreilles, reprit Ted. J'ai oublié de prendre mon bonnet.

Ils regagnèrent le Bloc en plaisantant, plus détendus, épaule contre épaule, mains dans les poches.

— Je suis un débile, enchaîna Justin. Heureusement que je ne suis pas trop mal physiquement.

— Tu as raison. J'avais peur que tu ne le comprennes pas.

— Salaud !

— Peut-être, mais je me fais du souci pour toi, petit con !

CHAPITRE 4

1994

Justin sembla se ressaisir avec l'arrivée du printemps. Il retourna en cours et s'astreignit à quelques heures d'étude quotidiennes. Il décrocha aussi un petit boulot à la bibliothèque deux jours par semaine. Il n'invita pas Denise Garrett à sortir, mais comptait le faire dès que possible. Ted sortait avec une fille de sa promotion et encourageait son ami à faire de même. Mais il pensait que Denise avait déjà un petit ami. Elle avait essayé de le faire comprendre à Justin. Elle se comportait de façon étrange avec lui, à croire que sa présence le dérangeait. Ted lui avait conseillé de ne pas s'inquiéter : les filles qui mouraient d'envie d'avoir une aventure avec lui ne manquaient pas.

Justin était toujours aussi ténébreux. Il continuait de lire la poésie de Sylvia Plath et couvrait les pages de son cahier d'idées apocalyptiques. Il se promenait encore la nuit, mais avait à présent l'impression de maîtriser davantage sa vie et d'aller de l'avant. Ted lui avait conseillé d'apaiser la bête qui était en lui et il avait sans doute raison. S'il y parvenait, tout irait bien. Ted était un génie !

Le 9 avril, une nouvelle atroce ébranla le campus de l'université du Massachusetts et le monde entier.

Ted était à la cantine quand il l'apprit. Ce jour-là, il était affecté à la plonge, tâche qu'il détestait, même si on lui permettait de s'en acquitter en écoutant son walkman, qu'il venait tout juste de s'offrir. Il travaillait depuis une heure, étranger à ce qui se passait autour de lui. Prenant rarement part aux conversations, il ne s'intéressa guère au groupe de personnes qui s'étaient réunies dans un coin de l'immense cuisine. Il pensa que si l'employé chargé de superviser son travail avait quelque chose à lui dire, il viendrait le trouver. Il fredonnait une chanson des *Soundgarden* quand Justin, bouleversé, surgit dans la salle et le prit par les épaules. C'était une première. Jamais auparavant il n'était allé le chercher sur son lieu de travail. Ted retira ses écouteurs et cessa de frotter le verre qu'il avait en main. Justin lui révéla alors que Kurt Cobain venait de se suicider par balle dans sa maison de Seattle.

Comme il fallait s'y attendre, plusieurs versions circulèrent dans un premier temps, mais la thèse du suicide prédominait. Par la suite, on sut que Kurt Cobain s'était échappé d'une clinique de désintoxication et qu'il avait décidé de s'ôter la vie sans prévenir personne. Il avait laissé une lettre qui ébranla toute l'université, en particulier Justin Lynch. Dans le Bloc, au printemps 1994, ses chansons montaient de toutes les chambres.

Une semaine après la nouvelle tragique, Ted alla au cinéma avec Georgia McKenzie, la fille qu'il fréquentait depuis quelques semaines. Il s'entendait bien avec cette jolie étudiante désinhibée. Peu brillante, elle ne comprenait guère Ted et s'était sans doute éprise de lui pour cette raison. Elle n'était guère exigeante et trouvait normal que ce soit lui qui prenne toutes les décisions. Ils se voyaient parfois dans la semaine et profitaient du week-end pour faire « grincer les ressorts du matelas ».

Ce samedi-là, Ted la raccompagna à la porte de sa résidence et l'embrassa en lui demandant s'il pouvait monter. Après s'y être mollement opposée, elle lui donna son accord. Elle aimait les défis, et introduire Ted dans sa chambre en était un. Après des ébats rapides mais intenses, il prit congé d'elle.

En entrant dans sa chambre, il fut parcouru d'un frisson. Quelque chose clochait. La lumière de la petite salle de bains était allumée, la porte ouverte et, surtout, Justin avait laissé son journal ouvert sur son lit. Ted songea à Kurt Cobain, dont on avait retrouvé le corps étendu par terre, chez lui. Il se jeta sur le cahier et en lut les deux dernières pages couvertes d'une écriture serrée. A priori, cela n'avait rien d'un mot d'adieu, mais en découvrant le mot « Boddah », il fut saisi d'effroi. Avant de se suicider, Cobain avait adressé une lettre à Boddah, son ami imaginaire. Ted se précipita dans le cabinet de toilette, s'attendant à voir le corps de Justin dans la baignoire ou au bout d'une corde. Pendant une fraction de seconde, il envisagea le pire. Justin était dépressif, mais… de là à commettre l'irréparable ?

La petite pièce était vide. Pourquoi Justin avait-il laissé la lumière ?

Un oubli comme un autre.

Et son carnet ?

Et Boddah ?

Avant de partir à sa recherche dans le Bloc, il devait lire ce texte. Debout au milieu de la chambre, il se pencha sur le lit sans oser toucher au cahier, hormis pour en tourner les pages avec mille précautions. Il parcourut la prose de son ami en une vingtaine de secondes.

Ça ne ressemblait pas au genre de mot qu'on écrit avant de se suicider, mais le sujet l'alarma. Un homme s'apprêtait à se supprimer et, au moment où il allait presser la détente, un inconnu frappait à sa porte. Il s'appelait Boddah et disait avoir une proposition à lui faire. Très persuasif, il savait manifestement que le héros – dont le nom n'était pas mentionné – voulait se tuer. Il disait connaître d'autres personnes aussi désespérées que lui et ajoutait qu'il pouvait lui apprendre comment atténuer la douleur de ses proches. Le titre, *Un monde meilleur*, figurait en haut de la première page, encadré. L'écriture était maladroite et chaotique et le texte lourdement raturé. Le récit se concluait de manière abrupte, au moment où Boddah expliquait au héros qu'il devait assassiner un homme méprisable.

Ted resta un moment songeur. Cette nouvelle très bien écrite à laquelle Justin s'était attelé s'inspirait peut-être des faits récents, mais pouvait aussi être une sorte d'avertissement. Il se hâta de quitter la chambre et croisa Irving Prosser dans le couloir, un grand échalas peu loquace qui occupait la chambre voisine. Quand il lui demanda s'il avait vu Justin, Irving se gratta la tête et leva les yeux au plafond, comme si répondre à cette question exigeait qu'il mobilise toutes ses facultés mentales.

— Tu veux dire… si je l'ai vu ces derniers temps ?

— Oui, bien sûr.

S'il n'avait pas connu aussi bien Prosser, Ted aurait pu croire qu'il se fichait de lui, mais ce n'était pas le cas. Ce garçon était tout simplement bête à manger du foin.

— Laisse-moi réfléchir, dit Prosser. Je l'ai vu sortir il y a à peu près une demi-heure. J'allais justement…

Ted ne lui laissa pas le temps de terminer sa phrase. Il dévala l'escalier en formulant plusieurs fois de suite la même question. Tout le monde connaissait Justin, c'était un des avantages de son sex-appeal à la James Dean. Un étudiant qui venait d'entrer dans le Bloc informa Ted qu'il l'avait aperçu près de la bibliothèque. Ted courut vers le bâtiment, étonné de se faire autant de souci pour quelqu'un qu'il avait rencontré moins d'un an auparavant. Sensation qu'il n'avait encore jamais éprouvée, il était réellement mort d'inquiétude.

Il le trouva à l'emplacement habituel, dans le petit parc derrière la bibliothèque, qui avait l'air moins lugubre de jour que de nuit.

— Ted ! s'écria Justin, surpris de le voir. Que fais-tu ici ? demanda-t-il en enlevant ses écouteurs. Qu'est-ce qu'il y a ?

Ted s'assit à côté de lui et préféra ne rien dire. Justin avait l'air de bonne humeur.

— Tout à l'heure, je vais aller au sixième. Je voulais te poser une question.

— Je t'écoute.

— Hier soir, j'ai joué avec des imbéciles de la fraternité étudiante ΦΣΚ. L'ambiance était franchement hostile, mais j'ai quand même gagné. Ce soir, ils m'ont invité à une fête.

Justin le regarda comme si une odeur fétide émanait de lui.

— Toi ? À ce genre de soirée ?

Ted éclata de rire.

— Je ne connais pas les types de ΦΣΚ, répondit Justin. Tu leur as dit que tu étais en première année ? Mais… l'entrée coûte une fortune, non ?

— En fait, c'est eux qui payent, lui fit remarquer Ted en tapotant la poche de son pantalon remplie de billets. C'est vrai que je déteste ces types, mais il y aura de l'alcool, des filles et de la musique… On peut rester un moment, on picole et on part, ça te va ? La vie d'étudiant serait franchement triste s'il n'y avait pas ces fêtes pourries !

— Tu as raison. Tu n'es venu que pour ça ? Excuse-moi, reprit Justin après avoir marqué une pause. Je suis un ingrat. Sache en tout cas que ça ne va pas avec ton image de gros dur de te soucier de ton prochain, Ted McKay. Merci, c'est une bonne idée, j'irai, il faut bien que je commence à sortir…

Ils gardèrent le silence. La guitare bien reconnaissable de Nirvana s'éleva des écouteurs de Justin. Il glissa sa main dans sa poche et arrêta son walkman.

— Tu as laissé ton carnet ouvert sur le lit, reprit Ted.

Justin sursauta en imaginant le pire.

— Cette nouvelle est excellente, Justin, le rassura Ted.

— Bof, c'est un peu la honte, une simple ébauche.

— Non, elle est parfaite.

— Merci Ted.

— Je parle sérieusement.

— Si elle te plaît vraiment, qu'est-ce que tu dirais de prêter ton nom au héros ? lui demanda Justin en lui adressant un clin d'œil.

CHAPITRE 5

ÉPOQUE ACTUELLE

Ce samedi-là, à 9 heures du matin, une fourgonnette quitta le Lavender Memorial pour se rendre à Dover, dans le Vermont. Lee Stillwell, le vigile engagé par Marcus, était au volant, Laura occupait le siège passager, Ted était seul à l'arrière. De nature taciturne, Lee comptait les jours avant la retraite, mais ce jour-là, il était de bonne humeur et enclin à la conversation. Il avait de bonnes raisons de se réjouir, car cet aller-retour lui serait compté en heures triples. De plus, il adorait conduire et appréciait la compagnie du docteur Hill, qu'il trouvait bien plus charmante sans son affreuse blouse de médecin.

Ted garda le silence pendant presque tout le trajet. Parler à travers la grille qui divisait le véhicule n'était pas très encourageant, d'autant plus qu'il devait se baisser et tirer sur la chaîne qui le maintenait au sol. Il eut l'impression que le trajet durait une éternité. Mal installé sur la banquette de la fourgonnette et ne distinguant pas grand-chose du paysage, il préféra se plonger dans ses pensées et patienter. Lee Stillwell n'arrêtait pas de parler. À la fois consternée et résignée, Laura se tourna plusieurs fois vers Ted. Elle ne pouvait pas aller à l'encontre des mesures de sécurité et semblait le lui rappeler à chaque regard qu'elle lui lançait.

Ils prirent la 202 vers l'ouest. La circulation était fluide et les forêts qu'ils longeaient invitaient à la contemplation et à la réflexion. Pour tout patient du Lavender habitué aux grilles, aux portes blindées et aux cloisons vitrées des chambres, le ciel bleu et les arbres aux couleurs automnales formaient un spectacle grandiose. Lee Stillwell s'extasiait. Concentré sur la route, il expliqua à Laura qu'il avait toujours rêvé de s'acheter une maison dans un endroit isolé comme celui-là pour y passer le restant de ses jours. Sa femme avait les mêmes aspirations. Proche de la retraite, il comprenait qu'il n'aurait jamais les moyens de se l'offrir et cela l'attristait profondément. Il n'avait pas eu la sagesse de se constituer un bas de laine et avait passé ces trente dernières années à croire à tort que ce serait facile.

— Mais l'important, c'est peut-être simplement d'y avoir cru, conclut-il en crispant les mains sur le volant.

Après cette révélation qu'il n'avait probablement jamais faite à personne jusqu'alors, il garda le silence. Sans doute avait-il les larmes aux yeux, mais derrière ses lunettes noires, Laura et Ted ne voyaient rien.

— Mais quand on est vieux comme moi, peu importe, conclut-il.

— Oh, Lee, vous n'êtes pas vieux ! protesta Laura.

— Je le suis suffisamment pour ne pas pouvoir réaliser mes rêves et pas assez pour les oublier.

— Moi, j'ai pu m'offrir ma maison de campagne et pourtant, je suis ici, enchaîné à l'arrière de cette fourgonnette parce que j'ai fait une tentative de suicide, dit Ted en intervenant pour la première fois dans la conversation après plus d'une heure de route.

Lee ne répondit pas.

— Vous aimez votre femme ? poursuivit Ted.

À l'évidence, le vigile n'avait guère envie de discuter avec lui, ou bien il pensait à sa femme, Martha, dont il n'avait pas réalisé les rêves.

— Oui, dit-il avec sincérité au bout de quelques minutes.

— Dans ce cas, vous avez tout ce dont vous pouvez rêver.

Ted avait les yeux rivés sur ses chaussures, les coudes sur les genoux, la tête entre les mains. Une de ses chaînes lui pendait devant le visage et s'agitait à chaque cahot de la voiture. L'autre était un serpent froid assoupi à ses pieds. Il préféra ne rien ajouter.

Ils s'engagèrent sur l'A 91 peu après 11 heures.

— Heureusement, il me reste la menuiserie, c'est ma passion, reprit Lee, qui ne s'avouait pas vaincu.

— J'ai vu la chaise que vous avez offerte à la directrice. Elle est magnifique, lui dit Laura.

— Merci. Je me dis que quand je serai à la retraite, je passerai plus de temps à fabriquer des meubles. C'est pour bientôt.

Il continua à parler menuiserie. Travailler le bois lui procurait toute la satisfaction que son emploi à l'hôpital ne lui apportait pas. Il s'excusa auprès de Laura d'avoir fait ce commentaire et ajouta que l'équipe du Lavender n'y était pour rien. C'était sa faute, il aurait pu démissionner plus tôt. Il avait commencé sa carrière de vigile par hasard, en se promettant de mettre un peu d'argent de côté avant de trouver un poste qui lui conviendrait mieux... mais les mois avaient passé et s'étaient transformés en années, et les années en décennies.

— Plus on attend et plus c'est dur de tout quitter, se justifia-t-il. Jusqu'au jour où on se rend compte qu'on va bientôt être à la retraite et qu'on n'a réalisé aucun de ses projets.

Laura l'écoutait avec attention. Elle comprenait l'amertume de cet homme qui croyait que son existence lui avait filé entre les doigts. Elle aimait son travail et n'avait jamais l'impression de perdre son temps au Lavender, mais elle comprenait ce qu'il ressentait. Elle avait éprouvé quelque chose de similaire après son divorce et s'était dit que sa vie amoureuse était arrivée à son terme, pensée idiote de la part d'une femme de trente-cinq ans. Mais il en avait été ainsi au début. Au fil du temps, elle avait changé d'avis et décidé d'ouvrir son cœur à d'autres hommes. Elle songea à Marcus et à leur rendez-vous dans la soirée.

Lee, qui n'avait pas voulu suivre les indications de Ted, s'orienta au GPS pour arriver à destination. Ils laissèrent l'autoroute derrière eux et gagnèrent un chemin de terre désert. Au bout de trois kilomètres, ils arrivèrent à la maison au bord du lac. Un silence sépulcral s'installa dans la voiture dès que le vigile coupa le moteur. Personne ne descendit. Imperturbable, Lee resta derrière le volant, à contempler l'imposante propriété, manifestement plus luxueuse que tout ce qu'il avait imaginé dans ses rêves les plus fous.

Il descendit de la fourgonnette. Il ne portait pas son uniforme, mais un jean et une veste sous laquelle étaient cachés son Beretta et son Taser. Il ouvrit la double porte arrière et fit sortir Ted.

— Ce que je vous ai dit tout à l'heure est vrai, déclara-t-il au bout d'un moment. Mon travail ne me passionne pas, mais je le fais correctement. Ne vous approchez pas à moins de deux mètres du docteur Hill. Si vous avez besoin de quelque chose, demandez-le-moi. Je serai derrière vous et je ne vous quitterai pas des yeux. De toute ma carrière, je n'ai envoyé que deux décharges électriques et je n'ai jamais tiré sur qui que ce soit, mais je m'exerce toutes les semaines et je pourrais briser votre chaîne à dix mètres, alors pas de mauvaises surprises, c'est clair ?

— Je ne vous causerai pas d'ennuis, dit Ted.

Laura descendit elle aussi et Ted fit le tour du véhicule, étonné de pouvoir se déplacer aussi facilement malgré ses chaînes aux pieds. La maison lui était étrangement familière, mais différente de celle gravée dans sa mémoire. Celle qu'il avait sous les yeux paraissait avoir été négligée. Holly et les filles n'y étaient sans doute pas retournées depuis qu'il avait été interné. Il ne vit aucune Lamborghini décapotable garée sur l'aire de stationnement.

— Holly m'a donné les clés, dit Laura en lui montrant un trousseau. On va entrer, qu'en pensez-vous ?

Il ne répondit pas. Il inspectait les lieux comme un enfant curieux : les arbres, le sol tapissé d'aiguilles de pin, l'eau du lac ridée par la brise. Dans son souvenir, d'autres parfums flottaient dans l'air. Il prit une longue inspiration en s'imaginant que l'oxygène allait le guérir, lui rappeler des images oubliées… lui permettre de remonter le temps.

Au loin, il aperçut le château rose à la lisière de la forêt. Il n'arrivait pas à détacher son regard de la construction miniature.

Des réponses.

— Venez, Ted, j'aimerais qu'on aille d'abord jeter un œil à l'intérieur, lui dit Laura.

Il se dirigea vers la porte, suivi de Lee, entra prudemment dans le vestibule, mesurant chaque pas qu'il esquissait sur le tapis indien, où Wendell s'était censément écroulé après qu'il lui avait tiré dessus. Le souvenir était bien réel, mais lorsqu'il essayait de se concentrer sur le visage de cet homme, un immense point d'interrogation se dessinait dans son esprit. Il parcourut le rez-de-chaussée et s'arrêta devant les photographies qu'il avait lui-même prises dans leur grande majorité. Il marcha jusqu'à l'arcade qui permettait d'accéder à la cuisine et feuilleta le calendrier, à la recherche du plongeur qui explorait le récif de corail. Il ne le trouva pas, seuls des paysages illustraient les douze mois de l'année.

— C'est ici que je l'ai attendu, déclara-t-il à Laura, qui s'était approchée pour examiner le calendrier plus en détail. D'abord, je l'ai vu par cette… Là, il y avait une fenêtre, ajouta-t-il en lui montrant le mur de la cuisine contre lequel étaient disposés un réfrigérateur à double porte et le plan de travail. Je l'ai observé par cette fenêtre quand il était sur le lac.

Laura décela de la déception sur son visage, à croire qu'il se raccrochait encore à la possibilité que cette histoire lui soit vraiment arrivée et que Wendell ne soit pas un personnage sorti de son imagination.

— Allons à l'étage, Ted. Je voudrais vous montrer quelque chose.

Ils regagnèrent le salon. Lee et Ted montèrent par un des escaliers.

Au rez-de-chaussée, de grandes baies vitrées laissaient passer la lumière. Au premier, la maison était plongée dans la pénombre. Lee appuya sur l'interrupteur sans qu'il se passe rien.

— Un moment, docteur Hill ! cria Lee à Laura, qui était encore en bas. Je vais ouvrir une fenêtre, l'électricité est coupée.

Ted était à mi-chemin, Laura s'attardait dans le salon.

— Que voulez-vous me montrer, Laura ?

Elle ne répondit pas.

Un instant plus tard, le vigile se pencha par-dessus la rampe et leur fit signe de le rejoindre. Ted se retrouva dans un couloir qui lui semblait totalement inconnu. Il avança de quelques mètres et s'immobilisa devant la fenêtre que Lee venait d'ouvrir. De là, il distinguait parfaitement le château rose. Il comprit que s'il avait été plus près, il n'aurait pas pu le voir à cause du feuillage. En revanche, il avait très bien pu surveiller les filles de cet endroit. Il ne bougeait plus, se demandant s'il s'était souvent posté là pour s'assurer que tout allait bien.

— Ouvrez cette porte, lui demanda Laura, qui s'était enfin décidée à monter.

Ted se retourna et découvrit une porte fermée en face de la fenêtre. Il la poussa et fut déconcerté et, surtout, attristé de constater qu'il ne pouvait pas se fier à ses souvenirs. Il s'agissait de son bureau. Il reconnut la table, la bibliothèque et la reproduction du tableau de Monet qui dissimulait le coffre-fort. Il se rappelait tous les objets de cette pièce où il n'osait pas entrer.

La voix de Laura résonna dans son dos.

— Holly m'a dit que chez vous, en ville, vous n'avez pas de bureau.

— C'est là que j'ai voulu me suicider, Laura. Sur cette chaise.

— Vous voulez entrer ?

— Vous pensez que ça servira à quelque chose ?

— Je ne sais pas. Faites comme vous le sentez.

Ted n'en avait pas envie.

— Je préfère aller voir le sentier derrière le château.

— Parfait.

Ils descendirent sous l'étroite surveillance de Lee, contournèrent la maison et marchèrent en silence vers le château rose entouré d'un épais tapis de feuilles mortes.

À l'arrière de la petite construction, un sentier serpentait entre les arbres.

— C'est ici, dit Ted d'un ton solennel.

Son regard s'était durci et semblait défier l'étroit chemin.

— Allons-y, suggéra Laura, une pointe d'anxiété dans la voix.

CHAPITRE 6

1994

Ils durent parcourir plus d'un kilomètre pour se rendre à la fête par des chemins détournés. C'était une chance que Ted ait la carte du campus dans la tête et un excellent sens de l'orientation. Selon lui, le petit sentier sinueux qu'ils avaient emprunté les conduirait plus rapidement à la fraternité. Il ne s'était pas trompé. La musique qui montait au loin le leur confirma. Ils ne tardèrent pas à découvrir une clôture en bois à l'arrière de la maison indiquée.

À 22 heures passées, la soirée n'avait pas vraiment commencé. Les trois lettres grecques inscrites sur le mur du premier étage étaient bien éclairées. Deux étudiants plus âgés et plus grands qu'eux leur réservèrent un accueil glacial. Ted se tourna vers l'un d'eux – l'autre ne daigna même pas les regarder – et déclina leurs noms. À cet instant, une voiture se gara devant la maison, trois filles en descendirent et entrèrent en saluant les deux jeunes hommes sans cesser de parler et de rire. Ted regarda sa veste et le long manteau de Justin en gabardine – bien trop chaud pour la saison –, puis les hauts moulants et les minijupes des filles, et se sentit décalé. Un des types postés devant la porte consulta la liste et dit à l'autre qu'ils pouvaient entrer, mais ce dernier ne semblait guère convaincu et leur demanda leurs cartes d'étudiant. Justin sortit immédiatement la sienne de son portefeuille et la lui montra d'un air maussade.

— Pas toi, déclara l'autre sans même le regarder. Ton ami.

Il s'en fallut de peu que Ted fasse demi-tour et s'en aille. Bien entendu, Justin l'aurait suivi. Plus tard, en songeant à la manière dont la soirée s'était déroulée, il estima qu'il aurait mieux fait de partir tout de suite.

Mais ils restèrent.

La plupart des invités étaient concentrés à l'intérieur, mais dans le jardin, de petits groupes buvaient et discutaient en criant. Une mélodie répétitive et entraînante invitait à entrer. Justin et Ted s'empressèrent de gagner la porte et décidèrent de jeter un coup d'œil dans la maison. Quelques personnes se déhanchaient et sautillaient – appeler ça « danser » eût été excessif –, d'autres attendaient, des gobelets rouges à la main. Sur une estrade, un DJ faisait son travail. Deux tables couvertes de boissons avaient été disposées bien en vue. Ted compta cinq barils débordant de glaçons et de cannettes de Keystone. Il faisait si chaud qu'ils ôtèrent leurs manteaux et restèrent plantés là sans trop savoir quoi faire. Ils ne repérèrent que très peu d'élèves de première année.

Ted reconnut néanmoins Dan Norris, l'idiot qui l'avait invité. Près d'une table, il buvait de la tequila en compagnie d'autres membres de la fraternité. Heureusement, il ne l'avait pas vu et Ted préféra s'éloigner en compagnie de Justin. Ils prirent chacun une bière et sortirent par une porte latérale qui donnait sur une terrasse où régnait une ambiance plus calme. Dans un coin du jardin, un couple s'embrassait à pleine bouche à la faveur d'un éclairage diffus, un autre faisait de même dans un hamac.

Ted et Justin s'installèrent près d'un baril rempli de cannettes et s'assirent sur la balustrade, face à la maison. Ils prirent une deuxième bière suivie d'une troisième. N'ayant ni l'un ni l'autre l'habitude de boire de l'alcool, cela suffit à leur faire tourner la tête.

— On aurait dû manger avant, dit Ted.

Justin fut d'accord avec lui.

— Comment ça va avec Denise ?

Ted sauta de la balustrade pour prendre une autre cannette et perdit l'équilibre. Il écarta les bras pour ne pas tomber, s'agita comme un surfeur sur sa planche. Quand il eut l'impression que le sol redevenait stable, il plongea une main dans le baril et lança une bière à Justin, qui fut incapable de la rattraper. Ils piquèrent un fou rire, pliés en deux pendant plus d'une minute.

Ted ramassa la cannette qui était tombée et la tendit à son ami. Quand Justin l'ouvrit, la bière lui gicla dans la figure sans qu'il parvienne à orienter le jet dans sa bouche. Leur fou rire repartit de plus belle.

— Alors, Denise ? insista Ted en se hissant sur la rambarde et en veillant à ne pas tomber en arrière.

— Il ne se passera rien avec elle et c'est très bien comme ça. Elle est déjà prise.

— Je croyais qu'elle n'avait pas de petit ami.

— Plus maintenant. Elle fréquente un petit morveux crâneur qui pourrait bien être le prochain Michael Jordan. C'est elle qui m'a dit ça. Maintenant, tu comprends mieux pourquoi je suis bien content de ne pas sortir avec elle.

Justin s'était subitement rembruni. Il s'apprêtait à prendre des nouvelles de Georgia, comme l'exigeait la politesse, mais craignait de lui révéler ce qu'il avait découvert sur elle quelques semaines auparavant. Ne pas l'évoquer mettrait peut-être la puce à l'oreille de Ted, qui était loin d'être sot et risquait de se douter de quelque chose. Même s'ils parlaient rarement des filles avec qui ils sortaient, un soudain manque d'intérêt de sa part pouvait éveiller les soupçons de son ami.

Justin, qui n'avait pas renoncé à ses habitudes nocturnes, connaissait la routine du campus dès que les fenêtres des chambres s'éteignaient une à une. Observateur invisible, il voyait des garçons s'enfuir par les portes situées à l'arrière des bâtiments et se glisser parmi les ombres à l'insu de tous. Des couples cherchaient un peu d'intimité dans les buissons ou se promenaient main dans la main.

Sans jamais chercher à s'immiscer dans la vie d'autrui, il s'était accoutumé à ces rituels comme au ululement des hiboux ou au trottinement des ratons laveurs.

Un soir, dans le petit parc derrière la bibliothèque, il avait découvert Georgia McKenzie avec un autre étudiant que Ted. Elle l'attendait dans un coin de l'immeuble si peu éclairé qu'au départ il ne l'avait pas vue. Le jeune homme était arrivé peu après. Il marchait vite et portait la veste et la casquette de l'université, de sorte qu'il était impossible de l'identifier. Cette première fois, Justin n'avait pas non plus discerné les traits de Georgia, mais au deuxième rendez-vous des amoureux, il l'avait reconnue. Cette nuit-là, c'était elle qui était venue rejoindre l'étudiant. Comme lors de leur rencontre précédente, ils s'étaient embrassés longuement, avaient bavardé un moment et pris congé. Leurs rencontres ne dépassaient pas dix minutes et, contrairement aux autres étudiants, ils ne se jetaient pas l'un sur l'autre de manière frénétique.

La troisième fois qu'il les avait surpris, Justin comptait suivre le jeune homme afin de savoir qui c'était. Après, il en parlerait à Ted. Il ne s'inquiétait pas pour son ami, qui ne semblait pas épris de cette fille. De toute évidence, c'était réciproque, car d'après ce qu'il avait vu, elle paraissait très amoureuse de l'inconnu. Justin lui avait donc emboîté le pas. Le jeune homme avait contourné le bâtiment et s'était engagé sur le sentier qui menait aux parkings, près de l'immeuble principal. En chemin, il avait fait une chose étrange : il avait retiré sa veste, l'avait pliée avant de l'introduire dans le sac qu'il portait à l'épaule, puis il avait retiré sa casquette, découvrant ainsi une chevelure plutôt clairsemée qui avait intrigué Justin. Ses soupçons avaient été confirmés lorsque l'individu s'était dirigé vers l'aire de stationnement réservée aux professeurs. Quand l'homme avait été dans la lumière, Justin s'était rendu compte qu'il ne s'agissait pas d'un étudiant, comme son corps athlétique pouvait le laisser supposer. Il était monté dans sa voiture et avait démarré.

Justin le connaissait bien puisqu'il s'agissait de son professeur d'atelier d'écriture créative, Thomas Tyler.

Cette découverte consternante remontait à environ un mois. Justin avait revu les tourtereaux plusieurs fois et était persuadé qu'ils vivaient une véritable histoire d'amour, sans quoi ils n'auraient pas pris autant de risques. Ces derniers jours, il s'était attendu à ce que Ted lui annonce que lui et Georgia avaient rompu. Il aurait alors acquiescé en silence et les choses en seraient restées là. Pourquoi Ted ne lui disait-il rien ? Justin savait qu'il ne pourrait pas garder très longtemps ce secret. D'un autre côté, pourquoi Georgia lui cachait-elle sa liaison avec Thomas Tyler ?

Ted l'observait maintenant en faisant une drôle de tête. Il était ivre. Heureusement, il fut interrompu par des filles qui criaient depuis la fenêtre. Ils tournèrent la tête et les virent lever leurs verres, comme si elles les connaissaient. Ils échangèrent des regards interdits – ils ne les avaient jamais croisées – avant qu'elles surgissent par la porte de derrière et se dirigent droit vers eux. La première traînait l'autre derrière elle. Toute petite, elle courait, consciente que ses seins volumineux ballottaient. Avec ses cheveux coupés au carré, elle était jolie et le savait. Le sourire aux lèvres, elle tenait un immense gobelet dans une main.

— Salut les garçons !

Son amie était elle aussi très mignonne, mais moins extravertie – elle avait rougi en entendant l'autre fille les interpeller ainsi. Gracile, elle dépassait sa camarade d'une bonne tête et portait un tee-shirt au décolleté discret.

— Moi, c'est Tessa. Et voici Maria… ma cousine.

Ted et Justin se présentèrent eux aussi et leur serrèrent la main.

Tessa s'approcha de Justin, toujours assis sur la balustrade, et s'appuya contre une de ses jambes.

— Vous êtes en première année ?

— Oui.

— Génial ! Maria aussi.

L'intéressée confirma d'un hochement de tête. Ils n'avaient pas encore entendu le son de sa voix.

— Tu sais, Justin, je disais à ma cousine que tu es très beau, n'est-ce pas, Maria ? déclara Tessa avec naturel.

Elle se plaqua contre l'étudiant en frottant légèrement son bassin contre son entrejambe.

Maria, elle, gardait ses distances.

— Oh merde ! s'exclama Tessa en constatant que son gobelet était vide. D'une main, elle l'écrasa et le jeta dans le jardin. En deux enjambées, elle atteignit le baril, revint avec des cannettes et en proposa une à Justin.

La cinquième...

— Tessa, tu es sûre que..., dit Maria.

— Archisûre ! s'exclama Tessa. Ne t'inquiète pas, ta cousine sait ce qu'elle fait.

Ils continuèrent de boire, parlèrent de l'université et de leurs villes natales, mais pas de leurs petits amis. De temps en temps, Tessa bondissait vers le baril pour se réapprovisionner en cannettes qu'elle distribuait sans demander leur avis à ses compagnons. Elle le fit un nombre incalculable de fois. Quand elle tira Justin par la manche, celui-ci eut tout juste le temps de tendre les jambes pour ne pas se casser la figure. La terrasse tangua dangereusement pendant quelques secondes, comme un bateau en haute mer. D'un geste quasi réflexe, il avala une gorgée sans même avoir conscience du liquide qui descendait le long de sa gorge, puis il en prit une autre. Tessa l'entraîna vers les marches qui permettaient d'accéder au jardin. Combien y en avait-il ? Trois ? Quatre ? Quatre-vingts ? Il s'apprêtait à poser le pied sur la deuxième, mais celle-ci se déplaçant de plusieurs centimètres, il faillit dégringoler. Tessa resserra sa pression sur son bras. Justin sentit un de ses seins contre son flanc et trouva cela délicieux.

Ils s'aventurèrent dans le jardin, loin des lumières.

— Où est-ce qu'on va ? demanda-t-il.

Il avait l'impression qu'elle l'emmenait de force, même si c'était tout simplement impossible car Tessa ne mesurait pas plus de 1,60 mètre.

Elle éclata de rire, mais ne le lâcha pas.

— Ne t'inquiète pas, je n'ai pas l'intention de te violer.

À une vingtaine de mètres de la maison, le bruit de la musique leur parvenait, étouffé par les frondaisons, semblable à des pulsations rugissantes. Ils se cachèrent derrière des buissons et Tessa lui confia sa cannette. Il était debout, déconcerté, une bière dans chaque main. Plus loin, le terrain descendait en pente. Tessa s'accroupit, les jambes ouvertes à quatre-vingt-dix degrés, la jupe relevée. Avec le naturel qui la caractérisait, elle baissa sa culotte et lâcha un puissant jet d'urine qui décrivit une courbe parfaite.

— La queue pour les toilettes arrive jusqu'au rez-de-chaussée, c'est incroyable, expliqua-t-elle en soupirant, soulagée, tandis que la puissance du jet faiblissait.

Justin éprouvait lui aussi le besoin pressant d'uriner, chose impossible à réaliser car il avait une forte érection et savait que son « fidèle compagnon » ne lui obéirait pas. Quelque chose dans le comportement désinhibé de Tessa avait catapulté ses hormones dans les hautes sphères. Quand elle eut fini, Tessa secoua son bassin, ce qui acheva de mettre Justin au supplice.

Elle baissa sa jupe et s'écroula sur le tapis d'aiguilles de pin. Son urine dessinait un petit ruisseau de couleur métallique qui descendait à présent le long de la pente. Elle poussa un nouveau soupir d'aise, sorte de long gémissement auquel Justin ne résista pas. Il s'assit à côté d'elle, lui tendit sa bière en sachant ce qui allait se passer.

— Je peux te faire une réflexion malsaine?

— Hmmmm... malsaine..., murmura-t-elle, intéressée. Je t'écoute.

— Ce que tu viens de faire était très sexy.

Elle pouffa de rire. Leurs visages étaient tout près l'un de l'autre.

— Ce n'est pas malsain, ça, espèce d'idiot. Ce qui serait malsain, ce serait qu'on fasse ça là-haut, dit-elle en désignant la coulée d'urine que la terre commençait à absorber.

Justin resta interdit. Lila ne lui avait jamais parlé de cette manière. Elle aurait même été horrifiée à l'idée de faire pipi devant lui.

— Tu es vraiment très beau, ajouta-t-elle en lui caressant le visage.

Elle avait bu plus qu'eux trois réunis, mais paraissait avoir une parfaite maîtrise d'elle-même.

Justin crut sentir sur ses doigts une légère odeur d'acidité qui lui fit perdre la tête. La force primitive et violente des aiguilles de pin, l'inconfort de l'endroit l'avaient plongé dans un état qu'il n'avait encore jamais expérimenté.

— Et toi, tu es très jolie.

Incapable de se contenir davantage, il plaqua une main sur un de ses seins. Il dut l'ouvrir au maximum sans pour autant parvenir à le faire tenir dans le creux de sa paume. Son cerveau était sur le point d'exploser.

CHAPITRE 7

1994

Ted eut une agréable conversation avec Maria. Ils suivaient un cours en commun et elle avait entendu parler de lui et de ses bons résultats. Elle s'étonnait de le croiser à cette fête où sa cousine l'avait entraînée. Ted lui répondit machinalement que la bière qu'il était en train de finir serait la dernière de la soirée. Il ne but du reste que par petites gorgées pendant que Maria lui disait qu'elle arrivait difficilement à obtenir des C et s'étendait sur d'autres sujets qu'en dépit de sa prodigieuse mémoire, il eut du mal à se rappeler par la suite. Tessa les interrompit à deux ou trois reprises. Elle surgissait de derrière les buissons pour chercher de l'alcool et disparaissait aussitôt en riant et en faisant ballotter ses seins.

Après minuit, la fête battit son plein. Ted avait envie de regagner le Bloc dans la quiétude nocturne, loin de ce tintamarre infernal, mais il ne voulait pas laisser Justin tout seul.

— Ma cousine est assez délurée, déclara Maria en s'excusant presque.

— Justin est un grand garçon.

— Oh, bien sûr, je ne disais pas ça pour ça, bredouilla-t-elle en rougissant.

La pauvre... il lisait en elle comme dans un livre ouvert.

Des invités avaient envahi la terrasse. À un moment donné, les jeunes gens s'écartèrent pour laisser passer deux gros costauds à la dégaine de tueurs. L'un d'eux était Dan Norris.

— Hé, McKay ! s'écria-t-il.

Souriant, il s'approcha de Ted, lui tapa dans le dos et lui donna une accolade rapide en lui assenant deux petits coups sur les épaules et la poitrine.

— Content que tu sois venu. Tu sais, Tim, poursuivit-il en s'adressant à son ami, ce type est un génie du poker.

L'intéressé, une armoire à glace aux cheveux en brosse, resta impassible.

— Je ne fais que passer, dit Ted, histoire de répondre quelque chose.

Il pensait remercier Dan pour son invitation, mais se ravisa en s'apercevant que les deux gaillards n'étaient pas là pour bavarder amicalement. Il préférait s'en tirer avec dignité.

Blanche comme un linge, Maria se demandait ce que ces étudiants de troisième année faisaient là. Plusieurs têtes s'étaient tournées vers eux. Ça sentait le roussi.

— Tu aurais dû voir ça, Tim ! hurla Dan. Je crois bien qu'il trichait !

— Ah oui ? dit son ami.

— Je n'ai jamais vu quelqu'un rafler autant de mises de suite. Ça m'a coûté trente dollars !

Ted tâchait de garder contenance, Maria semblait sur le point de fondre en larmes.

— C'est quoi ton truc, McKay, hein ?

— La pratique, j'imagine. Je n'ai pas de truc particulier, répondit Ted en haussant les épaules.

Dan éclata de rire, Tim n'arrêtait pas de hocher la tête.

— Je vais te dire ce qu'on va faire, McKay, reprit Dan. Dans la soirée, on se prévoit une partie de poker, qu'est-ce que tu en penses ?

— Franchement, je ne sais pas, il est vraiment tard et...

— Tard ? Allez, mec, il faut que tu me laisses une chance de récupérer mon fric, insista Dan en lui donnant une nouvelle accolade.

Son haleine alcoolisée était insupportable, bien qu'il n'ait pas l'air ivre. S'il l'était, ça ne se remarquait pas à sa façon de parler. Ted avait miraculeusement recouvré ses esprits : sa nausée avait disparu, son mal de tête aussi. Comme d'habitude, il était à nouveau capable de réfléchir vite et bien. *Le pouvoir réparateur de la peur*, songea-t-il, de mauvaise humeur. Si on l'obligeait à jouer, il laisserait ses adversaires gagner un peu et, s'il le fallait, il rendrait ses fichus dollars à Ted et retiendrait la leçon : ne pas plumer aussi facilement les étudiants de troisième année.

— D'accord, Dan.

— Parfait ! s'écria l'autre en lui assenant dans le dos une claque qui se voulait affectueuse. On se voit dans un moment.

En partant, Tim lui lança des regards menaçants. Derrière la baie vitrée, ils les virent rejoindre un groupe près d'une table et se servir des *shots* de vodka. Leurs amis formaient un demi-cercle et, à chaque verre éclusé, ils frappaient sur le bois. Dan en liquida trois en moins d'une minute. Ted songea qu'il n'avait pas à s'inquiéter : il serait bientôt soûl s'il continuait de boire à ce rythme. Il n'y aurait pas de partie de poker cette nuit-là.

— Ces types…, souffla Maria, encore effrayée. Ils sont un peu timbrés, non ?

— Si peu, lui dit Ted.

Une demi-heure plus tard, Ted s'arrangea pour se débarrasser de Maria. Sans nouvelles de Tessa et de Justin, il commençait à envisager de partir seul, mais Dan et ses comparses étant toujours au milieu du salon, il semblait impossible de sortir sans qu'ils s'en aperçoivent. Il pensa contourner la maison, mais découvrit après une courte inspection qu'une palissade divisait le jardin en deux et que la porte en bois était cadenassée. Plusieurs garçons urinaient contre la clôture, il les imita en se disant que s'il était obligé de passer à côté de Dan et de ses amis, il attendrait que la voie se libère.

Il patienta une éternité et finit par succomber à la tentation de se soûler à la bière. Seul. Assis sur une des marches de la terrasse. La nausée revint, accompagnée cette fois d'une agréable sensation d'apesanteur et de rêverie qui l'incita à continuer. Au bout d'un moment, sa main s'enfonça d'une bonne vingtaine de centimètres dans le baril rempli d'eau glacée sans qu'il y trouve la moindre cannette. Nul ne s'était soucié d'en apporter de nouvelles. Il se leva maladroitement, esquissant des mouvements spasmodiques. Il avait complètement oublié Dan quand il pénétra à l'intérieur, à la recherche d'autres bières. Lui qui n'en n'avait jamais bu plus de deux à la suite n'aspirait maintenant qu'à en engloutir davantage.

Le salon était bondé, tout le monde s'acharnait à lui rentrer dedans. Des mains portant des gobelets se levaient sur son passage. Il s'approcha d'une table où des filles se servaient un breuvage vert. Ted prit un verre vide au hasard et le leur tendit. Les filles devaient le trouver drôle car elles s'esclaffèrent. Il but une longue rasade et fit la grimace. Il n'avait jamais rien avalé d'aussi infect. C'était à se demander qui avait eu l'idée de concocter ce truc.

Il marcha dans la pièce sans but précis. La musique lui faisait l'effet d'une mèche qui lui perforait le crâne. Dans un accès de lucidité, il se demanda ce qu'il fabriquait là, pourquoi il ne partait pas au lieu d'ingurgiter ce liquide vert nauséabond... Pourtant il continua de boire. Les nausées redoublèrent, il se plia en deux. Les personnes qui se tenaient près de lui s'écartèrent, mais il ne vomit pas. Il se redressa lentement et sourit dans le vague.

— McKay!

Il se retourna. Le cri était plus fort que la musique. Dan se tenait tout près de lui avec Tim et un autre garçon. Ils n'avaient manifestement pas envie de le laisser passer.

— Tiens! s'exclama Ted.

Il voulut lui taper sur l'épaule, mais rata son coup. Sa main décrivit un arc de cercle et atterrit sur un de ses genoux. Il réessaya, mais ne parvint cette fois qu'à effleurer le tee-shirt de Dan.

— Alors, tu as bien profité de ta soirée?

Ted acquiesça.

— Pourquoi il est si sérieux ? demanda Ted en montrant Tim du doigt.

— McKay…, commença Dan d'une voix pâteuse, le seul indice qui trahissait son ivresse. Eh, regarde-moi quand je te parle, lui ordonna-t-il, Ted ayant les yeux rivés sur le décolleté d'une fille qui dansait non loin de là. Les gars et moi, on va jouer au poker, et toi, tu viens aussi.

Ted sembla trouver cette idée terriblement drôle, comme si l'autre venait de lui raconter une bonne blague.

— Au poker, tu m'entends ? Tu me dois cette partie. On monte.

Dan le saisit par un bras, Tim par l'autre. Ils le soulevèrent du sol et l'entraînèrent dans l'escalier. Ted ne trouvait pas leur attitude hostile, bien au contraire.

— Merci, les gars, mais je crois que je peux y aller tout seul.

En réalité, il était incapable de faire un pas de plus. Deux étudiants les ayant rejoints, ils furent six à monter en comptant Ted, qui se demanda combien de personnes l'attendaient à l'étage.

— On dirait un petit train ! s'écria Ted, qui fut le seul à rire de son bon mot.

Dan et ses compagnons le regardaient comme s'il venait d'être sauvé des flammes par une équipe de pompiers. Ted se sentait de plus en plus perdu.

Il y avait autant de monde au premier étage qu'au rez-de-chaussée, mais le calme du deuxième offrait un contraste saisissant. La musique se réduisait à un gémissement guttural étouffé. Tim introduisit une clé dans une serrure et Dan poussa Ted à l'intérieur. Leurs trois compagnons entrèrent après eux.

Il n'y avait aucune table pour jouer au poker.

Ted reçut un coup de poing violent dans les côtes et s'effondra par terre. Les autres le rouèrent ensuite de coups de pied.

CHAPITRE 8

1994

Un membre charitable de la fraternité le ramena au Bloc en voiture. Ted se rappelait vaguement qu'il était sorti de la maison et qu'on l'avait poussé dans un petit véhicule rouge. Il avait en revanche tout oublié du trajet. Comme par enchantement, il se réveilla dans son lit, tout habillé, le corps endolori.

De son côté, Justin avait décidé de quitter la soirée quand l'éventualité qu'il vomisse sur Tessa était devenue une certitude. Elle lui fit promettre qu'ils se reverraient très vite – promesse qu'il s'empressa de tenir –, dans un élan de sincérité alcoolisée il lui jura même n'avoir jamais été aussi bien avec une femme, ce qui était vrai. Avant de partir, il chercha Ted partout, ignorant qu'à cet instant son ami se faisait tabasser par cinq membres de la prestigieuse ΦΣΚ. Il songea que Ted était déjà rentré et regagna le Bloc à pied. Il rendit ce qu'il avait dans l'estomac en chemin et, en arrivant, découvrit que son compagnon de chambre n'était pas là, mais ne s'en inquiéta pas outre mesure.

Quand il se réveilla et vit Ted allongé sur le lit voisin, il s'alarma. Dans un premier temps, il le crut mort. Son visage ressemblait à une griotte gonflée et il était couvert de sang. Il ne fut rassuré qu'après avoir vérifié qu'il respirait.

Ted refusa d'aller à l'infirmerie. Il resta trois jours enfermé dans la chambre sans pratiquement quitter le lit puis, quand son visage eut désenflé, il put de nouveau se rendre en cours et au travail avec des lunettes noires. Sa légère claudication disparut peu à peu. Hormis Justin (et les cinq lâches qui l'avaient frappé), nul ne sut jamais ce qui était arrivé cette nuit-là au deuxième étage de ΦΣK.

CHAPITRE 9

1994

La raclée qu'on lui avait administrée marqua le début d'une série d'événements malheureux ; certains en dérivaient, d'autres non. Après sa mésaventure, Ted se montra moins communicatif, voire apathique, et son brio dans la salle de jeux – où le charisme et le bluff étaient essentiels – s'en ressentit. Sa relation avec Georgia se dégrada. Petit à petit, il s'éloigna d'elle sans que ni lui ni elle fassent quoi que ce soit pour l'éviter. Justin eut la sagesse de ne pas l'assaillir de questions. Il commençait à bien le connaître et savait quand il ne fallait pas le déranger avec des interrogatoires inutiles.

Le pire survint cinq jours après le passage à tabac, quand il reçut sur le campus un appel de sa tante, Audrey, la sœur de son père et le seul membre de la famille avec lequel il entretenait encore des relations sporadiques, alors qu'elle n'appelait jamais à l'université. En entendant sa voix monocorde au bout du fil, il songea qu'il était arrivé quelque chose à son père et ne put contenir sa joie. Il ne l'avait pas vu depuis cinq ans et aurait pu continuer ainsi toute sa vie. Frank McKay n'était pas mort, il n'avait eu aucun accident grave, mais voulait simplement parler à son fils et s'était adressé à Audrey. Il gagnait bien sa vie en vendant des moissonneuses, métier qu'il avait exercé ces dix dernières années, et voilà qu'il revenait à la charge avec son désir pathétique de renouer avec son fils.

Pour une étrange raison, Ted l'appela.

Son père lui annonça qu'il allait assister à un congrès à Amherst et comptait lui rendre visite sur le campus. Ted s'y opposa de manière virulente et lui dit qu'il le retrouverait à son hôtel. L'idée qu'il vienne à l'université le révulsait. Il irait le voir et réduirait à néant ses lamentables aspirations à être un bon père.

Il se gara devant le modeste motel Lonely Pine sans prendre la peine de s'adresser à la réception. À travers les rideaux de la chambre 108, il avait reconnu la démarche de son père qui faisait les cent pas dans la pièce en portant ce qui ressemblait à des paquets. Posté derrière la fenêtre, il l'observa en percevant dans le chant des oiseaux comme un prélude à l'erreur qu'il était sur le point de commettre. La porte s'ouvrit brusquement.

— Ted, mon fils ! Je suis content que tu sois là.

— Salut.

Il avait plus de cheveux blancs que la dernière fois, mais faisait tout de même dix ans de moins que son âge, car malgré ses traits marqués, il n'avait pas pris un gramme et avait conservé son bronzage de vendeur de porte-à-porte. Ted se désintéressa de sa plastique pour étudier ses yeux. Depuis l'adolescence, il savait que quoi que fasse ou dise son père, seules ses deux pupilles d'un bleu intense disaient la vérité. Ce jour-là, le message qu'il adressa à Ted paraissait limpide : *Je suis plus malin que toi*, semblait-il dire.

Frank s'approcha de lui dans l'intention très claire de l'embrasser. Ted l'arrêta en levant une main et recula.

— Papa, je t'en prie…

Frank lui montra ses paumes en signe de capitulation et hocha la tête en silence.

— Entre, dit-il.

Ted espérait que sa visite serait brève.

La chambre était exiguë. Quand il l'avait épié derrière la fenêtre, son père défaisait sa valise, qui trônait au milieu du lit, presque vide. Sous le téléviseur fixé au mur étaient disposées une petite table et deux chaises. Frank s'assit et invita Ted à l'imiter.

— Allons, Ted, il faut qu'on parle.

Sur ce point au moins, il ne mentait pas.

— Je ne veux pas que tu viennes sur le campus, déclara Ted, les yeux rivés sur un horrible tableau accroché au mur. Jamais.

— Si c'est ce que tu souhaites, pas de problème, souffla Frank au bout d'un moment.

— Très bien.

Un silence gêné s'installa entre eux. Ted n'avait pas envie de lui demander de quoi il comptait lui parler et attendait qu'il prenne l'initiative. Il enrageait à l'idée que chaque mot qui sortirait de sa bouche serait une mise à l'épreuve. Ce fut le cas.

— Qu'est-ce qui t'est arrivé au visage ? Une bagarre entre étudiants ?

D'instinct, Ted porta une main à sa joue. De la malheureuse soirée à la fraternité, il ne restait qu'un hématome très atténué sur sa pommette gauche. Il ne s'en souvenait plus trop, mais ne pensait pas avoir parlé de son passage à tabac à sa tante.

— Pas du tout, répondit-il d'un ton sec.

— Audrey m'a dit que tu avais d'excellentes notes, elle m'a aussi montré une photo de Georgia, ta petite amie…

Il laissa sa phrase en suspens, guettant la réaction de Ted.

— Je suis ton père… il est normal que je veuille…

— Si tu continues à interroger Audrey pour avoir des renseignements sur moi, tu finiras par ne plus t'adresser qu'à elle, c'est tout ce que tu gagneras.

— Qu'est-ce qui s'est passé entre nous, Ted ? demanda Frank en soupirant, résigné.

Il se pencha, tendit une main vers son fils, mais s'arrêta à mi-chemin.

— On formait une bonne équipe, tu te souviens ?

Ted se retint de ne pas lui rire au nez.

— Tu te souviens quand je te conduisais aux championnats…

— Ça suffit. Je n'ai aucune envie de discuter du passé avec toi. Je sais très bien comment les choses se sont déroulées et ce que tu as fait. Je ne parle pas de tromper maman avec cette femme parce que même si ça l'a détruite, je crois qu'en définitive, tu nous as plutôt rendu service.

— Moi, je crois au contraire que nous devons parler du passé, sans quoi nous ne pourrons pas reconstruire le présent.

— Génial. Tu as lu cette petite phrase sur un sachet de sucre ? Il n'y a pas de présent à reconstruire. On se voit aujourd'hui pour qu'il soit bien clair qu'ensuite, les ponts seront définitivement coupés. Tu as compris ?

Frank baissa les yeux.

— Oublie un peu le passé, dit-il sans relever la tête. Tu es un adulte, je n'ai pas de conseils à te donner, mais je sais ce que je dis.

— Tu es têtu, pas vrai ? Il n'est pas question de te pardonner. Tu voudrais que je te pardonne quoi ? De m'avoir frappé ou d'avoir cogné maman ? Qu'est-ce que tu aimerais qu'on te pardonne si on te donnait le choix ?

— Ne parle pas comme ça !

— Il faut appeler les choses par leur nom, désolé. Il n'est donc pas question de pardon. Seulement, je ne souhaite pas voir le sale type qui tabassait ma mère parce qu'elle avait renversé du sel dans la cuisine ou mis ses chaussures au frigo. Elle était malade et ne savait plus ce qu'elle faisait.

— Il n'y avait pas que ça et tu le sais, murmura Frank en regardant son fils, une lueur de supplique et de rage au fond des yeux.

— Non, en effet. Elle était malade !

Frank serra les dents et commença à se ronger les ongles.

— Je t'ai demandé pardon pour ça, je ne peux rien te proposer de plus. Elle était malade et… je n'ai pas su m'occuper d'elle. J'ai mal agi, c'est sûr. C'est comme ça, c'est l'éducation qu'on m'a donnée, je ne savais pas faire autrement.

Ted hocha la tête. Son père se débrouillait toujours pour jouer les victimes.

— Papa, je me fiche de savoir pourquoi c'est arrivé. Je me fiche de te comprendre. C'est moi qui ai vécu avec maman pendant toutes ces années, moi qui ai vu son état s'aggraver de jour en jour alors que tu nous avais abandonnés. Tant mieux pour toi si tu penses que t'éloigner d'elle l'a soulagée. Mais tu te trompes. Et si tu préfères croire que les coups et brimades ont été bénéfiques à sa maladie, libre à toi, mais sache que c'était tout le contraire. Tu es responsable de ça.

— Tu as probablement raison, susurra Frank en avalant sa salive. Mais avec toi…, reprit-il, les yeux pleins d'espoir, avec toi j'ai essayé…

— J'avais sept ans la première fois que tu as levé la main sur elle ! explosa Ted. Je ne t'ai jamais rien dit, mais il faut que tu le saches, enchaîna-t-il en pointant sur lui un doigt accusateur. Je devrais peut-être te parler de tout le bien que tu m'as fait. Quand tu es parti, je ne dormais plus, je faisais des cauchemars et je les fais encore. Tu veux savoir ce que j'y vois ?

— Ted, s'il te plaît, je doute que ce soit utile…

— Tu as tort. Bien sûr que c'est utile !

Frank lui lança le regard impitoyable que Ted avait vu toute son enfance. Car, dans le fond, Frank McKay détestait qu'on le contredise. Il était capable de revêtir un moment le costume de l'agneau pour implorer, mais il n'appréciait pas du tout qu'on lui résiste. C'était lui qui décidait.

— Tu apparais dans tous mes rêves, assis comme tu l'es maintenant, et tu fumes tranquillement une cigarette. Tu me demandes d'aller jusqu'à ta Mustang rouge. Tu te souviens de cette voiture ?

Les traits de Frank s'altérèrent.

— Évidemment que je m'en souviens.

— Je ne veux pas m'approcher du coffre parce que je sais ce que je vais y découvrir, mais tu insistes pour que je voie ce qu'il contient. Je finis par t'obéir, et comme par magie, il s'ouvre avant que je l'aie atteint. Maman a les poignets attachés et le visage défiguré, couvert d'insectes.

— Ted, murmura Frank.

— Dans mes cauchemars, je n'arrive pas à détacher mon regard du cadavre, puis je me réveille et je t'entends rire. Tu prends plaisir à me faire vivre cette situation.

Tout le temps qu'il s'adressa à lui, il le regarda fixement. Vider ainsi son sac l'affligeait. Il ne s'était jamais confié à personne et était loin d'imaginer qu'il parlerait un jour de cette histoire à son père. Il se sentait mieux à présent, non seulement délivré d'un fardeau, mais heureux, car ce père indigne devait être au courant de tout le mal qu'il lui avait fait dans son enfance.

— Parfois, ce n'est pas maman qui est dans le coffre, mais la fille qui me plaît ou des femmes que j'ai croisées par hasard. Recroquevillées à l'arrière de ta voiture, elles reviennent tout à coup à la vie et me serrent le bras, me supplient des yeux comme si elles cherchaient à me dire quelque chose. Après, c'est toujours pareil : tu fumes et tu ris à côté de la Mustang rouge. Ça, ça ne change pas.

Ted se leva brusquement, poussa la chaise du pied et pesta à voix basse.

— Je ne peux plus voir une femme sans penser à ce que tu as fait à maman, reprit-il, les larmes aux yeux. Tu comprends maintenant pourquoi je ne veux plus entendre parler de toi ?

Frank demeura impassible. Il n'avait à l'évidence pas envie de continuer à lutter contre son fils. Il alla chercher sur la table de chevet un livre dans lequel était glissée une photo qu'il posa devant Ted. Toujours debout, celui-ci se pencha pour regarder le portrait d'un garçon d'une douzaine d'années. Il reconnut ses propres traits, mais les yeux bleus n'étaient pas les siens.

— C'est ton frère, déclara Frank d'une voix ferme, dépourvue des accents suppliants qu'elle avait quelques instants auparavant.

Le visage décomposé, Ted observa son père, puis se concentra de nouveau sur le cliché, incapable de prononcer un mot devant l'image de ce beau garçon souriant.

— C'est ton frère, répéta Frank. Il s'appelle Edward. Edward Blaine, car il porte le nom de sa mère. Je me fiche de ce que tu penses de moi… mais lui, tu devrais le rencontrer. C'est la raison pour laquelle je voulais te voir aujourd'hui.

Ted n'était pas allé trouver son demi-frère, mais des années plus tard, il reconnut Edward Blaine dans les journaux télévisés quand celui-ci fut accusé d'avoir assassiné sa petite amie, Amanda Herdman.

CHAPITRE 10

ÉPOQUE ACTUELLE

Ted s'immobilisa face au sentier, comme s'il s'apprêtait à se battre en duel. Laura et Lee attendirent derrière lui.

— J'ai souvent pris ce chemin, déclara-t-il à voix basse.

Lee s'éloigna de quelques mètres. Même si le docteur Hill lui avait garanti que Ted n'était pas dangereux, il savait qu'il avait mis un homme dans le coma. Peu lui importait qu'il ait agi ainsi dans un état second. Ce qui était survenu une fois pouvait se reproduire. McKay était sous sa responsabilité tant qu'il serait hors de l'hôpital. Il ne lui faisait pas confiance. S'il tentait d'agresser le docteur Hill, il pourrait le rejoindre en deux ou trois foulées et faire usage de son Taser. S'il tentait de s'échapper, ce serait encore plus simple : il n'irait pas bien loin avec ses chaînes aux pieds.

Ils avaient parcouru une centaine de mètres et Ted semblait plongé dans une sorte de rêverie. Il baissait tout à coup la tête et paraissait suivre une trace invisible. Laura lui parla, mais reçut pour toute réponse des monosyllabes qui la dissuadèrent d'entamer le dialogue. À l'évidence, le sentier revêtait une importance cruciale pour Ted et l'aidait à comprendre la raison de son geste. Laura en profita pour regarder s'il y avait du réseau sur son téléphone portable.

À peine un trait.

Par instants, Ted ressemblait aux médiums de certaines séries télévisées. Il s'arrêtait, regardait autour de lui, baissait la tête comme s'il attendait qu'une révélation lui montre la voie.

— Qu'est-ce qu'il y a ?

Il s'était arrêté en mordillant le bout de son pouce, les yeux rivés sur le feuillage des arbres.

— Je me souviens d'une bicyclette, répondit-il, énigmatique.

— Vous veniez ici à vélo ?

— Non, non. Je n'ai même pas de vélo.

Laura cessa de lui poser des questions, mais elle était enthousiaste car le souvenir de cette bicyclette, qu'il soit capital ou insignifiant, était une nouveauté, le premier filtre cognitif qui pouvait être à l'origine de tout.

— De quelle couleur est ce vélo, Ted ?

— Rouge, répondit-il sans réfléchir. Un vélo rouge, ajouta-t-il, comme s'il évaluait l'information, et il répéta plusieurs fois ces mots.

Les yeux rivés au sol, il se mit à marcher en silence. Tous trois se retrouvèrent sur un sentier presque invisible à cet endroit. Ils durent écarter des branches et contourner des arbres morts avant d'atteindre un chemin de terre envahi de broussailles. Là, ils découvrirent les restes d'une bicyclette rouge dissimulée dans l'herbe jaune. Il lui manquait une roue et la rouille ne l'avait pas épargnée, mais çà et là, on distinguait encore la peinture.

— Le vélo abandonné, dit Ted en s'approchant.

Il l'observa longuement.

— Ted, c'est fantastique !

— On dirait..., lâcha-t-il d'un ton morne.

— Tenez bon, lui conseilla Laura en lui touchant l'épaule pour le rassurer.

Lee lui lança un regard désapprobateur, mais n'intervint pas. Il fit quelques pas vers la bicyclette et l'examina en haussant un sourcil.

— Ce vélo est resté là après un accident. Le cadre est endommagé. La roue qui manque est sûrement quelque part.

Ils gardèrent le silence, laissant flotter dans l'air les propos de Lee.

— Vous pouvez nous en dire plus à ce sujet, Ted ?

— Je crains que non… j'ai dû voir ce vélo ici, c'est tout. Au-delà du chemin s'étendait la forêt. (Ted hésita une seconde.) On peut couper à travers bois ou continuer par le sentier et faire un détour, on arrivera au même endroit, déclara-t-il soudain, comme un automate.

Des filtres.

— On arrivera où, Ted ? demanda Laura d'une voix tremblante.

— À la vérité.

Il s'éloigna dans le chemin poussiéreux, la démarche traînante à cause de ses chaînes, les mains croisées sur le bas-ventre. Laura et Lee ne voyaient pas son visage et c'était tant mieux, car sous le coup d'une révélation, ses traits s'étaient peu à peu assombris.

Ils parcoururent environ deux kilomètres avant d'atteindre le lieu qu'il avait évoqué.

CHAPITRE 11

ÉPOQUE ACTUELLE

Marcus ne se rappelait pas avoir été aussi heureux de sa vie. Il se sentait capable d'accomplir des miracles.

En allant chercher son journal, il resta un moment devant la porte, la main sur la poignée, un sourire niais aux lèvres, en songeant que, quelques heures plus tard, quand il actionnerait de nouveau cette poignée, Laura serait sur le seuil.

N'oublie pas ce que tu auras à faire quand tu m'ouvriras...

Il avait parlé à Bob, son ami policier, qui lui avait promis de consulter les dossiers de meurtres commis en 1993.

Il passa la matinée à faire des courses, alla au marché, où il acheta les ingrédients nécessaires à sa sauce. Marcus n'était pas un cordon-bleu, son régime se composant pour l'essentiel de plats réchauffés au micro-ondes, de pizzas et de nourriture chinoise, mais il avait appris à mitonner quelques spécialités et s'en tirait plutôt bien. Ses pâtes aux champignons et aux oignons étaient par exemple délicieuses. Un peu plus tôt, il avait dépensé une petite fortune en vêtements au centre commercial. Après avoir différé ces achats pendant des semaines, il avait estimé que c'était le moment idéal.

Il rentra chez lui sur le coup de midi, chargé d'une dizaine de sacs. Il avait tout ce qu'il fallait. En fermant la porte, il éprouva de nouveau une sorte de vertige. Il sourit en songeant qu'il avait quelques heures à tuer avant de se mettre aux fourneaux et décida de regarder un film dans sa petite salle de projection privée. Il se contenta de mettre un sachet de pop-corn dans le micro-ondes. Le premier grain de maïs n'avait pas encore éclaté qu'on sonna avec insistance à la porte.

Par la fenêtre, il aperçut Bob sur le perron, des lunettes noires sur le nez, un dossier dans la main droite. Pourquoi ne l'avait-il pas appelé pour le prévenir de son arrivée ?

Marcus lui ouvrit en songeant aux pieds de nez du destin : il était censé trouver la femme de sa vie derrière la porte, non un flic portant le nom d'un acteur célèbre.

— Bob, quelle surprise ! s'écria-t-il. Tu as consulté les archives ?

— Oui, répondit son ami, manifestement préoccupé.

— Entre.

Ils gagnèrent le salon dans un feu d'artifice de pop-corn.

— Tu savais que McKay était le demi-frère d'Edward Blaine, le type accusé d'avoir assassiné sa petite amie ? lui demanda Bob alors qu'ils s'apprêtaient à s'asseoir.

Marcus se figea.

— Non, je n'étais pas au courant.

— Nés du même père, mais de mères différentes, déclara Bob en s'installant. Cela dit, je ne suis pas venu pour ça. J'aurais pu te transmettre cette information au téléphone…

Marcus s'assit.

CHAPITRE 12

1994

Le campus s'éveilla, ébranlé par la nouvelle de l'assassinat. La victime – un étudiant, crut-on dans un premier temps – avait été retrouvée à proximité de la bibliothèque. Les cours et les activités furent suspendus et la direction de l'université demanda aux étudiants de ne quitter leur chambre qu'en cas de nécessité. Plusieurs chaînes de télévision confirmèrent le drame. Tous les postes du Bloc étaient allumés, mais les informations circulaient plus vite sur le campus que par le biais des médias. Alors que les journalistes affirmaient que le mort était un étudiant dont on ne connaissait pas l'identité, les étudiants, eux, savaient déjà qu'il s'agissait en réalité de Thomas Tyler, le prestigieux professeur de littérature anglo-saxonne qui enseignait depuis dix ans à UMass. L'identification avait tardé, car au moment de sa mort, Tyler portait inexplicablement une veste et une casquette de l'université par-dessus sa tenue habituelle, ce qui avait induit en erreur les deux jeunes filles qui avaient découvert son corps le vendredi matin.

À l'intérieur du Bloc, on partait à la chasse aux informations. Marman, de son vrai nom Mark Manganiello, un étudiant logé comme Ted et Justin dans une chambre du cinquième étage, s'avéra être une source essentielle et fiable de renseignements. Sa petite amie vivait près de la chambre occupée par Jules Loughlin, une des deux filles qui avaient découvert le corps. D'après Marman, le cadavre du professeur était étendu à plat ventre, raison pour laquelle elles ne l'avaient pas reconnu. Elles avaient cru au départ qu'un étudiant s'était endormi à cet endroit après une soirée bien arrosée, mais lorsqu'elles s'étaient approchées, elles avaient remarqué une flaque de sang. On l'avait égorgé. Durant les premières heures de consternation, le bruit courut qu'on avait assassiné Tyler pour lui voler un précieux briquet en or qu'il avait toujours sur lui.

Quand l'identité de la victime fut enfin révélée, les chaînes de télévision s'intéressèrent au mystère qui éveillait la curiosité de tous. Pourquoi le professeur portait-il une veste de l'université ? Thomas Tyler avait cinquante et un ans, une femme et deux filles adolescentes. Des envoyés spéciaux se postèrent devant chez lui, guettant l'apparition des membres de la famille.

Le crime d'UMass mobilisa l'attention du pays tout entier. Qu'il ait endossé une veste d'étudiant était étrange, mais une rumeur circulait dans les couloirs du campus, rumeur dont la police était sans doute déjà informée. Et si c'était le cas, tout portait à croire que les journalistes étaient eux aussi au courant. Apparemment, Tyler avait une liaison avec une étudiante, soit le genre de détail qui rend une affaire criminelle irrésistible aux yeux du grand public.

Ted revenait du sixième étage, où le poker était devenu pour beaucoup une façon de tuer le temps, quand Justin l'aborda, le visage défait. Ted s'inquiéta et le poussa d'autorité dans la chambre 503 en prenant soin de refermer la porte derrière lui.

— Qu'est-ce qui t'arrive, Justin ? Tu ne peux pas te promener dans le campus en tirant cette tête. Surtout pas aujourd'hui.

— Désolé, désolé, mais je ne supporte plus toute cette tension, Ted, répondit son ami en arpentant la chambre.

— Assieds-toi une minute.

Justin s'assit au bord de son lit.

— Tu n'as rien fait, n'est-ce pas ? lui demanda Ted en le regardant fixement.

— Bien sûr que non !
— Alors inutile de t'inquiéter ou d'avoir l'air paniqué.
— Tu n'as pas parlé à Marman ?
— Non. J'étais au sixième.
— La fille avec laquelle Tyler avait une liaison… c'est Georgia.
Ted haussa un sourcil sans perdre son calme.
— Où as-tu entendu ça ?
— Marman. Je viens de te le dire. Tu ne sembles pas étonné…
Ted s'assit lui aussi sur le lit.
— Je réfléchis. La police viendra certainement m'interroger. Ne t'en fais pas, tout va bien se passer.
— Tu… tu étais au courant ? Pour Georgia…
— Non. Mais ça n'allait pas fort ces derniers temps. Je crois qu'en principe, on a rompu, je n'en sais rien, mais ça n'a aucune importance. La police va vouloir me poser des questions. Il faut agir normalement.
— Euh… Ted… je dois t'avouer quelque chose.
— Je t'écoute.
Justin scrutait la porte close comme s'il redoutait que quelqu'un fasse irruption dans la pièce. Il avala sa salive.
— Je savais pour Georgia et Tyler. Je les ai vus plusieurs fois dans le parc, derrière la bibliothèque. Je ne t'ai rien dit parce que…
— Arrête, Justin. Je comprends que tu ne m'en aies pas parlé. Le problème, c'est la police, qui va se poser des questions.
— Non.
— Tu n'es pas obligé de le dire, reprit Ted sans le quitter des yeux.
— C'est bien ce que je comptais faire, mais beaucoup de gens m'ont vu dans le parc, la nuit. Si je me tais, ce sera pire.
Ted se leva et fit les cent pas dans la chambre.
— Que tu les aies vus complique les choses, c'est sûr, murmura-t-il à part soi.
Il se tut un long moment.

— Où étais-tu, hier ? lança-t-il soudain.
— À la salle commune, j'ai travaillé jusqu'à 22 h 30.
— Tu as donc un alibi.
— Je ne sais pas. Comment peut-on être sûr de l'heure à laquelle il a été tué ?
— Il portait la veste et la casquette de l'université parce qu'il était justement avec... Georgia. Tu les as vus vers quelle heure ?
— Jamais après 20 heures.
— Eh bien, voilà. Georgia le confirmera.
— Mais s'ils se sont retrouvés plus tard et que je n'étais pas présent à ce moment-là ?
— Justin, Georgia ne circule pas toute seule dans le campus après 20 heures, c'est impossible. Le plus probable, c'est qu'ils se soient donné rendez-vous comme les autres fois. Elle est partie, il s'est attardé un peu, a fait un tour dans le parc pour brouiller les pistes avant de remonter dans sa voiture et de s'en aller. C'est ce qui s'est passé. Et c'est à ce moment-là qu'on l'a agressé et tué. Toi, tu étais en train d'étudier dans la salle commune et plusieurs témoins peuvent l'attester. Tu n'as pas quitté la salle ?
— Non.
— Parfait. C'est ce que tu diras à la police si tu es interrogé. Tu allais souvent dans le parc, mais tu ne les as jamais vus. Par conséquent, tu ne m'as jamais parlé d'eux pour la bonne et simple raison que tu n'étais au courant de rien.
Ted avait mis l'accent sur ces dernières paroles en les prononçant très lentement. Il commençait à se détendre un peu.
— Mais... ils n'ont pas de détecteurs de mensonges dans la police ?
— Justin, écoute-moi, dit Ted en le prenant par les épaules. Tu passeras juste sous silence le fait que tu les as vus deux ou trois fois, uniquement pour que l'enquête ne soit pas centrée sur toi et moi, et qu'ils puissent mettre la main sur le véritable assassin. Là, j'envisage le pire des scénarios. Si ça se trouve, la police suspecte sérieusement quelqu'un et tu t'inquiètes inutilement.

— Oui, c'est possible.

— Bien sûr. Dis-toi que tu as un alibi. Ces derniers temps, tu te consacres tellement peu aux études que c'est une sacrée chance que tu te sois trouvé dans la salle commune hier, crois-moi.

Justin esquissa enfin un sourire nerveux.

— Oui. Si j'avais traîné dans le parc au moment du crime, je serais mort de peur à l'heure qu'il est.

— Exact. Tu n'as plus à t'inquiéter. Si quelqu'un a envie de raconter aux flics que tu aimes les promenades nocturnes, tu leur répondras que c'est vrai, mais que tu n'étais pas au courant de la liaison de Georgia et Tyler et que tu ne les as jamais vus ensemble. Quant à ce que tu as fait hier, tu te contenteras de leur décrire ta soirée et basta.

Lorsque Ted présentait les choses de cette manière, tout était simple. Mais l'était-ce vraiment ? Justin n'avait pas tué Tyler et n'avait pas révélé l'idylle de Georgia à son ami.

— Et toi, Ted ? Où étais-tu hier soir ? Au sixième, c'est ça ?

Ted se rembrunit.

— Oui, répondit-il, mais je suis parti à 18 heures.

Un silence pesant s'installa entre eux.

— Et après ?

— Je suis venu travailler ici… donc, je n'ai pas d'alibi solide ! s'exclama-t-il en prenant le parti d'en rire.

CHAPITRE 13

1994

Le lendemain, la police révéla la liaison de Tyler avec Georgia McKenzie et toute l'Amérique fut suspendue à cette affaire. La presse était omniprésente, des hélicoptères survolaient le campus pour prendre des vues aériennes. L'université annonça qu'elle cesserait de fonctionner pendant un délai de trois jours qui s'étendit à cinq. Un professeur marié avec des enfants qui vit une idylle avec une étudiante... l'affaire était trop croustillante pour ne pas attirer les journalistes intrépides et dénués de scrupules, qui laissèrent entendre que Georgia avait pu tuer son amant au cours d'une crise de jalousie. *Éperdument amoureuse de son professeur, elle perd la tête quand il décide de rompre.*

Les regards ne tardèrent pas à se tourner vers Ted.

CHAPITRE 14

1994

Sur le campus, les rumeurs précédèrent les faits. Sitôt l'aventure entre Tyler et Georgia rendue publique, Ted alla trouver son ancienne petite amie dans sa chambre. Elle s'y était réfugiée, en proie à une crise de panique. Il alla droit au but et lui demanda ce qu'elle avait vu cette nuit-là, si toutefois elle avait vu quelque chose. Elle lui apprit que ses parents comptaient engager un avocat et ajouta qu'elle n'avait pas beaucoup de temps devant elle. Ted faillit tomber à la renverse quand elle lui révéla en tremblant que, ce fameux soir, elle avait non seulement vu Tyler, mais avait aussi été témoin de son assassinat. Ted était pétrifié. Dans un récit haché, elle lui raconta qu'ils s'étaient assis sur un des bancs du parc et qu'elle lui avait donné rendez-vous pour lui annoncer leur rupture. Elle jura à Ted qu'elle avait l'intention de le voir pour la dernière fois. Leur conversation n'avait pas été des plus agréables. Ils s'étaient disputés et Tyler lui avait lancé des propos blessants qu'elle refusa de répéter. Elle s'était mise à pleurer, il avait essayé de l'embrasser, mais elle s'était détournée. Au bout d'un moment, elle s'était levée et avait menacé Tyler d'aller trouver sa femme s'il la harcelait. Elle précisa à Ted que, bien entendu, elle ne voulait pas en arriver là. Ensuite, elle était partie, puis, rongée par la culpabilité, elle était revenue sur ses pas, non pour lui demander pardon, mais parce qu'elle avait été injuste envers lui. À quelques mètres du banc, elle avait tout vu : une ombre avait surgi des arbustes et l'avait égorgé à une vitesse étonnante. Tyler s'était effondré sur le côté sans crier. L'assassin – silhouette parmi les ombres – était resté immobile pendant plusieurs secondes et avait fait quelque chose de surprenant : il s'était penché pour prendre un objet sur le corps du professeur. Georgia n'avait pas vu de quoi il s'agissait. Il s'était ensuite évaporé comme un fantôme.

Ted l'écouta en silence. Elle était assise sur le lit, lui sur une chaise. Pas un seul instant il ne s'approcha d'elle pour la consoler. Il estimait ne pas avoir à le faire.

— Tu as vu cet homme ? lui demanda-t-il.

— Quand il s'est baissé, son visage a été éclairé par un lampadaire, mais je ne l'ai pas bien vu.

— Tu vas faire une déclaration à la police ?

— Je n'en sais rien, Ted. J'ai vraiment peur. Hier, en rentrant, je me suis bourrée de somnifères. Je ne suis pas restée sur les lieux parce que j'étais sûre que Tyler était mort, je pensais agir pour le mieux. Tu n'imagines pas le sang qui a jailli de sa gorge et la façon dont il s'est écroulé. C'était...

Elle fut prise de sanglots compulsifs. Fragile et tremblante, elle attendait dans une attitude implorante que Ted lui adresse des mots qu'il se garda de prononcer.

— Le meurtrier avait l'air de parfaitement savoir ce qu'il faisait.

Ted hocha la tête.

— J'ai besoin que tu me pardonnes.

Avant qu'il ait le temps de réagir, la porte de la chambre s'ouvrit sur l'inspecteur chargé de l'enquête, un certain Segarra, accompagné de deux agents de police.

Georgia fit sa déclaration le lendemain, après quoi les policiers vinrent trouver Ted. On ne leur permit pas de se voir. Il répéta mot pour mot ce qu'il avait dit à Justin : le soir du crime, il avait joué au poker au sixième étage, puis il était allé étudier dans sa chambre. On lui posa toutes sortes de questions, non seulement sur ce jour précis mais sur les précédents, changeant les repères temporels dans l'intention manifeste de lui faire perdre pied. Mais à aucun moment il ne se contredit.

La presse eut connaissance de la déclaration de Georgia et sa version des faits devint officielle. Des dizaines de reporters – certains postés en dehors du périmètre de sécurité du parc – racontèrent l'idylle entre l'étudiante et le professeur et révélèrent qu'elle avait été témoin du meurtre. Nombreux furent ceux (y compris Ted) qui pensaient que cette fuite avait été savamment orchestrée par l'inspecteur Segarra. Georgia n'avait pas vu distinctement le meurtrier, mais elle affirmait qu'il ne pouvait s'agir de son petit ami, Ted, qu'elle aurait reconnu malgré la pénombre. Les spéculations allaient bon train et les journalistes échafaudèrent toutes sortes d'hypothèses. D'aucuns doutaient de l'histoire de Georgia et la suspectaient d'être l'auteur du crime. D'autres imaginaient une entente entre elle et Ted ou désignaient la femme de Tyler comme la meurtrière.

La situation de Ted se compliqua lorsque les avocats de Georgia suggérèrent à cette dernière d'apporter des précisions à ses déclarations. Elle était en quelque sorte impliquée, avait un mobile et, en plus, elle avait quitté la scène de crime. Qu'elle l'ait signalé dans sa déposition jouait en sa faveur, mais cela suffisait-il à l'innocenter ? Deux de ses amies connaissaient sa liaison avec Tyler et quelqu'un les ayant peut-être vus, sa franchise pouvait passer pour une manœuvre destinée à prouver sa bonne foi alors qu'elle était coupable. Au fil des heures, les regards se tournèrent vers elle. Ses avocats lui conseillèrent de rectifier sa déclaration et de dire que toute la lumière n'avait pas été suffisamment faite pour mettre Ted hors de cause. Ses défenseurs estimaient que McKay lui avait rendu visite dans sa chambre le lendemain du meurtre (Segarra était du reste tombé sur lui) pour l'intimider, et si Georgia le croyait innocent, elle était incapable de décrire précisément le meurtrier ni même de dire s'il s'agissait d'un homme ou d'une femme.

CHAPITRE 15

ÉPOQUE ACTUELLE

Laura, Ted et Lee arrivèrent devant un mur de trois mètres de haut dont ils ne parvenaient pas à déterminer la couleur originale, sauf dans la partie supérieure couverte d'un enduit gris. En bas, la peinture écaillée laissait voir d'anciennes briques ocre et des tags à certains endroits. Une double rangée de barbelés surmontait le mur pour protéger les lieux des intrus. Au milieu, un immense cadenas maintenait le portail fermé.

— C'est l'usine de machines à écrire abandonnée, lança Laura.

— C'est ça, lui confirma Ted en posant les mains sur le mur, comme pour percevoir des vibrations qui lui parvinrent peut-être. Je l'ai achetée il y a plus de dix ans.

— Au cours d'une de nos séances, vous disiez que c'était Wendell qui en avait fait l'acquisition, lui renvoya Laura en guettant sa réaction.

Ted eut l'air étonné. Visiblement, il ne comprenait pas de qui elle parlait.

— Je l'ai achetée par l'intermédiaire de ma société, précisa-t-il en longeant le mur sans cesser de le palper. Les clés sont ici, précisa-t-il en désignant des briques à la base du mur, derrière de hautes herbes et un étrange arbuste épineux.

Lee s'empressa d'aller voir et demanda à Ted de s'éloigner. Il se baissa avec difficulté et passa un bras entre les branches, tira sur une des briques à deux mains et découvrit un trousseau de clés dans la cavité.

— Il faut qu'on entre. J'aimerais y aller seul avec Laura.

— Certainement pas, dit Lee.

— Ted, vous savez bien que c'est impossible, dit-elle à son tour. Vous avez quelque chose de particulier à me dire ? Lee restera légèrement à l'écart, mais il doit nous accompagner. Vous comprenez, n'est-ce pas ?

Ted se massait les tempes, à l'évidence guère convaincu. Laura et Lee patientaient.

— C'est simple, McKay, déclara Lee sans prendre de gants. Soit on y va tous les trois, soit on rebrousse chemin tout de suite. Je ne vous laisse pas le choix.

— Très bien.

Lee gagna le portail.

— C'est la plus grande clé, indiqua-t-il.

Laura rejoignit Ted.

— Merci, Ted, je demanderai à Lee de ne pas être tout le temps derrière nous. Vous avez une idée de ce qu'on va découvrir ? Vous vous souvenez de quelque chose ?

— Non, je ne sais pas, répondit-il après avoir observé un instant le silence.

Il la regardait de manière étrange car, de fait, il ne savait que trop ce qu'ils allaient voir.

Ils s'avancèrent vers un grand parking aussi désolé que le reste. L'herbe et certains arbustes avaient craquelé le béton des allées difficilement praticables. Sur leur droite s'élevait un bâtiment de deux étages aux fenêtres et aux portes condamnées par des planches, à l'exception d'une porte située à un angle de la construction. Ils prirent cette direction.

Pendant qu'ils marchaient dans la forêt, ils n'avaient pas remarqué que le vent du sud avait poussé les nuages. Sans être menaçant, le ciel s'était couvert.

Lee ouvrit un deuxième cadenas grâce au trousseau et utilisa une clé plus petite pour la porte, qui se referma derrière eux en produisant un léger déclic. Ils découvrirent une petite pièce entièrement vide et délabrée. Bien entendu, il ne s'agissait pas de l'entrée principale. Par une porte latérale, Ted les guida jusqu'à un couloir qui menait à des bureaux. Lee avait allumé une lampe torche car la lumière du jour qui filtrait à travers les planches était insuffisante. Ils distinguèrent des tables de travail et des meubles de classement. À mi-chemin, Ted s'arrêta devant une porte qu'il observa d'un air étrange, comme s'il l'avait oubliée ou, au contraire, comme si elle lui évoquait quelque chose de particulier. Puis il s'approcha de deux autres battants qui s'ouvrirent sur un immense espace abritant les ateliers et les chaînes de montage. La salle était très haute, et malgré la poussière, les vitres du toit laissaient passer la lumière.

Lee rangea sa lampe de poche afin de pouvoir empoigner son Taser ou son Beretta en cas de besoin. Il n'aimait pas cet endroit sombre où abondaient les recoins dans lesquels se cacher.

La sonnerie du portable de Laura retentit, les faisant sursauter.

— Marcus ?

La réception était mauvaise.

– … jour… gence… hôpital…

Laura s'éloigna et fit signe à Lee de lui remettre le trousseau de clés. Le vigile s'exécuta.

— Marcus, je n'entends rien. Il y a une urgence au Lavender ?

— Écoute… éloigne…

C'était incompréhensible. Laura parcourut le chemin qu'ils avaient fait en sens inverse, introduisit plusieurs petites clés dans les serrures avant de trouver les bonnes, et rappela Marcus.

— Tu m'entends là ?

— Oui. Et toi ?

— Parfaitement. Je suis sortie du bâtiment.

— Quel bâtiment ?

Marcus paraissait alarmé.

— Le sentier derrière la maison de Ted conduit à une ancienne usine, la même que…

— Écoute-moi bien, Laura. McKay est avec Lee ?

— Oui.

— Il a toujours ses menottes et ses chaînes aux pieds ? Il est sous surveillance ?

— Oui, pourquoi ?

— Tu es sûre qu'il ne peut pas m'entendre ?

— Oui, Marcus. Tu me fais peur. Qu'est-ce qui se passe ?

— J'ai quelque chose d'important à te dire. Bob Duvall est avec moi. Il y a bien eu un meurtre à UMass en 1994, quand Ted était en première année. La victime s'appelait Thomas Tyler, c'était un professeur. À l'époque, ça a fait beaucoup de bruit. La police a enquêté sur plusieurs étudiants, Ted McKay et Justin Lynch en particulier, sans rien découvrir. L'affaire a été classée sans suite. J'ai le dossier entre les mains, et tu sais quoi ?

Laura n'avait pas envie de jouer aux devinettes, elle accusait le coup. Un professeur assassiné ? Si Marcus l'appelait, c'était forcément parce que…

— Continue, s'il te plaît.

Ses jambes ne la portaient plus, elle s'assit par terre.

CHAPITRE 16

1994

Cinq jours après l'assassinat de Thomas Tyler, tout le monde sur le campus accusait le choc. Les cours avaient repris et le meurtre était sur toutes les lèvres. Les envoyés spéciaux des chaînes de télévision avaient déserté UMass et les hélicoptères ne survolaient plus les lieux, mais les médias n'avaient pas oublié l'affaire. Le triangle amoureux formé par Ted, Georgia et Tyler focalisait désormais l'attention. Des photographies du professeur et de sa famille, de Georgia McKenzie et de Ted (dont celle de l'annuaire de son lycée) parurent dans la presse. Georgia avait suivi les conseils de son médecin et était retournée chez elle. La police avait publié un communiqué pour préciser qu'elle n'était plus soupçonnée, mais personne n'y croyait.

À 6 heures du matin, une voix se fit entendre dans les haut-parleurs du Bloc. Les portes des chambres s'ouvrant, des étudiants encore en pyjama et le visage et les yeux gonflés de sommeil se lancèrent des regards interrogateurs. La personne qui s'adressait à eux n'était autre que le doyen, qui leur donnait dix minutes pour sortir de leurs chambres et descendre au rez-de-chaussée. Il avait une nouvelle importante à leur annoncer.

Il s'agissait pour le moins d'une situation inhabituelle. Quelle annonce pouvait-on faire à 6 heures du matin sans avoir prévenu à l'avance ?

Dans la chambre 503, Ted se réveilla le premier. Justin ayant le sommeil particulièrement lourd, il lui fallut deux longues minutes pour récupérer un semblant d'activité cérébrale. Il paniqua en pensant qu'on les convoquait pour l'affaire Tyler.

— Ne tire pas de conclusions hâtives, Justin, s'il te plaît, et descendons.

Dans le couloir, ils croisèrent des étudiants à demi endormis.

Au rez-de-chaussée, les doutes qui planaient au sujet de cette réunion furent rapidement dissipés. Un groupe de dix policiers monta dans les chambres alors que certains étudiants étaient encore dans l'escalier. On ne pouvait plus faire un pas dans la salle commune. Le doyen et l'inspecteur Segarra, que tout le monde reconnut parce qu'il avait fait quelques apparitions à la télévision, s'étaient postés de chaque côté de la porte. D'autres policiers les accompagnaient et deux hommes escortaient le doyen.

— C'est quoi, ce cirque? s'écria Justin.

— Sans doute une opération de routine, répondit Ted d'un ton indifférent.

— Bonjour à tous, commença le doyen. Je serai bref. Comme vous l'imaginez, nous comptons sur votre collaboration dans l'enquête menée par la police du Massachusetts. Pendant que l'inspecteur Segarra et ses hommes inspecteront l'immeuble, vous devrez rester à notre disposition.

Une vague de murmures et de protestations s'éleva. Segarra prit la parole:

— Si l'un de vous a besoin de quelque chose d'indispensable au cours des prochaines heures, qu'il lève la main et un officier de police l'accompagnera. Par « indispensable », j'entends essentiellement des médicaments, précisa-t-il après avoir marqué une pause.

— La police a le droit de faire ça? demanda un étudiant.

— Les avocats de l'université sont ici pour que tout se déroule en conformité avec la loi, expliqua le doyen.

Personne ne leva la main et aucune autre réclamation ne fut formulée. Segarra et ses hommes disparurent dans les étages. Seuls deux agents restèrent au rez-de-chaussée afin de monter la garde devant la porte.

Que se passait-il ?

Le Bloc était la première résidence qu'ils fouillaient. C'était peut-être un hasard, mais tous en doutaient. Commencer par ce premier bâtiment n'était pas anodin. À compter de cet instant, les occupants des autres immeubles seraient sur leurs gardes et s'empresseraient de cacher les objets compromettants. Les policiers n'avaient donc, à l'évidence, aucune intention d'inspecter les autres résidences : ils cherchaient quelque chose à l'intérieur du Bloc.

Justin et Ted rejoignirent Marman, Irving Prosser et Joe Stiwell, qui était livide et écarquillait les yeux. Ted se réjouissait que Stiwell soit là : comme il était encore plus effrayé que Justin, les regards ne se concentreraient pas sur ce dernier.

— Vous pensez qu'ils cherchent le briquet en or de Tyler ?

Ted avait oublié ce fichu briquet, sorte de mythe qui trouvait son origine dans le fait que des étudiants affirmaient avoir vu le professeur en sa possession.

— Ce briquet n'existe pas, affirma Irving.

— Alors qu'est-ce qu'ils cherchent ?

Ted se souciait davantage de savoir pourquoi ils cherchaient que ce qu'ils cherchaient. Fouiller un immeuble de six étages dans une université n'est pas facile, même dans le cadre d'une enquête pour meurtre. Le doyen s'était montré coopératif, mais lui et ses avocats avaient certainement imposé de nombreuses restrictions à la police. Un juge avait sans doute autorisé cette opération délicate, organisée pour obtenir quelque chose de concret. Ted se demandait de quoi il s'agissait au juste.

Segarra et ses hommes descendirent une bonne heure plus tard. Ted en compta quinze au total. Il constata que tous étaient des officiers ou de simples agents et qu'il n'y avait aucun membre de la police scientifique. Il en déduisit que si le juge avait délivré un mandat de perquisition, c'était pour mettre la main sur un objet particulier et non pour rechercher des empreintes ou des traces d'ADN. Cela en disait long sur la progression de l'enquête. Il songea aussi qu'en une heure ces quinze hommes n'avaient pas pu passer toutes les chambres au peigne fin.

Lorsqu'il remonta après qu'on eut autorisé les étudiants à regagner leurs pénates, il prit le temps d'observer et constata que la plupart des chambres étaient de véritables capharnaüms. Bien entendu, les policiers n'avaient pas pu les inspecter dans leur totalité. Il comprit très vite que deux ou trois hommes avaient mis certaines chambres sens dessus dessous pendant que les autres membres de l'équipe examinaient par le menu celle qui les intéressait. Ted ne pensait pas se tromper. Car quinze agents étaient incapables de se livrer à un travail minutieux en aussi peu de temps… Pourquoi s'étaient-ils acharnés à semer le désordre ?

Quand il poussa la porte de la chambre 503, ses soupçons furent confirmés. Il y régnait un chaos absolu : les matelas avaient été soulevés, les tiroirs ouverts, du linge traînait partout. Les policiers ne s'étaient pas donné la peine de ranger derrière eux. Mais tout ce bazar pouvait être l'œuvre d'un seul homme. Ted chercha des traces plus subtiles. Il lui suffit de jeter un coup d'œil à sa bibliothèque pour découvrir que là, la fouille avait été minutieuse. Ted avait une bonne mémoire photographique et se rendit compte immédiatement que si ses livres étaient à la bonne place, certains semblaient plus enfoncés dans les rayons que d'autres. Quelqu'un les avait retirés un par un avec soin.

— Tu as remarqué quelque chose de spécial ? demanda Justin dans son dos.

— Rien, répondit Ted en scrutant les livres. Nous allons bientôt avoir des nouvelles de Segarra.

— Que veux-tu dire ?

— Ça. Ni plus ni moins, répondit Ted, très sérieux. Tu dois te contrôler, Justin, et te rappeler ce que je t'ai dit. Cet inspecteur va t'interroger et il voudra peut-être me parler à moi aussi, mais il n'obtiendra rien de nouveau.

Ted savait que Segarra n'avait rien trouvé. En ce moment même, il regrettait probablement d'avoir monté toute cette opération.

CHAPITRE 17

1994

Marman arriva au Bloc porteur de la nouvelle. Au cours des journées qui venaient de s'écouler, il avait passé le plus clair de son temps à se promener sur le campus, en quête de renseignements. Il semblait ravi de jouer les messagers. Il colportait non seulement les rumeurs les plus invraisemblables, mais suivait les événements de très près, si bien que tout étudiant désireux d'être informé s'empressait de le consulter.

— J'ai de précieux renseignements à vous fournir, et ce n'est pas une rumeur, les gars, déclara-t-il dans le couloir du cinquième étage.

Irving Prosser et Justin l'écoutaient avec attention.

— Allons ailleurs, proposa Ted, le quatrième larron du petit groupe.

Marman n'en avait visiblement pas envie : dans le couloir, il aurait davantage d'auditeurs.

— Allons, Marman, insista Ted. Si d'autres gens sont intéressés, tu pourras toujours la répéter, ton histoire, pas vrai ?

— Oui, tu as raison.

Ils se rendirent dans la chambre voisine de celle de Ted et de Justin, la 504, et s'installèrent sur les lits.

— J'ai une nouvelle incroyable, qui m'a été confirmée par trois sources différentes, commença Marman, fier de jouer les reporters.

Le père de Fiona Smith… une fille de la même promotion que ma petite amie… l'a entendue de la bouche de son père, un policier qui travaille sur l'affaire. Ensuite, Meredith Malone, la sœur de la secrétaire du doyen, l'a entendu parler au téléphone avec Segarra, et enfin…

— Tu veux bien arrêter de tourner autour du pot, s'il te plaît ? l'interrompit Ted.

— Oui, dépêche-toi, renchérit Irving.

— Eh bien, la police a un témoin à charge, expliqua Marman en laissant sa phrase en suspens afin d'observer la réaction de ses amis.

— Quelqu'un qui aurait donc vu ce qui s'est passé ? demanda Justin.

— Tu ne comprends pas l'expression « témoin à charge » ? lui renvoya Irving, moqueur.

Justin songea que si quelqu'un rôdait dans le parc à ce moment-là, il avait dû le voir et en parler à la police.

— Oui. Quelqu'un a assisté au crime, reprit Marman. Je connais même son nom. Il s'agit d'un certain Wendell.

— Quoi d'autre ? le pressa Irving, qui n'avait pas l'air impressionné.

— Fiona dit que son père parle de Wendell comme s'il allait leur permettre de résoudre l'affaire. Il leur a fourni des renseignements capitaux, révélateurs, et il n'était pas seulement présent au moment du crime, il sait aussi comment remonter jusqu'au meurtrier. Segarra a promis au doyen que le coupable serait sous les verrous en moins d'une semaine.

— Allons bon… Et qui est ce Wendell ? Un étudiant ?

— Un copain qui travaille au bureau des étudiants est justement en train d'enquêter là-dessus. Mais pour l'instant, personne ne connaît cet homme.

— Si ce n'est pas un élève, c'est sûrement un employé des services d'entretien ou de sécurité.

— Il faut qu'on sache qui est ce Wendell, déclara Ted d'une voix posée. Tu peux le vérifier ?

— Si c'est un étudiant, oui, mais je ne crois pas. On serait déjà au courant.

— Je suis d'accord avec toi, dit Justin.

Ted retourna dans sa chambre. Il avait besoin de réfléchir.

CHAPITRE 18

1994

Le meurtre de Thomas Tyler ne fut jamais résolu. Le dossier fut classé aux archives de l'État du Massachusetts avec les quelques éléments qu'il comportait. Il y resta pendant des années. Au sein du Bloc, personne ne sut jamais qui était Wendell ni quels renseignements il avait fournis à la police afin d'élucider cette affaire.

L'assassin de Tyler tua de nouveau et commit non pas un crime, mais plusieurs.

CHAPITRE 19

ÉPOQUE ACTUELLE

Laura était toujours assise par terre, la tête appuyée contre la façade crasseuse du bâtiment. Au-delà du mur, les arbres s'agitaient, les nuages s'étaient assombris et la brise transformée en vent violent. Des feuilles mortes roulaient devant elle et raclaient le sol du parking désert. La voix métallique de Marcus qui sortait du minuscule micro du téléphone portable était la seule chose lui permettant de rester concentrée.

— Laura, tu es là ?

— Oui, mais il n'y a pas beaucoup de réseau. Je tremble, Marcus.

— Calme-toi. Si McKay est menotté et ne se souvient de rien, inutile de s'inquiéter, mais si ce n'est pas le cas, pourquoi vous a-t-il emmenés dans cette usine désaffectée ?

— Je n'en sais rien. De toute manière, il y a quelque chose qui m'échappe. Tu dis que dans le dossier, un témoin important porte le nom de Wendell…

— Oui, mais il n'existe pas. La police l'a inventé et a fait courir le bruit qu'elle avait mis la main sur un témoin à charge. Ç'aurait pu marcher si l'assassin avait été un étudiant craintif qui risquait de commettre des erreurs. Quand j'ai lu ce nom, j'ai tout compris…

— Eh bien, pour moi, ce n'est pas si clair.

— Laura, je t'en supplie, écoute-moi. McKay a tué ce prof parce qu'il sortait avec sa petite amie. Wendell était le seul à pouvoir le démasquer. C'est pour ça qu'il devait le supprimer, comme dans les cycles. Tu y es maintenant ?

— J'essaie de réfléchir.

— Bob et moi, on est en route. Il faut que tu m'envoies la localisation exacte de cet endroit. Bob a contacté le FBI et une équipe ne va pas tarder à nous rejoindre. Je comprends que là où tu es, il t'est difficile de tirer les conclusions qui s'imposent, mais pense à ce que je t'ai dit tout à l'heure. McKay et Blaine sont frères. Blaine a un alibi parfait qui l'innocente du meurtre de sa fiancée, mais… McKay ? Il a très bien pu faire le coup. On ne sait rien de leurs rapports.

Laura n'arrivait pas à se faire à l'idée que Ted et Blaine étaient frères. Comment cette pièce s'encastrait-elle dans le puzzle ?

— Marcus, je vais raccrocher, dit-elle. Ils vont se douter de quelque chose si je traîne trop. Je t'envoie la localisation de l'usine par SMS.

— Parfait. Laura… fais très attention. Si McKay a tué ce prof et la petite amie de son frère, j'imagine qu'il s'est écoulé beaucoup de temps entre les deux assassinats, ce qui amène Bob à en déduire qu'il y en a certainement eu d'autres.

Elle ne répondit pas.

— Je te le dis parce que tu dois me promettre de faire attention.

— C'est promis, Marcus. À tout à l'heure.

Elle raccrocha et resta un moment le téléphone plaqué contre l'oreille. La surprise commençant à produire son effet, elle fut bientôt sous le choc. La peur la gagna peu à peu. L'usine désaffectée lui parut soudain menaçante. Elle connaissait à peine Lee Stillwell, qui ne travaillait pas dans son pavillon, mais elle éprouvait un besoin si violent de se sentir épaulée et protégée qu'elle s'empressa d'aller le rejoindre.

Elle se connecta au GPS sur son mobile et envoya la localisation de l'usine à Marcus.

Il y en a certainement eu d'autres.

En pénétrant dans l'usine, elle récapitula tout ce qu'elle savait. Bouleversée par ce que Marcus venait de lui révéler, elle y voyait plus clair et comprenait les fils invisibles qui avaient guidé Ted. La question essentielle consistait à se demander ce qu'il s'était remémoré jusqu'à présent. Elle traversa la salle encombrée de bureaux et s'arrêta à l'endroit où Ted avait hésité un moment auparavant en observant la porte latérale. Pourquoi était-elle cadenassée ? Sans y réfléchir à deux fois, elle se précipita dans cette direction et essaya plusieurs clés jusqu'à trouver la bonne. Elle découvrit alors un petit bureau en désordre, appuya sans succès sur l'interrupteur. Aidée par la lumière de son portable, elle explora la pièce. Il y avait une table en bois, une chaise abîmée et plusieurs meubles de classement. Malgré la poussière et le délabrement général des lieux, elle sentit que quelqu'un s'était rendu régulièrement à cet endroit. Elle s'approcha du bureau et ouvrit un des tiroirs qui, contrairement à ce qu'elle supposait, n'opposa aucune résistance. Il contenait une pile de chemises cartonnées qu'elle n'osa pas ouvrir. Dans un autre tiroir, sur la gauche, elle découvrit davantage de dossiers. Elle était sûre de savoir ce que c'était.

Elle en sortit un et examina les nombreux feuillets, éclairés par son portable. Elle avait vu juste. Des coupures de presse à propos du meurtre d'une certaine Elizabeth Garth s'étalaient sous ses yeux.

Cette femme avait été égorgée.

Elle ne put s'empêcher de lire deux ou trois articles.

Elle feuilleta les autres dossiers, une dizaine au total, et tous concernaient des femmes assassinées.

Il y en a certainement eu d'autres.

CHAPITRE 20

ÉPOQUE ACTUELLE

Cela faisait à peine cinq minutes que Laura était partie que Lee se sentait déjà mal à l'aise. McKay l'observait en souriant calmement d'un air énigmatique.

— Qu'est-ce que c'est que cet endroit ? lui demanda Lee.

Ted leva la tête, regarda de tous côtés comme s'il cherchait une réponse dans le vide.

— Une sorte de repaire, j'imagine. Un lieu où se mettre en retrait.

Lee ne fut guère surpris. Au Lavender, il avait entendu des histoires bien plus effrayantes que celles d'un homme riche qui aime passer son temps dans une usine désaffectée.

— Ah, et donc, vous vous rappelez…, murmura Lee d'un ton morne. Quand le docteur Hill reviendra, on pourra partir.

— Je crois qu'elle ne reviendra pas.

Lee le regarda bizarrement.

— Je crois qu'elle ne va pas revenir tout de suite, se corrigea Ted. Elle a été appelée pour une urgence.

— Elle n'a pas vraiment donné d'explications avant de partir, murmura Lee.

— Si vous le dites.

Ted s'adossa contre une table en acier sur laquelle traînaient des morceaux de métal rouillé, des pots de peinture et tout un bric-à-brac. Ses mains étaient menottées, mais Lee restait sur ses gardes. Il avait pu prévenir quelqu'un qui, à l'extérieur, était prêt à l'aider à s'échapper. Le docteur Hill avait confiance en lui, mais le vigile trouvait qu'elle ne s'entourait pas assez de précautions.

— Avant d'être interné au Lavender, je comptais me suicider, reprit Ted.

Lee constata que ce brusque changement de sujet s'était accompagné d'une métamorphose dans les traits de Ted.

— Vous êtes malade ?

— Non, répondit Ted, rêveur. Mais j'ai encore envie de me tuer, Lee. C'est même ce que je désire le plus au monde, poursuivit-il, les yeux écarquillés.

Le vigile décela dans ses pupilles un mélange de folie et de supplique. Sur le qui-vive, il porta la main à son arme, mais se garda de dégainer. Ted souriait, immobile.

— Ne vous inquiétez pas, Lee. J'aimerais vous proposer quelque chose.

— Quoi ?

— Quand le docteur Hill reviendra, je vais tenter de m'enfuir. Vous menacerez de me tirer dessus si je ne m'arrête pas, et je vous désobéirai. *Pan, pan*. Le tour sera joué.

— Je n'ai pas l'intention de vous tuer, McKay. Si vous faites le mariole, vous finirez au pire avec une balle dans la jambe.

— Allez, Lee, soyez gentil, vous voulez ? Le docteur Hill sera témoin. Personne ne pourra prouver que vous m'avez visé à la tête et non à la jambe. Je suis capable de courir vite… les chaînes que j'ai aux pieds sont assez longues pour me le permettre. Ce ne sera pas si facile de me tirer dans les jambes.

— Je ne vous tuerai pas, répéta Lee. Tout ce que je veux, c'est retourner au Lavender avant 15 heures et passer le reste de l'après-midi avec ma femme.

— Puisque vous parlez de votre femme… elle s'appelle bien Martha, n'est-ce pas ? Imaginez que vous puissiez lui offrir sa cabane au bord du lac. Ce ne serait pas magnifique ?

Lee fronça les sourcils sans rien dire.

— Imaginez, Lee, que vous puissiez en plus acheter un 4 x 4 pour vous rendre dans votre maison au milieu de nulle part avec Martha. Imaginez que vous puissiez avoir assez de provisions pour passer quelques jours en sa compagnie. Imaginez qu'à la retraite, vous puissiez partir avec elle deux ou trois mois en Europe. Vous connaissez l'Europe ? Imaginez que vous n'ayez plus à vous soucier de faire des économies…

— Ça va, John Lennon. Où voulez-vous en venir ?

— Au fait que vos rêves pourraient se réaliser ici même.

— Ah bon ?

— Il y a un sous-sol immense dans cette usine. J'y ai caché un million de dollars en petites coupures. Cet argent est à vous.

Lee esquissa un sourire.

— Un million de dollars caché au sous-sol ?

— Lee. Vous venez de voir ma maison de campagne. J'en suis le propriétaire et je possède aussi d'autres biens. Vous doutez que je puisse avoir caché cet argent en cas d'ennui ?

— Oh, pas le moins du monde. En revanche, je ne suis pas sûr que vous l'ayez dissimulé au sous-sol.

— À votre avis, pourquoi est-ce que nous sommes ici ?

Lee étudia Ted un instant, puis regarda vers la porte pour s'assurer qu'ils étaient seuls. Il n'avait aucune envie que le docteur Hill entende cette conversation.

— Je croyais que vous aviez tout oublié…

— C'est le cas… mais certaines choses me reviennent. Vous savez, Lee, le million est ici, il suffit qu'on descende une minute pour que je vous le prouve. C'est aussi simple que ça. Est-il vraiment important de savoir pourquoi il est là et d'où il vient ?

Ted remarqua qu'il hésitait.

— Nous sortirions tous gagnants de cette histoire. Je ne vous demande pas de tuer quelqu'un d'autre que moi. Me mettre une balle dans la tête est le meilleur service que vous puissiez me rendre.

— Si vous essayez de vous enfuir, je ne vous tuerai pas…

Ted comprit aussitôt ce qu'il voulait dire.

— Eh bien, procédons autrement. Je pourrais par exemple menacer le docteur Hill… la prendre par le cou. Vous m'ordonneriez de la lâcher, je m'éloignerais un peu et chercherais un objet pointu pour le lui planter dans le corps. Un objet qui serait sur cette table…

— Je ne vous ai pas dit que j'acceptais.

— Oui, oui. Tout ça n'est que suppositions. Vous tirez sur moi devant Laura, réaction de défense parfaitement légitime. Oh, vous devrez certainement relater les faits à la police, et ensuite, vous reviendrez chercher l'argent.

— Où est-il ? Je veux le voir.

Ted sourit.

— Voici la porte de la cave. La clé n'est pas sur le trousseau, mais cachée dans une cavité, là-bas.

Ted lui montra une imposante porte métallique qui paraissait blindée. Lee prit la clé à l'endroit indiqué.

— Si le docteur Hill revient, je lui dirai que j'ai entendu du bruit au sous-sol. Ne faites pas de bêtises.

Avant d'introduire la clé dans la serrure, Lee se retourna.

— Attendez. Je vous dirai si j'accepte ou non quand j'aurai vu l'argent, mais je dois savoir ce que vous avez fait.

— Ça, il vaudrait mieux que je l'emporte dans ma tombe.

— L'argent…

— Simple précaution. Il est à moi, si ça peut vous rassurer.

— Allons-y.

Ils descendirent un escalier étroit et s'arrêtèrent sur un palier où se trouvait un tableau électrique.

— Il permet d'allumer dans les étages, expliqua Ted.

Lee lui lança un regard incrédule et actionna le disjoncteur après un temps d'hésitation. Les lumières s'allumèrent. Ils continuèrent de descendre. Ted marchait devant et veillait à poser ses pieds sur les marches avec précaution pour ne pas trébucher à cause des chaînes. Lee le suivait à une distance raisonnable.

Au sous-sol, c'était la pagaille : de vieilles machines, de grandes caisses en bois, des meubles de classement traînaient un peu partout. Ce qui n'avait pas été évacué semblait avoir échoué dans ce monde souterrain laissé à l'abandon. Lee songea que s'il y avait des endroits où se retrancher à l'étage, ce labyrinthe envahi de ferraille et d'objets d'un autre âge regorgeait d'encore plus de cachettes. Les soupiraux avaient été murés et la lumière électrique n'était pas assez forte. De longues ombres donnaient l'impression de surgir de chaque recoin.

Ted se déplaçait avec aisance dans ce dédale. Lee le suivit en silence, songeant qu'il était impossible de raisonner cet homme qui voulait qu'on le tue.

Ou peut-être pas ?

Ils entendirent à deux ou trois reprises le bruit reconnaissable entre mille de rongeurs qui se déplaçaient. Lee avait une profonde aversion pour les rats, mais se garda de le dire. Ils s'arrêtèrent devant de hautes étagères chargées de machines à écrire très anciennes et couvertes de poussière. À côté trônait un vieux canapé en velours vert qui avait connu des jours meilleurs. Ted le poussa. Resté en retrait, Lee l'observait quand il vit du coin de l'œil un rat traverser la salle à toute vitesse. Il songea qu'il aurait au moins une bonne excuse à présenter au docteur Hill, car on entendait vraiment des bruits étranges dans cet endroit.

Sous le canapé, il découvrit une trappe dépourvue de poignée. Ted lui dit qu'il avait besoin d'un objet pointu pour la soulever.

— Pas question que je vous donne ça, répondit-il en se retenant de lui rire au nez. Éloignez-vous, ne bougez pas.

Il se servit d'une des clés du trousseau, conscient qu'il était gagné par une excitation singulière. Et s'il parvenait réellement à s'approprier ce million de dollars ? Il commença à échafauder un plan. Il n'aurait pas besoin de tirer sur McKay. Dès que le docteur Hill reviendrait, il exigerait qu'ils partent au plus vite. Elle ne pourrait pas le lui refuser car il était responsable de la sécurité du patient. Quant à McKay, il n'ouvrirait pas la bouche parce que

Lee en savait trop. Un sourire se dessina sur ses lèvres. Il n'aurait qu'à aller chercher l'argent plus tard.

Si toutefois il y en avait.

La petite cavité abritait une grande boîte en métal. Lee actionna les deux fermoirs de ses pouces. Le couvercle se souleva avec un léger grincement. Lee découvrit des billets de cent dollars enveloppés dans des sachets en plastique transparent et empilés avec soin. Il n'avait jamais vu une telle somme. Il pourrait offrir un voyage à Martha, songea-t-il, ému. McKay avait sans doute des pouvoirs télépathiques, car il lui avait suggéré de partir en Europe. Martha avait toujours regretté de n'être jamais allée à l'étranger. Elle n'avait pas été plus loin qu'en Caroline du Nord, pour rendre visite à sa sœur. À l'avenir, elle pourrait…

À cet instant, une forme grise aux dents impressionnantes rampa sur le sol et se précipita sur la boîte métallique. Ses yeux brillèrent dans la pénombre quand la lumière s'y refléta. Accroupi par terre, Lee recula et perdit l'équilibre. L'animal s'approcha de la trappe. Ce fut la dernière chose que vit le vigile avant que Ted, d'un mouvement brusque, le plonge dans l'ombre.

Il poussa un cri étouffé lorsque les étagères couvertes de machines à écrire lui tombèrent dessus.

CHAPITRE 21

ÉPOQUE ACTUELLE

Pendant que Laura regagnait la salle de la chaîne de montage, toutes sortes d'hypothèses se bousculaient dans sa tête, mais pas une seule seconde elle ne songea que Lee aurait disparu.

Ted l'attendait au milieu du vaste atelier, les bras le long du corps. Il n'était plus menotté.

— Où est Lee ? demanda-t-elle.

— Au sous-sol.

Laura se demanda si cela signifiait que Lee était vivant. Elle n'osa pas lui poser la question.

Reste calme.

— Je l'ai menotté, déclara Ted en lui montrant ses poignets libérés de toute entrave. Je le délivrerai plus tard. Mais vous, Laura, vous devez partir tout de suite.

— Partir ? Mais pourquoi ? On progressait, n'est-ce pas ? Et puis, je dois vous ramener au Lavender. Vous pouvez surmonter les idées qui vous perturbent. Pensez à votre famille, à vos...

— Laura, je vous suis reconnaissant de tout ce que vous avez fait, mais aucun traitement ne me guérira. Certaines réalités sont irréversibles.

Laura resta immobile, sans chercher à se rapprocher de Ted.

— Allez-vous-en. Vous n'avez qu'à suivre le sentier qui conduit à la maison. Surtout, ne prévenez personne.

— Et vous, que comptez-vous faire ?

Il eut un temps d'hésitation, esquissa une grimace comme s'il était pris entre deux feux, puis ses traits se détendirent.

— Je ne vais rien faire de mal.

Laura commençait à comprendre ce qui se passait dans la tête de son patient. Il était décontenancé, elle devait en profiter pour utiliser les informations qu'elle venait de découvrir.

— Qui vous a appelé tout à l'heure ? demanda-t-il soudain en s'avançant de quelques pas.

— Marcus Grant, le chef de service du pavillon C. Une urgence à propos d'un patient.

— Ah…

— Oui.

— Quel genre d'urgence ? Vous êtes restée longtemps au téléphone…

Laura se rendit compte que quelques mètres à peine les séparaient.

— Ils sont déjà au courant, Laura ?

Elle fronça les sourcils. D'une manière ou d'une autre, elle devait garder son sang-froid.

— Je viens d'entrer dans la pièce où vous rangez les dossiers. Je les ai feuilletés, c'est pour ça que j'ai mis du temps à revenir.

— Alors vous savez ce que j'ai fait, murmura-t-il.

Il leva la tête, comme s'il avait entendu du bruit, puis fixa longuement un point indéterminé, à croire qu'il avait oublié où il se trouvait.

— Ted, s'il vous plaît. Je crains que les choses ne soient un peu plus compliquées que vous ne l'imaginez…

— Allez-vous-en, répéta-t-il.

Il pivota et se dirigea vers l'escalier qui menait au sous-sol.

— Je vous accompagne.

— Vous avez conscience de ce qui arrivera si vous vous obstinez ? lui lança-t-il sans se retourner.

Mais elle lui emboîta le pas. Ils avaient descendu la moitié des marches lorsqu'elle sentit l'odeur caractéristique de l'essence.

CHAPITRE 22

ÉPOQUE ACTUELLE

Laura vit au moins cinq bidons d'essence près de l'entrée. Ils longèrent un couloir encombré de ferraille et s'approchèrent d'un vieux canapé à côté duquel elle remarqua une trappe. Tout autour étaient éparpillées d'anciennes machines à écrire. Juste à côté, une étagère renversée lui donna une idée précise de ce qui avait pu survenir. En observant la scène avec un peu plus d'attention, elle découvrit une tache de sang frais à proximité de la trappe.

— Où est Lee ?

— Là-bas derrière, répondit Ted d'un ton indifférent.

Il avait pointé le doigt sur un meuble de rangement de un mètre de haut avec des portes coulissantes. Comme tout le bric-à-brac entreposé dans la salle, il ne semblait pas neuf et devait peser une tonne. Une des bottes du vigile affleurait à une extrémité.

Ted se baissa et chercha quelque chose dans l'ouverture. Laura eut le temps de distinguer une boîte en métal.

— Ted, qu'allez-vous faire ?

Il ignora sa question. Laura profita de cette pause pour tirer deux chaises poussiéreuses et s'asseoir sur l'une d'elles.

— Je veux que nous ayons une dernière séance, exigea-t-elle.

Ted se retourna et regarda tour à tour la chaise vide et Laura.

— Ils arrivent ?

Elle acquiesça.

— Ils vont mettre longtemps ?

— Je ne sais pas. Une heure, peut-être.

— Très bien, dit-il en s'installant. Je veux que vous alliez voir Holly. Vous lui direz des horreurs, vraies pour la plupart, et je ne lui jetterai pas la pierre si elle me déteste…

— Je lui parlerai, c'est promis.

— Et si vous avez envie d'écrire sur moi, je vous en donne l'autorisation. Je sais que vous n'en avez pas besoin, mais je vous le dis quand même.

Laura ne se rappelait pas avoir parlé à Ted du livre qu'elle projetait d'écrire.

— Je sais que vous attachez beaucoup d'importance à mon cas, enchaîna-t-il en lui adressant un sourire triste. Vous avez très bien travaillé, sans quoi nous ne serions pas ici et toutes les monstruosités que j'ai commises ne seraient pas remontées à la surface.

— Ted… comme je vous l'ai dit il y a un instant, je ne crois pas que ce soit aussi simple.

— Si. J'ai tué ces femmes, lâcha-t-il, soudain plongé dans une sorte de rêverie.

Un rat passa très vite devant eux et fit sursauter Laura. Ils avaient envahi les lieux, sans doute paniqués par l'odeur de l'essence.

— J'aimerais que nous parlions de Blaine.

Il hocha la tête.

— Vous vous souvenez de lui ?

— Oui. Blaine est mon frère, mais je n'avais pas pensé à lui jusqu'à ce que vous le mentionniez. Mon passé me revient, Laura. J'ai l'impression d'avoir braqué une lampe de poche à l'intérieur de ma tête… Je vois de la lumière là où avant tout était sombre.

— C'est très positif.

Ted ne semblait pas partager son avis.

— Vous avez toujours su que Blaine était mon frère ?

— Non. C'est la police qui a fait le lien.

— La police, murmura-t-il pour lui-même.

Laura regretta aussitôt d'avoir prononcé ces mots. Elle devait maintenir Ted dans le cadre de la thérapie. Son univers extravagant lui donnait suffisamment de fil à retordre pour qu'il n'ait pas à se soucier de la police et de ce qu'il deviendrait.

— J'ai appris son existence quand j'étais en première année de fac. À l'époque, mon père essayait parfois de renouer avec moi par l'intermédiaire d'Audrey, ma tante, qui m'a toujours aidé et ne méritait pas d'avoir un frère dans son genre. Je suis allé le voir à contrecœur et c'est là qu'il m'a révélé l'existence de Blaine. Il m'a même montré une photo.

— Pourquoi a-t-il fait ça à ce moment-là ?

Il haussa les épaules.

— Il m'a dit ce qui lui passait par la tête, comme quoi il était important que je le rencontre, que le même sang coulait dans nos veines et qu'il n'avait pas à payer pour la relation déplorable que nous avions eue.

— Ça semble sensé.

— Oui. Mon père donnait toujours l'impression d'être un homme plein de bon sens. Mais vous avez raison de vous demander pourquoi il m'a rendu visite à ce moment-là précisément. J'étais à l'université et Blaine au lycée. La vérité, Laura, c'est que mon père avait envie de me faire chier et qu'il a choisi le premier sujet qui lui venait à l'esprit. C'est aussi simple que ça. Il ne s'intéressait qu'à lui, il se foutait que ses fils s'entendent bien, vous pouvez en être sûre.

— Et vous les avez eues, ces bonnes relations ?

— Avec Blaine ? Mon Dieu, non ! Ce jour-là, je me suis disputé avec mon père, comme d'habitude, et j'ai claqué la porte. Je n'avais pas du tout l'intention de faire la connaissance de mon frère.

— Mais vous avez réfléchi à ce qu'il vous a dit ? Il avait raison de vous rappeler que cet enfant n'y était pour rien. Vous non plus, d'ailleurs. Alors pourquoi vous êtes-vous privé de le rencontrer ?

— Je n'y ai pas vraiment pensé. J'ai eu une année houleuse à l'université. J'imagine que si je m'étais rapproché de mon frère, je n'aurais jamais pu couper les ponts avec mon père. Je lui aurais donné au contraire une occasion de plus de s'immiscer dans ma vie. Ce qui s'est passé par la suite prouve que j'avais raison et que j'ai agi pour le mieux. Blaine était un salaud, comme mon père…

Il garda le silence et baissa les yeux. Laura lisait dans ses pensées. Elle tendit un bras et lui prit le menton.

— Regardez-moi, Ted.

— J'imagine qu'en fin de compte, je n'ai pas réussi à lui échapper.

Laura ne relâcha pas la pression de sa main.

— Je ne veux pas qu'on parle de vous. Pas maintenant. Ni de votre père non plus. Je veux qu'on parle de Blaine.

Elle le libéra et se cala contre le dossier de sa chaise.

— Que voulez-vous que je vous dise ?

— Nous savons que vous êtes allé chez lui. Vous vous rappelez pourquoi ?

Il n'en avait apparemment aucun souvenir.

— Quand j'ai découvert cette affaire d'assassinat à la télévision, j'ai tout de suite su que c'était lui. J'avais à peine vu sa photographie des années avant, mais son visage était resté gravé dans ma mémoire. Il ressemblait à mon père, surtout là, précisa-t-il en posant un doigt entre ses sourcils. J'en ai eu la certitude en voyant des images sur lesquelles il essayait d'échapper à un journaliste dans la rue. Il marchait comme mon père, légèrement penché en avant, les bras immobiles. Je n'ai jamais vu quelqu'un d'autre se déplacer comme ça.

— Et qu'avez-vous pensé en le voyant ?

— Je ne sais plus. Qu'il était coupable, je crois. Enfin… je ne me souviens plus.

— Et à présent, que pensez-vous de lui ?

— Cette question est-elle indispensable ?

Elle lui fit signe que oui.

— Blaine est mon frère… notre destin était peut-être écrit à l'avance. Il y a quelque chose qui ne tourne pas rond chez nous.

— Ça vous rassure ?

— Pour être franc, oui.

— Vous avez dit tout à l'heure qu'après avoir appris l'existence de Blaine, vous aviez eu une année difficile à l'université. Qu'entendez-vous par là ?

Laura s'attendait à ce qui allait suivre, mais elle voulait l'entendre de sa bouche.

— Cette année-là, j'ai tué un homme, Thomas Tyler, un professeur d'UMass. Il sortait avec ma petite amie, Georgia. C'est lui que j'ai vu dans le petit bois, derrière le Lavender.

Le cri aigu d'un rat accompagna ces mots. Dans un coin, un de ses congénères lui répondit.

— Comment avez-vous procédé ?

— Ils se voyaient tous les soirs dans un parc, près de la bibliothèque. J'ai attendu que Georgia s'en aille et je me suis approché par-derrière. Je l'ai égorgé avec un couteau, puis j'ai filé. Il y a eu une enquête, mais elle n'a rien donné.

Laura s'étonna qu'il relate les faits comme un automate.

— C'est bizarre… parce que dans les dossiers que je viens de voir, les coupures de presse ne concernent que des femmes assassinées.

— C'était une histoire… disons… personnelle.

— Georgia et vous étiez très liés ?

Cette question le désarçonna. Il avait souvent pensé à Georgia au fil des années, mais toujours comme à un personnage secondaire sans grande importance. Il ne se rappelait même pas ses traits avec précision.

— Nous n'avions pas grand-chose en commun. Je crois que nous nous étions éloignés l'un de l'autre. Nous ne nous sommes d'ailleurs jamais revus.

Laura acquiesça.

— Malgré tout, vous avez quand même assassiné le professeur.

— Laura, qu'est-ce que vous cherchez ?

— Pendant toute votre thérapie, nous avons essayé de défaire un nœud. Quand nous y arrivions, nous tirions trop fort de l'autre côté et obtenions l'effet inverse. Il est temps de tirer sur les bonnes ficelles, Ted. Votre frère en est une, de même que l'assassin de Tyler et toutes ces femmes mortes. Il y a quelque chose que nous n'avons pas réussi à déceler… un fil conducteur. La seule façon pour vous d'y voir plus clair consiste à plonger dans votre passé pour remonter à l'origine de cette histoire.

— Je comprends… mais est-ce vraiment important ? Le résultat sera le même.

— Pour Holly et les filles, ça peut faire une grande différence.

— Que voulez-vous savoir d'autre ?

— J'aimerais que vous me racontiez comment vous avez tué la première femme, dit Laura en le regardant droit dans les yeux. Ne lésinez pas sur les détails, je veux savoir tout ce dont vous vous souvenez. Elle s'appelait Elizabeth Garth, n'est-ce pas ?

— Puisque vous me le demandez…

Il réfléchit quelques secondes, les yeux dans le vague, et reprit du même ton monocorde :

— Elizabeth Garth était une mère célibataire. Très jeune, elle n'avait que vingt ans et travaillait au cinéma de Harperfield, une petite ville proche de l'endroit où j'ai grandi. Son fils avait deux ans et vivait chez ses grands-parents, quelque part dans le New Hampshire, mais ça, je l'ai appris plus tard. Ce n'était pas une mauvaise mère, elle voulait s'en sortir et récupérer son enfant. Ses parents ne lui interdisaient pas de le voir, loin de là, mais ils ne la pensaient pas capable de l'élever et avaient décidé de se charger de son éducation. C'était surtout son père qui s'opposait à ce qu'elle le reprenne. Elizabeth et lui ne s'adressaient pratiquement plus la parole. Il lui reprochait d'être tombée enceinte, et même après sa mort, pendant que la police enquêtait, il blâmait sa conduite et semblait croire qu'elle l'avait bien cherché ou, pire encore, qu'elle méritait la mort. Mais il se trompait, enchaîna-t-il en hochant la tête. Elle était blonde et fluette. Fragile, comme les autres. Elle s'est juste trouvée au mauvais endroit au mauvais moment. Elle habitait avec deux autres filles, des collègues. Aucun lien d'amitié ne les unissait, elles s'entendaient au contraire plutôt mal. Elle n'aurait jamais pu vivre avec son fils dans cet appartement minuscule et voulait donc déménager. Elle avait mis des annonces un peu partout, au cinéma et dans les magasins de la ville. *Jeune femme sérieuse, parfaite éducation, cherche heures de ménage, travaux domestiques. Peut aussi s'occuper de personnes âgées en échange d'un salaire correct et d'une chambre pour elle et son fils en bas âge.* Elle avait signé *Ely*.

— Et vous l'avez appelée pour lui proposer un endroit où vivre.

— Exactement. Ç'a été très facile parce qu'elle était pressée de quitter son appartement et de s'installer quelque part avec son fils. Dans d'autres circonstances, elle n'aurait probablement pas accepté de retrouver un inconnu dans un endroit aussi reculé. Je lui ai donné rendez-vous sur un chemin désert, en dehors de la ville, un quartier de riches éleveurs de chevaux. J'ai garé ma voiture sur le bas-côté, elle est arrivée dans un vieux tacot déglingué, à la tombée de la nuit. Je lui ai dit qu'à partir de là, le terrain était accidenté et qu'il valait mieux qu'elle monte dans ma voiture. Bien sûr, ce n'était pas vrai. Elle a fait ce que je lui demandais. Ce jour-là, elle avait travaillé dur et était exténuée. Je lui ai raconté que j'étais veuf, que j'avais un fils de sept ans et une grande maison vide. Elle m'a parlé du père de son enfant, un paumé qui ne s'était jamais manifesté. J'ai vite gagné sa confiance.

« Mais à un moment donné, elle a compris qu'il n'y avait aucune maison là où je l'emmenais et que je lui avais tendu un piège. Elle a sauté de la voiture et a couru dans la forêt. Je l'ai rejointe dans une clairière sans trop d'efforts. Gracile comme elle était, elle n'a pas opposé beaucoup de résistance.

— Vous l'avez tuée avec un couteau ? Vous l'avez égorgée, comme Tyler ? demanda Laura d'un air détaché, à croire que cette question était des plus banales.

Il hocha la tête en silence. Tout dans son visage exprimait le repentir. Il avait les larmes aux yeux.

— En lisant les coupures de presse, j'ai vu qu'elle avait reçu une dizaine de coups de couteau à la poitrine. Vous avez fait ça, Ted ?

Il confirma sans desserrer les dents.

— Je peux vous poser une autre question ? reprit Laura, impitoyable. Si vous l'avez rencontrée par le biais d'une petite annonce, comment pouviez-vous savoir que son physique correspondait à celui que vous recherchiez ?

Ted s'agitait, de plus en plus mal à l'aise.

— Je l'ignore, Laura… je l'ai peut-être vue en train de scotcher une de ses annonces. Est-ce important ?

— Oui. Très. Car ce que vous venez de me dire à propos d'Elizabeth Garth reprend mot pour mot certains articles que je viens de lire.

— Ça s'est pourtant bien passé comme ça.

— Les dossiers qui sont dans cette pièce, là-haut, enchaîna-t-elle en pointant un doigt vers le haut, ne contiennent pas des souvenirs, mais les éléments d'une enquête, Ted.

Il la regarda, contrarié.

— Elizabeth Garth est morte en 1983. Vous aviez sept ans, Ted. Sept ans.

Le silence s'abattit dans le sous-sol. Même les rats se turent pendant quelques secondes.

— Vous n'avez assassiné ni Elizabeth Garth ni Thomas Tyler. Vous n'avez tué personne ! Vous comprenez maintenant quel est le dénominateur commun ?

CHAPITRE 23

1983

Ted était allongé sur la moquette usée de sa chambre devant un petit échiquier lorsqu'il entendit sa mère crier une première fois. Il ne bougea pas et attendit qu'elle se remette à hurler. Puis, sans réfléchir, il se glissa sous son lit, d'où il vit la lumière filtrer sous la porte. Si elle s'approchait, il le saurait tout de suite. Son père n'était pas là.

Il avait disposé à côté de l'échiquier un petit livre retraçant les parties de Bobby Fischer que lui avait offert un voisin et qui était sa seule source de connaissances. Il le connaîtrait bientôt par cœur, mais en attendant, il se réjouissait de le posséder. L'échiquier ne comptait que trente et une pièces. Un don fait à l'église par un anonyme. Sa mère lui avait fabriqué un pion en papier d'aluminium pour remplacer celui qui manquait. Elle était capable de faire des miracles… à condition de prendre ses médicaments.

Mais ce jour-là, elle avait oublié, Ted en était certain. Ces derniers temps, son père devait les lui administrer de force. Quand il n'était pas là, elle négligeait de le faire et sa tête lui jouait des tours, comme Bobby lorsqu'il voulait tromper ses adversaires et dissimuler ses véritables intentions.

Ted avait peur. Il était resté dans sa chambre toute la journée, tuant le temps en rejouant les parties de Bobby, mais il comprenait à présent qu'il avait peut-être commis une belle erreur. Sa mère ne lui avait rien préparé à manger. Elle ne lui avait pas davantage adressé la parole et il s'était gardé de descendre, ne serait-ce que pour boire un verre d'eau. Il n'était pas allé une seule fois aux toilettes! Et si sa mère ne s'était souciée de rien, c'est qu'elle n'avait plus toute sa tête. S'il lui avait parlé plus tôt, il aurait pu la convaincre d'avaler ses cachets. Maintenant, il savait que c'était impossible. La seule personne en mesure d'arranger les choses était son père (il le lui avait très souvent expliqué), mais ils n'arrêtaient pas de se disputer. Il était même arrivé à son père de frapper sa mère pour qu'elle comprenne.

— Teddy!

C'était, à n'en pas douter, la voix de sa mère.

Que faire? Et si elle avait un problème? La grand-mère de son ami Richie était tombée dans la baignoire et on ne l'avait retrouvée que deux jours plus tard. Sa mère n'avait rien d'une vieille dame, mais elle pouvait trébucher, songea-t-il. Il se reprocha de ne pas avoir bougé la première fois et sortit de sous le lit en s'armant de courage, ignorant si elle le rappellerait ou non. Il n'avait pas envie qu'elle se brise la nuque comme la grand-mère de Richie, bien sûr que non, mais il savait combien elle pouvait être perdue. Il tourna doucement la poignée de la porte.

Sa mère ne criait plus, mais le silence qui régnait sur le palier n'était pas fait pour le rassurer.

Il descendit les premières marches, se pencha et regarda dans le salon à travers les barreaux en bois de la rambarde. Il ne tarda pas à distinguer la chevelure poivre et sel de Kristen McKay derrière le canapé. Ce n'était pas la première fois qu'il la voyait assise par terre, adossée au canapé, les jambes touchant le mur. Pour une raison ou pour une autre, cet endroit la rassurait. Il s'approcha lentement d'elle.

— Maman?

Elle se retourna et Ted n'eut qu'à observer ses yeux pour se faire une idée de son état: elle était désespérée, en plein désarroi.

— Cache-toi ! dit-elle en le prenant par la main.

Elle le tira si fort vers elle qu'il faillit en perdre l'équilibre. Il s'assit à côté d'elle.

— Qu'est-ce qu'il y a, maman ?

— Des inconnus ont envahi la maison, murmura-t-elle.

Quelques mois plus tôt, il l'aurait crue. C'était sa maman ! Il se disait qu'il *devait* la croire, même s'ils étaient assurément seuls dans la maison.

— Tu as pris tes cachets, maman ?

Elle l'observa en haussant un sourcil et lui passa une main dans les cheveux.

— Ne parle pas, Teddy.

— Qui sont ces gens ? Tu les as vus ? demanda-t-il à voix basse.

Elle acquiesça.

— Ce sont les Hommes Antennes.

Ted n'avait jamais entendu parler d'eux, mais leur nom l'effraya. Kristen se tourna et lui montra le canapé.

— Il y en a un dans la cuisine. Il a traversé le salon tout à l'heure, je l'ai vu. Ils sont très grands, Teddy. Il a fallu qu'il se baisse pour passer sous la porte. Et ils sont très minces, avec une tête de fourmi et d'immenses antennes.

— Il est peut-être parti, je vais regarder…

— Non ! hurla-t-elle en lui plantant ses longs ongles dans les avant-bras. C'est dangereux. Je te dis que je viens de le voir.

— Mais qu'est-ce qu'ils cherchent, maman ?

— Tu es un garçon intelligent, Ted, dit-elle après une courte hésitation. Ces médicaments dont tu parles ne servent à rien. Ton père me force à les avaler pour que je ne sois pas dans ses pattes. Il voudrait que je reste toute la journée au lit, assommée par ces drogues.

— Papa nous aime, rétorqua Ted qui, à sept ans, commençait déjà à en douter.

— J'ai jeté les cachets dans l'évier, c'est pour ça qu'ils sont venus.

— Tous ?

Le traitement de Kristen coûtait les yeux de la tête. Son père s'en plaignait constamment. Parfois, elle se débarrassait de un ou deux cachets, et c'était suffisant pour qu'elle ait droit à une dispute interminable. À présent, elle les avait TOUS jetés !

— Ils sont au courant, ils le sentent grâce à leurs antennes. C'est pour ça qu'ils sont ici.

Incapable d'en entendre davantage, il se précipita dans la cuisine. Sa mère essaya de le retenir, mais il fut plus rapide qu'elle.

— Non ! s'écria-t-elle.

Elle se retourna, se mit à genoux et regarda, par-dessus le canapé, son fils filer dans la cuisine.

— Il n'y a rien !

Il s'approcha du réfrigérateur et découvrit un tas de boîtes et de plaquettes vides. Elle ne lui avait pas menti… tous les cachets avaient fini dans le siphon. Il fut parcouru d'un frisson, n'osant pas imaginer la réaction de son père quand il s'en apercevrait. Rien que d'y penser, il en avait la chair de poule.

Il regagna le salon aussi vite que possible. Sa mère était toujours au même endroit.

— Il n'y a aucun Homme Antenne dans la cuisine, maman. Ils n'existent pas et tu as jeté tous tes cachets !

Elle rampa, chercha à l'attraper, il l'esquiva en reculant.

— Papa va se fâcher !

— Ton père nous déteste, Teddy. Il a une autre femme, c'est pour ça qu'il veut se débarrasser de moi. Ensuite, ce sera ton tour. Il t'enfermera dans un orphelinat et…

— Arrête !

Kristen ignora la colère de son fils et continua de ramper. Elle s'éloigna du canapé et essaya de nouveau de lui saisir le bras. En vain.

— Tout ça, c'est ta faute ! Je te déteste !

L'expression de Kristen changea. Elle retourna se blottir contre le canapé et parla d'une voix presque inaudible.

— Tu n'es plus mon petit Teddy… Tu es l'un d'entre eux. Vous lui avez fait quelque chose, là-bas, n'est-ce pas ? ajouta-t-elle en montrant la cuisine.

Ted sanglotait, n'arrivait pas à refouler ses larmes.

— Je ne suis pas dupe ! Va-t'en !

— Maman…

Elle secouait la tête, ses yeux écarquillés rivés sur le canapé. Ted savait qu'il n'y avait rien à faire. Il savait aussi que, d'un moment à l'autre, la situation risquait de dégénérer. Il courut dans sa chambre à la vitesse de l'éclair, referma la porte derrière lui, se glissa sous le lit. L'échiquier et les parties de Bobby Fischer étaient encore là. Il les repoussa d'une main et enfouit son visage au creux de son avant-bras avant de fondre en larmes, inconsolable.

Au bout d'une interminable demi-heure, ce qu'il redoutait arriva. La voiture de Frank McKay s'arrêta dans l'allée. Ted se précipita hors de sa cachette. Ses yeux rougis tardèrent à s'habituer à la lumière du jour. Il se dirigea vers la fenêtre et, en effet, vit son père descendre de voiture sans remarquer que sa vitre était baissée. Il laissait toujours ouvert quand il avait l'intention de ressortir.

La voix puissante de Frank tonna dans toute la maison. Ted aurait pu retourner sous le lit, même si cela ne lui aurait pas évité d'entendre ce qui se passait au rez-de-chaussée. Mais pour une étrange raison, il ouvrit sa porte et gagna le palier. Il craignait le pire et tremblait de peur.

Frank vit les plaquettes vides près de l'évier et sortit de ses gonds.

— C'est pas croyable ! vociféra-t-il. Espèce de sale pute !

Il avait toujours été très doué pour insulter ses proches.

Kristen gardait le silence. Ted n'osait pas se pencher, mais l'imagina assise par terre, derrière le canapé. Un bruit de verre cassé monta dans la pièce, sans doute une cruche ou un vase, peut-être une lampe.

— Je quitte cette maison, tu m'entends ? Tout ce que je te demande, c'est de prendre deux foutus cachets par jour. Même ça, tu n'en es pas capable ! Tu n'es qu'une bonne à rien !

— Éloigne-toi !
— Sûrement pas, tu peux toujours aller te faire foutre !
— Ne me touche pas !
— Calme-toi, salope.
— Où les as-tu…
Une gifle sonore la fit taire, suivie de deux autres. En plus d'avoir un vocabulaire ordurier étendu, Frank faisait toujours preuve de générosité quand il s'agissait de donner des coups.
— Avale ça, connasse !
— Mais où…, bredouilla Kristen, qui avait du mal à parler.
— Où je les ai pris ? Où je les ai pris ? Je les avais planqués… parce que je savais qu'un jour tu le ferais. Je te connais comme ma poche, sale garce. Toujours à vouloir me faire chier. Avale, putain ! Montre sous ta langue. Ne mords pas, salope !
Il la frappa de nouveau. Encore une gifle que Ted entendit claquer comme un coup de fouet.
— Un autre, et ne t'avise pas de le recracher, je te préviens.
Elle ne prenait jamais deux cachets en même temps, seulement un toutes les huit heures, Ted le savait.
— Et un troisième ! hurla Frank, déchaîné, à l'évidence réjoui de ce qu'il lui infligeait.
Trois ! songea Ted, horrifié. Si elle avait oublié ses médicaments pendant une journée, en prendre deux pouvait être logique, mais trois… Pourquoi lui faire ingurgiter trois cachets ?
— Je me barre, Kristen. Tu m'entends ? Je ne reviendrai peut-être pas et ce sera l'État qui s'occupera de toi. Tu verras, ce sera grandiose.
Kristen ne répondit pas. Elle s'était sans doute endormie plus vite que d'habitude. Ces trois cachets avaient dû l'assommer.
Ce sera l'État qui s'occupera de toi.
Ted tressaillit en voyant son père au pied de l'escalier. Il se précipita dans sa chambre, se glissa dans son lit et fit semblant de dormir. Quelques secondes plus tard, la porte s'ouvrit, puis se referma. Aussi improbable que cela puisse paraître, il espérait que

son père le croirait profondément assoupi et penserait qu'il n'avait pas entendu la dispute.

Il sortit de son lit en comprenant que Frank McKay était dans la salle de bains. En général, il se douchait le matin et ne se lavait deux fois dans une même journée que lorsqu'il avait l'intention de sortir. Ted paniqua. Son père allait vraiment partir, comme il venait de l'annoncer à sa mère !

Je me barre, Kristen.

À cet instant, Ted prit une décision. Il disposa des oreillers sous les draps pour faire croire qu'il était assoupi, prit un sac, y fourra quelques vêtements et attendit de pouvoir descendre. Il devait le faire. Son père était encore sous la douche, ce qui le rassura. Dans le salon, il vit sa mère assise derrière le canapé, les jambes écartées. La tête penchée sur le côté, elle somnolait.

— Teddy..., murmura-t-elle en entrouvrant à peine les yeux.

Il l'embrassa sur le front.

— Ce n'est pas vrai que je te déteste, maman.

Ce sera l'État qui s'occupera de toi.

L'esquisse d'un sourire se dessina sur les lèvres de sa mère.

Ted retourna dans sa chambre, prit son échiquier et le livre de Bobby. Il passa par la fenêtre et glissa le long d'un mur qu'il avait escaladé des centaines de fois. La Mustang de Frank McKay l'attendait. Il n'avait pas les clés, mais il savait comment entrer. Il s'introduisit facilement par la portière dont la vitre était baissée, se hissa sur la banquette, souleva la plage arrière et sauta dans le coffre. *Voilà*[1] *!* Le tour était joué !

Il allait partir avec son père, qui était furieux pour le moment, mais une fois sa colère passée, il comprendrait.

Sa mère serait mieux sans eux. Ted se demandait qui était l'État et comment il veillerait sur elle, même s'il ne faisait aucun doute qu'il s'y prendrait mieux que Frank McKay.

Il se pelotonna dans le coffre et patienta.

1. En français dans le texte.

CHAPITRE 24

1983

Pour un enfant de sa taille, le coffre était confortable, si bien que, miraculeusement, il s'endormit. C'était une chance, car il évita ainsi de se tourmenter à l'idée que son père ait pu prévoir de prendre une valise, ce qui aurait été logique. Cette pensée ne lui traversa l'esprit que lorsque la voiture démarra. Il soupira, content de ne plus avoir à s'inquiéter. Son père avait de l'argent et achèterait tout ce dont ils auraient besoin.

Ted ignorait leur destination. La Mustang roulait depuis un moment quand il découvrit qu'en soulevant légèrement la plage arrière, il pouvait voir l'habitacle. Il distingua la silhouette de son père, immobile et silencieux et, devant lui, la route. Ils avaient quitté la ville.

Ils roulèrent pendant plus d'une heure. C'est du moins l'impression qu'il eut en serrant son échiquier contre sa poitrine comme un bouclier protecteur. Il faillit piquer du nez. Il commençait à se dire que le trajet risquait d'être long lorsque la Mustang ralentit et s'arrêta. Ted attendit quelques secondes, les yeux grands ouverts, dans une complète obscurité. Il se tourna, posa l'échiquier et souleva la plage arrière avec mille précautions. La lumière lui fit l'effet d'un rayon laser qui lui perforait la rétine, l'obligeant à fermer les yeux. Il ne vit pas son père descendre, mais entendit la portière s'ouvrir et claquer.

Des voix s'élevèrent à l'extérieur, celle de Frank, bien sûr, mais aussi une voix de femme. Les portières s'ouvrirent et la Mustang s'affaissa légèrement, comme chaque fois que deux personnes s'y installaient en même temps. Ted eut beau tendre le cou, il ne vit pas le siège passager.

Il tenta sa chance de l'autre côté, en vain car la plage refusa de se soulever.

— Je suis désolée de ne pas avoir pu venir plus tôt, s'excusa la femme. J'ai travaillé dur, aujourd'hui, au cinéma.

Ted se figea. Il n'avait pas prévu que son père serait accompagné. Il disait toujours qu'il n'aimait pas les auto-stoppeurs, qu'en tant que représentant, il avait souvent l'occasion d'en croiser et qu'il les connaissait bien. Mais cette fille (Ted l'imaginait beaucoup plus jeune que son père) n'était pas une auto-stoppeuse. *Désolée de ne pas avoir pu venir plus tôt.*

— Ce n'est pas grave, lui dit Frank. Moi aussi, j'ai eu une journée chargée au bureau.

Au bureau?

— C'est loin d'ici?

— Pas trop, mais ce n'est pas la peine de prendre deux voitures… comme ça, on pourra faire connaissance…

Ted avait renoncé à les espionner. Il se contentait d'écouter leur conversation, l'oreille plaquée contre la banquette arrière.

Et si sa mère avait raison? Cette femme était peut-être celle dont elle avait parlé dans l'après-midi. Il pensa à elle, assise dans le salon, derrière le canapé, et éprouva un sentiment douloureux. Elle avait avalé trois cachets…

Elle ne l'avait pas fait de son plein gré. Son père l'y avait obligée.

Même à la tombée de la nuit, elle ne bougerait probablement pas de cet endroit qu'elle appréciait. Elle se réveillerait là, perdue, dans la pénombre, seule et désemparée. L'État ne la trouverait peut-être pas à temps.

Ted fut parcouru d'un frisson. Il se représenta le salon plongé dans le noir, sa mère assise par terre, inconsciente, avec à ses côtés quatre Hommes Antennes avec des têtes de fourmi l'examinant comme des médecins en s'interrogeant du regard.

Frank appelait la femme Elizabeth. Ils parlaient de son fils en bas âge, qui vivait quelque part avec ses grands-parents. Ted était trop absorbé pour leur prêter attention. Sans trop vouloir l'admettre, il se demandait s'il n'avait pas commis une erreur en abandonnant sa mère.

Une grave erreur.

— ... son père ne l'a jamais vu, disait Elizabeth. Pourtant il connaît l'existence de son fils. Bien entendu, je le lui ai dit. Il ne s'est jamais intéressé à lui. Et vous ?

— Je suis veuf et la maison est devenue trop grande pour moi. Teddy a sept ans. Je trouve qu'il n'est pas bon d'élever un enfant seul.

Veuf ? Teddy ? Jamais son père ne l'appelait comme ça.

Il souleva la plage arrière. Il avait bien entendu, mais n'en croyait pas ses oreilles. Il n'était pas seul, il avait sa mère ! Et leur maison était plus petite que celles de tout le voisinage ! Ce que disait son père n'avait aucun sens. Il se pencha pour tenter de voir Elizabeth, en vain. Il distinguait tout au plus le rétroviseur dans lequel luisaient les yeux de son père. Il le fixait !

Il laissa retomber la plage qui s'abattit sur l'arrière de la banquette en produisant un bruit sourd, et s'allongea dans le coffre.

Il ne t'a pas vu. Il regardait juste derrière. Le rétroviseur est fait pour regarder derrière, n'est-ce pas ?

— C'était quoi, ce bruit ? demanda Elizabeth.

— Pardon ?

— Il m'a semblé entendre du bruit... probablement sur le toit.

— Ce n'est rien.

— C'est encore loin ?

— Plus trop, non.

Ils observèrent quelques instants de silence. Ted avait complètement perdu la notion du temps et n'aurait su dire s'ils avaient parcouru beaucoup de kilomètres.

— Vous pourriez vous arrêter une minute ? demanda soudain Elizabeth. J'ai un besoin pressant.

— On arrive bientôt, c'est à cinq cents mètres. Là-bas, vous pourrez aller aux toilettes, ce sera plus confortable.

— C'est que… je ne peux pas attendre.

— Bien sûr que si, tu peux ! s'énerva-t-il.

Ted connaissait bien ce ton sans réplique.

Il avait pris de la vitesse.

— Ne t'avise pas d'ouvrir en marche !

— Lâchez-moi ! hurla-t-elle, effrayée.

Ted retint son souffle.

Quelques secondes plus tard, ils s'arrêtèrent.

— Tu vois ça ? reprit Frank. Si tu ouvres la portière, je te le plante dans la jambe !

Ted ne regardait pas. Ce qui se passait lui échappait, mais cette facette autoritaire et inflexible de son père lui était familière.

— Ne me faites pas de mal, j'ai un enfant, l'implora Elizabeth.

— Non, tu n'as pas d'enfant.

Il s'empara des clés de la voiture, les fit cliqueter, ouvrit la portière et sortit. Un moment plus tard, il demandait à sa passagère de descendre.

— Je ne veux pas salir les sièges, tu comprends ?

— Ne me faites pas de mal, répétait-elle d'une voix brisée.

Elle sanglotait.

— Sors de là.

— Non, s'il vous plaît !

— Tu as peur ?

Elle pleurait, incapable de se maîtriser. Frank était probablement en train de la brusquer, mais Ted n'osait pas regarder.

— Ça va, ça va, je descends, dit-elle en hoquetant de manière hystérique.

Elle s'exécuta. Quelques secondes plus tard, un cri déchirant s'éleva. De sa courte vie, Ted n'avait jamais rien entendu d'aussi terrifiant. Les hurlements redoublèrent. Il eut beau se boucher les oreilles, ils lui parvenaient quand même.

Frank regagna la voiture au bout d'un moment, mit le contact et commença à siffler son air préféré.

CHAPITRE 25

ÉPOQUE ACTUELLE

Dans le sous-sol de l'ancienne usine de machines à écrire, les rats avaient repris leurs va-et-vient erratiques. Paniqués par les vapeurs d'essence, ils ne faisaient plus attention et passaient tout près de Laura et de Ted. Parfois, ils s'approchaient d'eux et les observaient.

— Vous n'avez pas tué ces femmes, c'est votre père qui les a assassinées, lui dit Laura.

Il la regarda d'un air incrédule.

— Vous vous en êtes peut-être toujours douté et, à la mort de Frank, les doutes se sont changés en certitudes.

— Le rêve de la fille dans le coffre, murmura-t-il à part lui.

Pendant qu'il réfléchissait, une horrible révélation le frappa. Il leva la tête, les yeux écarquillés.

— Qu'est-ce qu'il y a ?

— Mon père a essayé de me tuer, lança-t-il dans un état second.

Laura en était arrivée à la même conclusion.

— Une des dernières fois que je l'ai vu, c'était à l'université, quand il m'a révélé l'existence de mon frère. Ce jour-là, j'étais en rogne contre lui, je lui ai reproché la façon dont il nous avait traités, ma mère et moi, et je lui ai parlé des cauchemars que je faisais, du corps de cette femme qui apparaissait dans le coffre de la Mustang.

Il se tut.

Il tenta sa chance de l'autre côté, mais la plage refusa de se soulever.

— Quand je lui ai décrit ces rêves, il a dû penser que tôt ou tard tout me reviendrait en mémoire. Le soir même, ce salaud m'a cherché sur le campus.

— Tyler avait rendez-vous avec votre petite amie et il portait la veste de l'université, compléta Laura.

Ted se leva brusquement. Un rat qui l'observait d'une fissure rentra dans sa cachette.

— Il a eu de la chance jusque dans la mort. Si je m'étais souvenu de tout ça avant… Maintenant, ça ne sert plus à rien.

— Ted, asseyez-vous, s'il vous plaît. Et ne dites pas ça. Vous allez permettre à de nombreuses familles de savoir qui a tué leurs proches.

— Oui. Un maniaque a terrorisé et assassiné leurs filles, c'est charmant. Il est mort à présent, Laura. D'un cancer. Dans son sommeil. C'est vraiment injuste, vous ne trouvez pas ?

— Je suis d'accord, mais ce n'est pas votre faute.

Ted garda le silence un moment.

— Si seulement j'avais recouvré la mémoire plus tôt…

— Arriver à ces résultats nous a coûté beaucoup d'efforts, Ted. La thérapie et les médicaments ont été très utiles, mais au fond, c'est surtout vous qui avez progressé. Pour Holly et pour vos filles.

Il acquiesça d'un air détaché, comme si sa famille était à des années-lumière de ses préoccupations.

— Vous vous rappelez comment ça s'est passé, Ted ? Est-ce à partir des rêves que tout vous est revenu ?

— Non, je ne crois pas, répondit-il d'un ton hésitant. J'ai toujours fait ces rêves… C'est plutôt quand vous avez évoqué Blaine. Quand je l'ai vu à la télévision, j'ai reconnu mon frère et j'ai pensé que mon père avait peut-être tué sa petite amie pour lui rendre service, quelque chose dans le genre. C'était une pensée… inconsciente, j'imagine… je ne sais pas. Mon père savait qu'il était atteint d'un cancer, alors je me suis dit qu'il était capable de tout.

— Je vois. Et ça a dissipé vos doutes…

— Il me semble, oui. C'est pour ça que je suis allé chez Blaine. J'avais besoin de mener l'enquête, de savoir s'il était coupable ou non. Mais j'étais déjà persuadé que mon père était le meurtrier. Je suis un joueur d'échecs, Laura, c'est comme ça que j'ai tout compris. Mon père profitait de ses tournées pour tuer des femmes sans défense.

— Regardez-moi dans les yeux. Maintenant, nous savons tout. Votre père est mort et votre famille vous attend. Regardez-moi, Ted.

— Vous savez que ce n'est pas si simple. Je leur ai fait du mal, dit-il, les yeux emplis de larmes. Comment va Justin ?

— Toujours dans le coma, je le crains. Mais les médecins sont optimistes.

— J'ai frappé mon meilleur ami, j'ai failli le tuer.

— Vous n'étiez pas dans votre état normal. Vous vous pensiez coupable de ces meurtres, c'était un poids très lourd à porter. Vous avez réagi de manière irrationnelle parce que, d'une manière ou d'une autre, Justin avait tout découvert, n'est-ce pas ?

— Oui, il me semble. Je sais qu'il me suivait. Je l'ai vu un soir quand je me suis caché chez Blaine. Justin était dehors, dans sa voiture. J'avais engagé un détective pour qu'il le file, et c'est comme ça que j'ai appris sa liaison avec Holly, expliqua-t-il en souriant d'un air résigné. Le pauvre a dû s'imaginer qu'il était tombé sur l'affaire du siècle, mais je me fichais de Justin et de Holly. Le problème, c'est qu'il m'a aussi suivi jusqu'ici et qu'il a vu les dossiers dans la pièce du haut.

— Justin vous a téléphoné à votre bureau pour vous parler de ces meurtres ?

— En fait, je ne me souviens plus. Il voulait peut-être discuter d'autre chose, mais c'était trop tard… tout était très confus dans mon esprit, je m'en rends compte à présent.

— Il comprendra dès qu'il ira mieux, j'en suis certaine. Vous n'alliez vraiment pas bien à l'époque, Ted.

— C'est vrai. Je voulais me suicider, j'étais allé voir Robichaud pour qu'il rédige mon testament et je pensais que j'allais mourir d'une tumeur au cerveau.

— Mais maintenant, vous vous sentez beaucoup mieux, n'est-ce pas ?

Ted songea qu'il ne serait soulagé qu'en ayant la certitude que son ami lui pardonnerait.

— J'ai l'impression, oui, murmura-t-il.

Laura se leva. Ted la regarda, perplexe, en se demandant ce qu'elle allait faire. Quand elle lui tendit la main, il resta indécis.

— Vous vous en êtes très bien sorti, Ted.

Il se mit debout avec maladresse et lui serra la main.

— Merci pour tout, Laura, dit-il dans un filet de voix.

Un bruit assourdissant s'éleva alors derrière eux, trop puissant pour être provoqué par les rats. Laura sursauta. Ted frissonna en se rappelant qu'il avait menotté le vigile après avoir fait dégringoler sur lui une étagère couverte de machines à écrire ! Avant de l'abandonner, il s'était assuré qu'il respirait encore, mais il l'avait peut-être blessé sans s'en rendre compte. Il se posait la question lorsque la silhouette de Lee Stillwell se dressa comme un totem gris, loin du halo lumineux qui éclairait à peine Ted et Laura.

Sa voix grave résonna dans l'ombre. Laura se retourna, effrayée par cet homme dont elle avait presque oublié l'existence.

— Laissez-nous partir, espèce de salaud ! s'écria le vigile.

Il avait levé ses mains menottées à hauteur de poitrine et agitait un petit objet. De là où ils se tenaient, Ted et Laura ne distinguaient pas ce que c'était. Ils ne le découvrirent qu'en entendant un déclic et en voyant une petite flamme jaillir du briquet.

CHAPITRE 26

ÉPOQUE ACTUELLE

Marcus était sur le siège passager, Bob au volant. Ils avaient discuté pendant la première demi-heure de trajet, puis gardé le silence, interrompus par les communications avec l'équipe du FBI, qui était partie d'Albany en même temps qu'eux, mais serait sur les lieux bien avant.

Ils se trouvaient à une trentaine de minutes de la maison au bord du lac quand Bob reçut un dernier appel du FBI, apparemment une mauvaise nouvelle.

— Il y a eu un incendie. Tout porte à croire que c'était intentionnel, dit-il après avoir raccroché. Ils ont dû utiliser de l'essence car le feu s'est propagé à toute vitesse.

— Un incendie ? répéta Marcus, interloqué et n'osant pas poser la question qu'il redoutait.

— Quand l'unité d'Albany est arrivée, les pompiers étaient déjà là. Quelqu'un a vu de la fumée et les a prévenus, mais ils sont arrivés trop tard.

— Comment ça ? Qu'est-ce que ça veut dire ? demanda Marcus, abasourdi.

— Ils ont sorti deux corps. Il n'y a qu'un seul survivant.

Marcus avait enfoui son visage dans ses mains.

— Qui ? s'écria-t-il dans l'obscurité qu'il venait lui-même de créer.

CHAPITRE 27

ÉPOQUE ACTUELLE

Étrangement, Lee pensait que menacer Ted avec un briquet était une bonne idée. Soit le coup qu'il avait reçu lui avait fait perdre la tête, soit il n'avait jamais entendu parler des ravages que peuvent causer les émanations d'essence. Dès que la petite étincelle bleue se changea en une immense boule de feu, il sembla surpris, écarquilla les yeux avant de se mettre à gesticuler en une danse frénétique et, hurlant de douleur, il fut dévoré par les flammes.

Laura et Ted n'eurent guère le temps de réagir. Un rideau de feu s'avançait dans leur direction, ses tentacules bleutés s'élevant de toutes parts. Ils s'éloignèrent le plus vite possible dans des directions opposées tandis que Lee poussait des cris déchirants. L'odeur de chair brûlée se répandit dans la salle.

Le rez-de-chaussée fut rapidement divisé en deux, Laura restant bloquée du côté opposé à la porte. Tandis que le vigile agonisait, elle essaya sans succès de trouver le moyen de franchir la barrière de flammes qui progressait vers elle. La fumée était de plus en plus dense, les ampoules explosaient l'une après l'autre dans un tableau apocalyptique. Les rats poussaient des cris stridents.

Ted lui conseilla de gagner l'arrière de la salle pendant qu'il essayait de déplacer le canapé vert encore épargné par les flammes pour le placer entre une table et d'autres vieilleries empilées et ainsi former une sorte de mur. Mais il n'y parvint pas. Sa chemise commençant à prendre feu, il dut la retirer et la plaquer sur sa bouche pour pouvoir respirer.

Il hurla des propos incompréhensibles.

— Quoi ? demanda Laura.

Elle se tenait à une dizaine de mètres de lui, mais au lieu d'avancer, elle fut obligée de reculer. Elle aussi enleva sa chemise pour se protéger de la fumée. Elle avait l'impression d'avoir les idées de moins en moins claires.

— La trappe, Laura ! Glissez-vous à l'intérieur et refermez-la !

Cette fois, elle l'entendit, mais s'aperçut que c'était un but difficile à atteindre dans ces conditions. Des flammes s'interposaient entre elle et l'ouverture dans le sol.

— C'est impossible, Ted !

Il lui cria quelque chose qu'elle ne comprit pas, ses mots étant couverts par les crépitements du feu. La fumée était maintenant trop épaisse. Elle les étouffait, même à travers leurs chemises. Quand Laura ôta le tissu de sa bouche, une quinte de toux la fit tomber à genoux. Ses yeux la démangeaient, elle n'en prit conscience qu'en découvrant qu'au ras du sol l'air était un peu plus respirable. Elle se couvrit de nouveau le visage avec sa chemise et rampa le long d'un mur en se disant que c'était sa seule chance d'atteindre la trappe. Une série de tables en acier alignées formaient une sorte de tunnel où elle pourrait progresser rapidement. Le feu freina son avancée à deux ou trois reprises. Il lui fallait se plaquer tout contre le mur et, parfois, sortir de ce tunnel improvisé. La fumée était irrespirable, même là où elle se trouvait.

Elle n'avait plus que sept ou huit mètres à parcourir. Cela semblait simple, mais à mi-chemin, elle crut ne pas y arriver. Un rideau rouge lui bloquait entièrement le passage. Si elle voulait poursuivre, elle devait sortir de sous la table, au risque de se faire consumer par d'énormes flammes. En tournant la tête, elle comprit qu'elle ne pourrait même pas faire marche arrière.

Elle hurla le prénom de Ted sans obtenir de réponse. Était-il sorti ? Avait-il sombré dans l'inconscience ? La police était en route, elle serait là d'un moment à l'autre. Si seulement elle parvenait à se cacher dans la trappe et à résister assez longtemps… elle se manifesterait dès qu'elle les entendrait entrer…

Elle n'avait plus beaucoup de temps devant elle. Soit elle essayait de sortir du tunnel et de trouver l'ouverture de la trappe, soit elle choisissait la voie la plus courte et bravait le rideau de feu. Elle devait tenter le coup. Pour Walter.

La tête enveloppée dans sa chemise, l'avant-bras en bouclier, elle passa au travers des flammes.

FIN

ÉPILOGUE

DEUX ANS PLUS TARD

Randall Forster fut accueilli dans un concert d'applaudissements. Depuis trois ans, les téléspectateurs de Canal 4 s'étaient habitués à voir son visage dans tous les reportages liés aux questions judiciaires. C'était devenu un journaliste extrêmement populaire. L'affaire Frank McKay avait largement contribué à sa formidable ascension. Il était jeune, charismatique, et savait poser avec beaucoup de tact la limite à ne pas dépasser entre les informations intéressantes pour le grand public et le côté racoleur ou technique d'un crime terrifiant.

Les yeux d'un bleu pénétrant que tous connaissaient déjà apparurent dans un petit cadre situé d'un côté de l'écran. En dessous, la légende suivante s'étalait :

LE TUEUR DE HAMHERST
Frank Edmund McKay
1951-2011

Le silence s'abattit sur la salle et la voix empreinte de gravité du journaliste s'éleva.

— Un foyer de classe moyenne dans la toute petite ville de Hamherst, un père qui faisait les trois-huit dans une entreprise métallurgique et une mère qui avait été cuisinière, couturière, vendeuse et femme de ménage. Le petit Frank s'est pratiquement élevé seul jusqu'à l'âge de douze ans et la naissance de sa sœur Audrey.

Randall se déplaçait sur la scène, persuasif comme tous les grands orateurs. Il avait glissé une main dans une poche et son regard se posait tour à tour sur le public ou plus haut, à croire qu'il cherchait à sonder un passé lointain et révélateur.

— Nous ne savons pas grand-chose de la prime jeunesse de Frank McKay. Ce qui est survenu au sein de cette famille est et restera sans doute un mystère. En 1964, Ralph et Teresa McKay ont déménagé dans la capitale du Massachusetts avec leurs enfants, ne laissant derrière eux que peu de souvenirs pour qu'on puisse se livrer à une solide reconstitution de leur existence.

La photographie en noir et blanc d'une classe apparut sur l'écran. Deux visages entourés d'un cercle se détachèrent de ceux des autres enfants. L'un d'eux avait d'immenses yeux bleus.

— Frank a appris très tôt à dissimuler son véritable caractère et à manipuler son entourage. C'était un élève exemplaire à l'intelligence bien au-dessus de la moyenne. Il ne causait jamais de problèmes et pouvait passer totalement inaperçu. Andrew Dobbins, sans doute son seul ami pendant les années passées à Hamherst, nous a fourni ce qui est très probablement la seule caractéristique de Frank McKay susceptible de refléter la véritable personnalité de ce tueur en série.

Le journaliste marqua une pause intentionnelle. Il avait déjà donné cette conférence plusieurs fois – dans des circonstances différentes – et savait capter l'attention du public.

— Lorsque la vérité a éclaté, tous les gens qui avaient connu McKay de son vivant furent horrifiés et surpris, y compris sa sœur, son ex-femme, ses voisins, son associé... Tous, sauf Andrew Dobbins, qui ne l'avait pourtant pas revu depuis l'âge de dix ans, car sa famille avait elle aussi quitté Hamherst. Il était le seul à croire que son ancien camarade pouvait avoir commis ces crimes. Au fond de lui, il le *savait* parce qu'il avait été le premier, voire le seul, à se pencher au-dessus de l'abîme pour découvrir le véritable visage de cet individu.

L'image sur l'écran avait changé. Un cliché montrait à présent un Frank qui, devenu un jeune homme, prenait la pose à côté d'une voiture rouge. Âgé d'une vingtaine d'années, souriant, il n'attirait pas l'attention, mais à mesure que la caméra zoomait sur lui, ses yeux semblaient abolir les barrières du temps et de l'espace et se poser sur chaque spectateur présent dans la salle pour révéler ses véritables intentions de tueur.

— Frank McKay n'était ni un mari modèle ni un voisin exemplaire, encore moins un bon père… mais ceux qui l'ont connu ne l'auraient jamais soupçonné d'avoir commis des meurtres. Dans les esprits, c'était rigoureusement *impossible*. Il était caractériel, certes, impulsif, mais de là à tuer, non… Combien de fois avons-nous entendu formuler des avis similaires sur des assassins ? Quand des individus comme Frank McKay apprennent à se dissimuler derrière le masque du bon sens, ils sont indétectables et se promènent en toute impunité parmi nous. Ils passent à travers les mailles du filet, se sentent supérieurs aux autres et en tirent une fierté qui les pousse à continuer. Ils n'éprouvent pas seulement le désir irrépressible de tuer et de faire du mal, ils ont aussi un ego qui les incite à croire qu'ils sont tout-puissants.

« Andrew Dobbins vivait à quelques centaines de mètres de chez Frank. Ils se rendaient ensemble à l'école et rentraient ensemble chez eux. Ils s'étaient liés d'amitié. Un jour, Frank a invité Andrew chez lui. C'était l'été, leurs parents travaillaient, ils avaient donc la maison pour eux seuls. Frank a annoncé à Andrew qu'il n'avait pas envie de faire du vélo ni d'aller jouer. Il l'a conduit dans le jardin et lui a montré des bocaux contenant des araignées, des scarabées et d'autres insectes. Il avait avec lui le canif qu'il avait acheté à un garçon plus âgé que lui. Hormis Andrew, nul n'en connaissait l'existence, c'était un secret que Frank partageait avec son ami. Frank lui a demandé de choisir un insecte. Andrew a sorti d'un bocal une araignée de taille moyenne, un peu étourdie. Il pensait que Frank allait la tuer, il l'en croyait tout à fait capable et cette perspective ne l'a pas inquiété. Qui n'a pas tué une araignée au moins une fois dans sa vie ? Andrew était prêt à participer au jeu, sans savoir que son ami le mettrait à l'épreuve.

Des analyses très poussées avaient été réalisées à propos du tueur de Hamherst et de ses crimes. La presse aime dresser le profil des monstres, mais elle oublie souvent l'être humain qui se cache derrière. Randall avait découvert que certains détails, comme ceux qu'il allait révéler au public, peuvent causer un impact plus violent qu'un meurtre atroce. L'auditoire attendait en silence.

— Frank n'a pas tué l'araignée tout de suite. Il a au contraire commencé par lui couper quatre pattes et, avec son ami, l'a regardée chercher à s'échapper et s'est amusé à la voir tourner sur elle-même. Il lui a ensuite coupé deux autres pattes, puis une dernière, en expliquant qu'il ne devait pas trancher trop près du corps, ce qui aurait précipité la mort de l'insecte. Il ne lui restait plus qu'une patte, qui a gratté désespérément le sol avant que l'araignée ne rende l'âme. Ce n'était pas seulement un jeu pervers, c'était aussi une mise à l'épreuve, comme je l'ai dit tout à l'heure.

« À la fin de l'été, Frank a réinvité Andrew chez lui. Il pensait réaliser d'autres expériences "originales". Andrew était ravi. Il commençait à éprouver à l'égard de son ami une fascination servile. Frank l'a entraîné dans le jardin, non pour lui montrer des bocaux remplis d'insectes, mais un panier avec un chaton de trois ou quatre mois. Des années plus tard, Andrew Dobbins a avoué d'un air affligé qu'il connaissait les intentions de Frank et que cela ne l'avait pas vraiment dérangé. Il n'aimait pas trop les chats…

« Frank a attaché les pattes de l'animal avec une cordelette pour les écarter. Quand la pauvre bête a été immobile, il lui a arraché les yeux, lui a brûlé le ventre, les oreilles et le museau avec un briquet. Le chaton a poussé des miaulements déchirants jusqu'à son dernier soupir. Andrew a ensuite cessé de fréquenter Frank, qui a certainement retenu la leçon : mieux valait qu'il ne montre pas sa vraie nature à autrui.

Aucun cliché n'était projeté sur l'écran. Randall attendit quelques secondes, puis les spectateurs découvrirent le visage d'une jeune femme d'une vingtaine d'années.

— Elizabeth Garth n'a sûrement pas été la première victime de Frank McKay, mais une des premières car il n'avait jamais commis de meurtre aussi près de Boston…

Randall marqua une pause et hocha lentement la tête avant d'ajouter :

— Ce n'est tout compte fait pas si sûr, mais nous y reviendrons… En vérité, c'est essentiellement pour cette raison que nous sommes ici ce soir. La manière dont Frank McKay a tué Elizabeth Garth, une jeune mère célibataire, porte à croire qu'il débutait dans le crime. Il est même possible qu'il ait agi avec précipitation. Il l'a non seulement tuée assez près de chez lui, mais il avait au préalable établi un contact avec elle qui aurait pu permettre à la police de remonter sa trace. En outre, si le corps d'Elizabeth présente des blessures infligées au couteau aux bras et aux jambes, c'est une profonde entaille à la gorge qui a provoqué sa mort en quelques secondes à peine, ce qui est très différent des actes de sadisme et de torture des meurtres ultérieurs.

« À quoi pensait McKay en assassinant Elizabeth Garth ? Je suis certain qu'il a éprouvé un plaisir extrême à torturer, puis à tuer la jeune femme sans défense. Il savait donc qu'il allait recommencer. Mais il savait aussi que s'il se montrait imprudent, il finirait par se faire prendre. Il devait donc élaborer un système qui lui permette de perpétrer ses meurtres sans être capturé.

« De 1983 à 1989, il a commis au moins sept crimes, tous hors de l'État. Les victimes étaient de jeunes femmes, mais les points communs s'arrêtent là. Frank a tué au couteau, au marteau et à mains nues ; il choisissait les femmes au hasard, réduisant au minimum ses contacts avec elles. À l'époque, il justifiait ses absences en emmenant son fils Ted à des championnats d'échecs. Il s'éloignait du lieu où se déroulait le tournoi, parcourait un trajet d'environ une heure, choisissait sa victime, la torturait et la mutilait pendant deux ou trois heures. On a rarement vu un tel degré de cruauté, mais il est difficile d'établir un schéma qui relie ces crimes entre eux.

Les visages des victimes apparurent sur l'écran.

— Frank McKay est mort sans avoir été démasqué. Il a tué dix-neuf femmes et deux hommes, et on le soupçonne d'avoir commis quinze autres meurtres. Même un système comme le VICAP[1] n'aurait pas permis de conclure à un mode opératoire caractéristique.

L'image d'un labyrinthe circulaire envahit l'écran.

— J'ai dit tout à l'heure que personne n'a su déceler le criminel sous la façade qu'il offrait au public, à l'exception de son ami d'enfance, Andrew Dobbins, mais ce n'est peut-être pas tout à fait vrai. Sa première femme, Kristen McKay, qui a subi ses coups et ses mauvais traitements pendant des années, avait vu le vrai visage de son mari. Mais elle avait des déficiences mentales et a été malade toutes les années où elle a vécu avec lui. Ted, son fils aîné, a été témoin du comportement violent de son père. Le petit Ted, un prodige des échecs qui est devenu par la suite un chef d'entreprise prospère, avait la réponse.

Randall désigna le cœur du labyrinthe.

— Une réponse qui est restée cachée des années et que nous avons aujourd'hui la chance de connaître, grâce à une personne qui s'est beaucoup investie dans cette affaire.

L'image du labyrinthe s'estompa lentement, puis la couverture d'un livre occupa tout l'écran. Il s'intitulait *L'Opossum rose*. Le nom de l'auteur était écrit en dessous en lettres rouges.

— Mesdames et messieurs, je ne vous ferai pas attendre plus longtemps. Voici la femme qui a levé le voile sur ce mystère. Veuillez accueillir le docteur Laura Hill !

Des applaudissements saluèrent l'arrivée de Laura, qui s'empressa de gagner une petite table haute placée à côté de l'écran.

1. Violent Criminal Apprehension Program, fichier mis en place en 1985 par le FBI permettant d'analyser les crimes violents.

C'était la troisième fois qu'elle présentait son livre, mais elle avait toujours le trac. Elle chercha Dedee, assise au premier rang, et le simple fait de la voir applaudir à tout rompre lui donna des forces. Sa sœur avait toujours beaucoup compté pour elle, en particulier ces derniers temps. Après son renvoi du Lavender Memorial et sa rupture avec Marcus, elle avait été son principal soutien. Walter aussi, bien entendu, mais Dedee l'avait en outre encouragée à terminer son livre à un moment où sa vie professionnelle était devenue compliquée. « Le manuscrit est excellent. Si on t'a donné un ultimatum à l'hôpital, tant pis, qu'ils aillent au diable. Quant à Marcus, ça ne m'étonne pas qu'il se lave les mains de ce qui t'arrive. Je n'ai jamais aimé ce type. »

Dedee ne s'était pas trompée dans son jugement.

— Bienvenue !

— Merci, Randall.

Pour l'occasion, Laura avait choisi une jupe moutarde et un chemisier blanc très cintré à manches longues – *désormais, il lui faudrait toujours porter des manches longues*. Lorsqu'elle s'assit et croisa les mains, elle s'assura que son poignet droit n'était pas exposé aux regards. Sa manche se souleva légèrement, dévoilant quelques millimètres de peau brûlée.

— Avant tout, c'est un immense honneur pour moi d'avoir été invité ce soir, déclara Randall.

— Votre introduction était magnifique, dit-elle en hochant la tête.

— Merci beaucoup.

Le journaliste observa l'écran sur lequel était projetée la couverture du livre de Laura.

— Pourquoi un labyrinthe ? demanda-t-il, comme si cette question venait juste de lui traverser l'esprit.

— Oh… les labyrinthes m'ont toujours fascinée. J'ai grandi à Hawkmoon, en Caroline du Nord, et il y avait dans cette ville un petit parc d'attraction. Le propriétaire, un homme adorable qui s'appelait Adams, l'a tenu ouvert de nombreuses années et a connu un franc succès, contre toute attente. Le clou du parc était un grand labyrinthe circulaire.

— Un labyrinthe végétal ?

— Non, mais il avait la particularité de changer. De nombreuses portes s'ouvraient et se fermaient, et les parcours étaient chaque fois différents. M. Adams disait qu'il y en avait plus de mille, mais il exagérait sans doute. Un homme déguisé en Minotaure s'y trouvait et rendait la tâche des visiteurs encore plus difficile. Nous, les enfants, avions très peur de lui. J'ai rarement vu quelqu'un trouver la sortie. Avec ma sœur, qui est dans la salle ce soir, nous y allions tous les jours pendant les vacances d'été, parce qu'un des employés nous plaisait beaucoup.

C'est plutôt toi qui l'aimais bien, murmura Dedee sans bouger de son siège.

Laura ne put s'empêcher de sourire.

— Les labyrinthes m'ont toujours attirée. Notre façon de raisonner ressemble à la recherche de la sortie d'un labyrinthe.

— Ou de ce qui nous bloque à l'intérieur, j'imagine.

— Tout à fait ! On entrait dans le labyrinthe de Hawkmoon par un passage qui nous conduisait directement au centre. Pour une raison ou pour une autre, je pensais que si je prenais des chemins détournés, j'allais trouver plus facilement la sortie, mais j'échouais presque tout le temps.

— Parce que, pour sortir, il faut bien souvent savoir revenir sur ses pas, n'est-ce pas ?

— Exactement. Quand Ted McKay a été interné au Lavender Memorial, il était prisonnier d'un labyrinthe qu'il avait lui-même conçu.

— S'agissant d'un homme aussi brillant que lui, j'imagine qu'il était très complexe.

— Vous avez raison. Il passait des semaines entières immergé dans des cycles et tournait en rond sans parvenir à s'en extraire. Quand nous essayions de lui forcer un peu la main, de le guider vers la sortie sans avoir choisi le bon moyen, il se perdait encore plus, comme moi dans le labyrinthe de Hawkmoon. Il fallait alors repartir de zéro.

— Ted McKay est mort dans l'incendie d'une usine de machines à écrire désaffectée, expliqua Randall avec des trémolos dans la voix. Un incendie auquel vous avez eu la chance de réchapper, Laura. Parce que en quelque sorte, cette histoire est aussi celle de votre propre labyrinthe, vous n'êtes pas de mon avis ?

— C'est possible. Mais c'est surtout pour Ted McKay que ç'a été difficile. Il a non seulement perdu la vie, mais il a aussi dû supporter un poids énorme sur les épaules pendant des années. Ce livre traite de son parcours traumatisant et de la manière dont il a déjoué les pièges que lui tendait son propre esprit. S'il n'avait pas été courageux, je ne serais pas ici et ces crimes atroces n'auraient jamais été élucidés.

Quelques spectateurs applaudirent, bientôt imités par toute la salle. Laura et Randall firent de même.

— Une des dernières choses que Ted m'a dites avant de mourir, c'est que tout cela était inutile car son père était mort. Mais vous et moi, nous savons combien il est important de connaître la vérité.

— Absolument. J'ai eu la chance d'interviewer des proches des victimes, et pour beaucoup, c'est un soulagement de connaître l'identité du meurtrier et de savoir qu'il n'est plus parmi nous.

— C'est également capital pour l'ex-femme et les filles de Ted, qui ont été confrontées à la perte d'un être cher. Malgré ses accès de folie, elles ont pu le voir tel qu'il était, c'est-à-dire un homme généreux qui a porté une lourde croix par la faute de son père.

La présentation du livre dura encore une demi-heure. Randall était un excellent journaliste et le débat se déroula avec spontanéité et fut suivi d'une séance de dédicaces au cours de laquelle Laura se détendit et reçut des marques d'affection de la part de ses lecteurs. Certains regardaient discrètement la cicatrice sur son poignet, d'autres échangeaient des commentaires avec elle ou lui posaient des questions. La plus fréquente avait trait à Justin Lynch, parce qu'ils savaient par la presse qu'il était sorti du coma. Laura leur répondit poliment qu'elle n'était pas en contact avec lui et que ses proches ne lui avaient pas donné l'autorisation de faire d'autres révélations.

À un moment donné, Laura vit au loin un petit homme à lunettes qui n'était pas dans la file d'attente. Âgé d'une cinquantaine d'années, il attendait, son livre sous le bras, un demi-sourire aux lèvres.

Dès qu'elle avait fini une dédicace, Laura détournait le regard et observait l'inconnu, toujours debout au même endroit. La salle commençait à se vider quand Matthews, un des organisateurs, un homme de près de deux mètres, vint la voir. Elle lui demanda s'il voulait bien lui tenir compagnie. Au même instant, l'individu à lunettes se plaça dans la file d'attente. Il était le dernier.

Une femme obèse se planta devant la table, empêchant Laura de voir l'inconnu. Elle souriait constamment et avait une énergie débordante. *Je suis teeeellement contente d'être ici, j'ai aaadoré votre livre.* Laura lui prêta une oreille attentive car la dame était très sympathique et avait dû faire un long trajet pour assister à la conférence. *J'habite dans le Vermont... j'ai de la famille ici, mais je suis venue spécialement pour vous voir, mademoiselle Hill. Vous avez beaucoup de talent.* Laura acquiesçait tout en rédigeant sa dédicace. Elle leva la tête pour tenter de voir l'homme aux lunettes que cachait la grosse dame. *Merci beaucoup, vraiment... et n'arrêtez jamais d'écrire, s'il vous plaît. Je peux vous avouer quelque chose?* Laura tâchait de se montrer aimable, mais elle craignait que son sourire finisse par ressembler à une grimace embarrassée. Où était passé l'homme à lunettes? Elle l'imagina surgir derrière la grosse dame, armé d'un couteau. Pourquoi ce genre d'idées lui traversait-il l'esprit? À croire que les tueurs en série formaient une sorte de club et qu'ils étaient fâchés contre elle. *Je suis tombée un petit peu amoureuse de Ted*, disait la dame, dont les joues s'empourprèrent. *Oh, vous allez me prendre pour une folle. Enfin... amoureuse n'est pas vraiment le mot... je l'aime comme on apprécie les bons personnages.* Laura lui répondit qu'elle comprenait parfaitement et qu'elle la remerciait d'être venue. Elle lui tendit le livre dédicacé et son admiratrice se décida enfin à partir. L'homme aux lunettes était toujours au bout de la file.

Dix minutes plus tard, après qu'elle eut signé deux exemplaires à un couple, l'inconnu s'avança vers elle.

— Vous ne me reconnaissez pas ? demanda-t-il d'une voix mélodieuse et posée.

Si cet individu avait commis des meurtres, c'était l'assassin le plus charmant du monde. Laura se détendit.

— Pour être franche, non.

Mais dès qu'elle eut prononcé ces mots, elle se rappela.

— Je suis Arthur Robichaud.

Elle avait trouvé une photo de l'avocat sur Internet, mais ne l'avait jamais vu en personne. Ils avaient eu un bref entretien téléphonique, et pas franchement agréable.

Robichaud regarda de tous côtés. Il restait encore de petits groupes disséminés dans la salle, mais ils étaient loin d'eux. Seul Matthews pouvant les entendre, Laura le pria de les laisser seuls un instant.

— Merci d'avoir changé mon nom dans votre livre, lui dit Robichaud.

— Vous me l'aviez demandé.

— C'est vrai, mais vous auriez pu ne pas tenir compte de mes desiderata. Je vous prie de m'excuser si j'ai été un peu brusque au téléphone, vous devez savoir qu'une affaire comme celle-ci peut nuire à mon cabinet.

— Ne vous inquiétez pas pour ça.

Il paraissait nerveux et ne lui avait pas donné l'ouvrage qu'il avait calé sous le bras.

— Je ne voulais pas vous interrompre. J'ai lu votre livre, il est excellent, je vous félicite.

Il posa son exemplaire sur la table.

— Merci, mais j'ai l'impression que vous n'êtes pas venu uniquement pour cela, n'est-ce pas ? lui demanda-t-elle.

Robichaud hocha la tête en silence. Il leva les yeux vers le plafond, comme si ce qu'il cherchait à dire y était écrit.

— J'ai longuement réfléchi à la révélation que je vais vous faire, et pourtant, c'est difficile…

Quelque chose échappait à Laura. Dans son livre, elle avait réduit la participation de l'avocat au minimum, en partie parce qu'il l'avait exigé. Qu'avait-il donc à lui dire de si important ?

— Je n'en ai même pas parlé à ma femme, reprit-il, sincèrement gêné. Personne n'est au courant, mais vous, vous me comprendrez, j'en suis sûre.

— Je vous écoute.

— Un jour, en fin d'après-midi, Ted est venu chez moi, comme vous l'avez écrit. C'était mon anniversaire, mais il ne le savait pas. Tous nos anciens camarades d'école n'étaient pas là, contrairement à ce qu'il vous a dit, mais j'en avais invité certains. Ce que vous décrivez dans le livre n'est donc pas loin de la vérité. Ted et moi sommes allés dans mon bureau pour rédiger son testament.

Laura étudiait son visage.

— Tous les cycles partent de faits réels, dit-elle. Vous pouvez consulter d'autres personnes, elles vous le confirmeront.

Il acquiesça.

— Je suis désolé de ne pas vous en avoir touché un mot avant. Je… si j'avais su…

Il laissa sa phrase en suspens, la main sur son exemplaire, à croire qu'il allait prêter serment.

— Ce n'est pas grave, dit-elle.

— Dans le livre, vous mentionnez un opossum… qu'est-ce que signifie cet animal, au juste ?

Laura se redressa sur sa chaise, étonnée. Elle n'avait pas trop insisté sur la présence de l'opossum. Ted l'avait à peine évoqué, et principalement pour lui parler de ses conversations avec Mike Dawson, qui n'avait guère été bavard à ce sujet.

— Pour une raison ou pour une autre, Ted avait peur de cet animal, répondit-elle à Robichaud en lui adressant un sourire compréhensif. Il a dû vivre un épisode traumatique dans lequel intervenait un opossum, c'est du moins l'impression que j'ai eue, mais je ne lui ai jamais posé la question.

— Mais dans ces... « cycles », quel rôle jouait l'animal exactement ?

— Monsieur Robichaud... est-ce vraiment important pour vous ?

— Oui.

— Je peux savoir pourquoi ?

— Ce jour-là, dans mon jardin, Ted a cru voir un opossum, comme vous le dites dans votre livre. Il n'était pas dans un vieux pneu, mais dans des massifs de plantes.

Laura ne cacha pas sa déconvenue. Selon elle, cette partie du récit de Ted n'était pas réelle et faisait partie des cycles.

— Vous me surprenez.

— Oui, j'imagine. Alors, quel est le rôle de cet animal ?

— Je suis incapable de vous apporter une réponse claire, monsieur Robichaud, mais je crois que c'était une façon pour lui de rester à l'intérieur des cycles... Dès qu'il perdait le contrôle, l'opossum apparaissait. Je crois que Ted en rêvait parfois, et il est possible qu'au cours de ces cycles, il ait joué, en quelque sorte, un rôle de gardien.

Robichaud s'accorda un instant de réflexion.

— Comme le Minotaure dans le labyrinthe de votre ville natale.

Bonne déduction pour un avocat.

— Oui, c'est un peu ça.

La salle était déserte.

— J'ai vu l'opossum, ce jour-là, déclara soudain Robichaud.

Laura garda le silence.

— Ted s'est mis à crier qu'il y avait un opossum dans le jardin et plusieurs de mes amis sont sortis pour le capturer. Ils ne l'ont pas trouvé. Moi, je regardais par la fenêtre de mon bureau... et je l'ai vu très distinctement se glisser dans les massifs.

— Je ne sais pas quoi vous dire… les opossums existent, il a certainement dû s'enfuir.

— Il y avait une trentaine de personnes et aucune ne l'a vu partir. Les massifs sont en plein milieu du jardin, aucun animal ne peut en sortir sans se faire remarquer. Ted et moi, nous l'avons vu, les autres non.

Robichaud se leva, Laura se contenta de le regarder. Il lui tendit la main, elle la lui serra.

— Vous comprenez maintenant pourquoi je ne pouvais pas vous parler avant, n'est-ce pas ?

Sans attendre la réponse de Laura, il prit son livre, sourit et s'éloigna comme s'il venait de se délester d'un grand fardeau.

REMERCIEMENTS

Ce livre ne s'est pas écrit du jour au lendemain. Ted McKay est resté longtemps dans son bureau, à attendre que l'auteur puisse discerner les véritables raisons de son intention. Il a heureusement pu compter sur l'aide de nombreuses personnes.

À ma mère, Luz, qui a écouté attentivement les idées préliminaires de ce livre, même si beaucoup d'entre elles n'avaient ni queue ni tête. Elle et mon père, Raúl Axat, m'ont toujours soutenu dans ma carrière d'écrivain.

À Patricia Sánchez, qui a eu connaissance de cette histoire alors qu'elle venait tout juste de prendre forme, et qui, confiante et amicale, a su tendre les ponts nécessaires pour qu'elle devienne aujourd'hui une réalité.

À Maria Cardona, mon agent de chez Pontas Agency, qui a lu le texte original et proposé des changements essentiels dans l'histoire. Merci, Maria, de m'avoir poussé dans la bonne direction.

À Anna Soler-Pont, la capitaine du bateau littéraire le plus incroyable, et à toute son équipe, pour avoir fait l'impossible avec ce livre.

À Anna Soldevila et à toute l'équipe éditoriale de Destino, merci d'avoir travaillé sans relâche sur le manuscrit.

À ma sœur, Ana Laura Axat, et à mon frère, Gerónimo Axat, ainsi qu'à mon neveu, Ezequiel Sánchez Axat.

À Ariel Bosi et María Pïa Garavaglia, pour avoir lu le premier manuscrit et donné leur avis.

Aux collègues que j'admire et respecte et qui m'ont aidé en me prodiguant des conseils et en m'offrant leur image en exemple : Raúl Ansola, Paul Pen, Montse de Paz et Dolores Redondo.

Dans la collection
Robert Pépin présente…

Pavel ASTAKHOV
Un maire en sursis

Alex BERENSON
Un homme de silence
Départ de feu

Lawrence BLOCK
Entre deux verres
Le Pouce de l'assassin
Le Coup du hasard
Et de deux…
La Musique et la nuit

C. J. BOX
Below Zero
Fin de course
Vent froid
Force majeure
Poussé à bout

Lee CHILD
Elle savait
61 heures
La cause était belle
Mission confidentielle
Coup de chaud sur la ville
(ouvrage numérique)
Jack Reacher : Never go back

James CHURCH
L'Homme au regard balte

Michael CONNELLY
La lune était noire
Les Égouts de Los Angeles
L'Envol des anges
L'Oiseau des ténèbres
Angle d'attaque
(ouvrage numérique)
Volte-Face

Le Cinquième Témoin
Wonderland Avenue
Intervention suicide
(ouvrage numérique)
Darling Lilly
La Blonde en béton
Ceux qui tombent
Lumière morte
Le Coffre oublié
(ouvrage numérique)
Dans la ville en feu
Le Poète
Los Angeles River
La Glace noire
Mulholland, vue plongeante
(ouvrage numérique)
Les Dieux du Verdict
Billy Ratliff, 19 ans
(ouvrage numérique)
Mariachi Plaza
Deuil interdit

Miles CORWIN
Kind of Blue
Midnight Alley
L.A. Nocturne

Martin CRUZ SMITH
Moscou, cour des Miracles
La Suicidée

Chuck HOGAN
Tueurs en exil

Andrew KLAVAN
Un tout autre homme

Michael KORYTA
La Rivière Perdue
Mortels Regards

Stuart MACBRIDE
Surtout, ne pas savoir

Robert McCLURE
Ballade mortelle

Alexandra MARININA
Quand les dieux se moquent

T. Jefferson PARKER
Signé : Allison Murrieta
Les Chiens du désert
La Rivière d'acier

P. J. PARRISH
Une si petite mort
De glace et de sang
La tombe était vide
La Note du loup

George PELECANOS
Une balade dans la nuit
Le Double Portrait
Red Fury
La Dernière Prise

Henry PORTER
Lumière de fin

Sam REAVES
Homicide 69

Craig RUSSELL
Lennox
Le Baiser de Glasgow
Un long et noir sommeil

Roger SMITH
Mélanges de sangs
Blondie et la mort
Le sable était brûlant
Le Piège de Vernon
Pièges et Sacrifices
Un homme à terre

p.g.sturges
L'Expéditif
Les Tribulations de l'Expéditif

Peter SWANSON
La Fille au cœur mécanique
Parce qu'ils le méritaient

Joseph WAMBAUGH
Bienvenue à Hollywood
San Pedro, la nuit

Photocomposition Belle Page

Impression réalisée en août 2016
par Cayfosa
pour le compte des éditions Calmann-Lévy
21, rue du Montparnasse 75006 Paris

calmann-lévy s'engage
pour l'environnement en réduisant
l'empreinte carbone de ses livres.
Celle de cet exemplaire est de :
500 g éq. CO_2
Rendez-vous sur
www.calmann-levy-durable.fr

N° d'éditeur : 2473046/01
Dépôt légal : octobre 2016
Imprimé en Espagne.